군 간부를 위한 성공 지침서

군대생활에서

성공하는 리더십

군 간부를 위한 성공 지침서

군대생활에서 성공하는 리더십

손규석 지음

서문

학창시절을 마치고 사회와 야전에 첫발을 내디딜 때 이제 더 이상 공부할 일은 없을 것이라고 생각하였다. 그러나 시간이 지날수록 아직도 배워야 할 것이 많고, 아는 것보다 모르는 것이 더 많다는 것을 깨닫게 되었다. 그럼에도 불구하고 그동안 기록하고 사색하는 습관, 사물에 대해 분석하고 깨우치며 내 것으로 받아들이려는 노력 때문에 지금까지 무난히 적응하고 발전해 왔다고 생각한다.

직업군인이란 참으로 가치 있는 직업이다. 사람은 누구나 태어나서 언젠가는 죽기 마련인데, 그러면서도 일생을 통해 가치 있는 삶을 살고 가기란 그리 쉽지가 않다. 그러나 군생활을 하는 사람은 군에 몸을 담았다는 사실 하나만으로도 인생에 가치를 부여할 수 있다. 바로 국가를 위해 또한 국민을 위해 헌신하였다는 사실 때문이다. 그러므로 비록 군생활이 힘들었고 경제적으로 여유가 없었다 하더라도 보다 가치 있는 것을 얻었다는 자부심을 가질 필요가 있다. 세상이 몰라줘도 하늘은 알아줄 것이라는 신념을 가지고 말이다.

자식을 군에 보내는 한 어머니가 자기 아들을 국방대학원에 보내는 심정으로 입대시킨다는 말을 한 적이 있다. 그만큼 군에 가서 배우고 터득할 것이 많다는 이야기다. 그렇다. 필자도 20여 년 동안 군에 몸담고 있으면서 군생활에 필요한 것뿐만 아니라 대인관계나 자기계발 등 사회생활에 필요한 것까지 새롭게 터득하였다. 사관생도나 후보생 시절은 주로 국가관을 심어 주고 사명감과 책임감을 완성시켜 주는 단계이다. 직장생활에 필요한 것은 현장에 가서 배워야 하는데 막상 야전에 나가 보면 인생에 필요한 것들을 쉽게 설명해 주고 가르쳐 주려고 하지 않는다. 그리하여 실용적인 것을 조기에 익히지 못하게 되고, 그렇게 출발이 늦다 보면 아무리 실력 있는 사람이라도 뒤처지게 될 것이다. 그렇기 때문에 부끄러움을 무릅쓰고, 필자의 경험이 이제 막 군과 사회에 첫발을 내딛는 많은 초년생들에게 조금이나마 도움이 될 것을 기대하면서 이 글을 쓰게 되었다. 또한 세월이 흐르면서 진급을 하고 새로운 직책을 맡았을 때에도 활용할 수 있도록 직책별 근무요령을 기술하였다.

끝으로 이 책은 하나의 방향제시일 뿐 여러분을 성공으로 곧장 이끌어 주지는 못한다는 것을 강조하고 싶다. 이 책을 읽고 여러분이 똑같은 출발점에서 출발한다고 해도 결과는 다양하게 나타날 것이다. 이는 학창시절에 같은 책으로 공부하고 같은 내용을 가르쳐도 효과는 다르게 나타나는 것과 같은 이치이다. 따라서 이 책에서 제시한 내용들을 참고함과 동시에, 살아가면서 겪게 되는 여러 가지 경험을 통해 느낀 점을 꾸준히 메모하고 기억하여 그 교훈들을 효과적으로 활용해 나갈 때 보다 값진 결과를 얻을 수 있음을 명심하기 바란다. 아무쪼록 이 책을 통해 여러분 모두가 군이나 사회에서 성공하고 나아가 국가발전에 기여할 수 있게 되기를 희망한다.

손규석

목차

제1부

직책별 군대생활 요령

제1장 소대장의 지휘기법

소대장으로 첫발을 내딛은 여러분 대부분은 20여 년 동안을 공부만 하면서 부모님이 제공해 주는 음식과 잠자리로 별다른 어려움 없이 생활해 왔을 것이다. 그러나 이제는 더 이상 부모님께 의지하지 말아야 할 것이며, 공부가 아니라 사회인으로서 일을 해야 한다. 일! 업무라는 것은 그동안 해 왔던 공부와는 개념이 다른 것이다. 아르바이트를 해 본 사람은 알겠지만 모든 일에는 그것만의 독특한 요령과 방법이 있다. 이것을 터득하여 활용하는 사람은 쉽고 효율적으로 임무를 수행할 것이고, 그렇지 못하면 고생은 고생대로 하면서도 성과는 잘 나타나지 않을 것이다.

군문에 첫발을 내딛으면서 여러분은 지금까지와는 전혀 다른 새로운 세상을 접하게 되었다. 이제 새로운 안목과 각오로 지금까지 선배들이 어떻게 해 왔고, 사회생활이 어떻게 이루어지는지를 세심히 살펴 익히기 바란다.

1. 정(情)과 엄(嚴)을 조화롭게 활용하라

병사들은 소대장이 부임해 올 때 자신들을 이끌어 줄 지휘자를 기대하는 한편, 자신들과 동고동락하는 또 한 명의 전우가 되어 주기를 희망한다. 따라서 소대장은 지휘만 하려고 하지 말고 우선은 그들과 동화되려고 노력해야 한다. 그들의 행동을 그대로 답습하라는 것이 아니라 병사들이 어떤 생각으로 어떻게 생활하고 있는지, 병사들 사이에는 어떤 룰이 있으며 애로사항들은 무엇이 있는지 등을 이해하려고 노력하라는 것이다. 그들의 세계를 이해하지 않고서는 병사들과 진정한 전우가 될 수 없다.

부하들에게 진심어린 정을 쏟아라

항상 역지사지(易地思之)의 마음으로 부하들의 고충을 살피고 복지를 향상시키며 개인적인 일에도 관심을 가져줘라. 군대라고 해서 명령관계로만 지내려고 하지 말고 인간적인 면모도 보여 줘라. 자신들이 믿고 따라야 할 소대장에게 인간적인 모습이 없으면 부하들도 진실한 마음으로 다가오지 않게 되고, 위기 시에도 전우애나 단결력을 발휘할 수 없게 된다.

병사들의 생일을 기억하여 축하해 주고, 전역하는 병사는 그냥 보내지 말고 밥 한 끼라도 먹여서 보내는 전우애를 발휘하라. 다친 곳이 있으면 말로만 병원에 다녀오라 하지 말고 상처를 매만져 주고 직접 치료해 주는 따뜻한 모습을 보여라. 이러한 정성어린 모습은 부하들로부터 진심어린 충성을 이끌어 낼 것이다. 또한 부하들이 잘한 일에는 당연하다고 생각하여 무심히 넘기지 말고 칭찬하거나 상점을 부여하고 표창을 건의하라. 어떤 형태로든 가시적으로 상을 주는 것이 효과적이다. Give and Take! 부하가 먼저 다가와 당신에게 격려의 말을 해 주기를 바라거나 당신의 고충을 먼저 알아주기를 기다리지 말고, 당신이 먼저 상관으로서 따뜻한 정을 베풀어라. 기다리면 아무것도 오지 않는다. 먼저 찾아가라.

잘못된 것은 규정에 의거하여 엄하게 처리하라

병사들에게 인기 있는 소대장이 되거나 인간적인 소대장이 되고 싶다고 해서 소대장으로서 규정과 원칙을 무시하고 정에만 얽매여 지휘해서는 안 된다. 서양 속담에 '매를 아끼면 자식을 망친다(Spare the road and spoil the child).'는 말이 있다. 부하들이 규정을 어겼을 때 엄한 모습을 보이지 않는다면 부하들은 상관을 우습게 보고 역이용할 수 있으며 지휘권이 확립되지 않는다. 마키아벨리는 "사랑의 대상이 되는 것보다 공포의 대상이 되는 것이 훨씬 더 안전하다. 사랑은 감사의 유대에 의해 유지되지만, 사람은 지나치게 자기 이해에 얽매여 있기 때문에 자신에게 유리한 기회가 생기기만 하면 이 유대를 끊어 버린다. 그러나 공포는 벌에 대한 두려움으로 유지되며 이것은 늘 효과적이다."라고 하였다. 그러므로 당신에게 주어진 권한을 포기하지 말고 처벌권을 적절히 행사하라.

군대에는 규정을 위반하였을 경우에 대한 얼차려 기준이 정해져 있다. 초급간부 시절에 특히 주의해야 할 점은 벌을 줄 때에도 이 규정에 입각해서 부여해야 한다는 것이다. 규정된 범위를 벗어나 과도하게 얼차려를 부여하면 오히려 벌을 내린 간부가 처벌을 받게 된다. 말로써 얼차려를 시키는 것은 쉬워도 직접 수행하는 것은 힘든

법이다. 자신이 직접 얼차려를 겪어 보지 않은 사람은 그 처벌이 얼마나 힘들고 고통스러운지 모르고 무리하게 시키게 된다. 그리하여 병사의 몸을 다치게 함으로써 가혹행위를 저지른 죄로 처벌을 받는 경우가 있다. 따라서 초급간부라면 당연히 얼차려 규정을 명확히 숙지하고, 화가 많이 나서 강하게 처벌하고 싶은 욕심이 생기더라도 마음을 가라앉혀 얼차려 규정에 맞게 처벌해야 한다. 감정적으로 처벌하려고 하지 말고, 교육적인 차원에서 잘못한 행동에 합당한 수준의 벌만 내려라. 때로는 상대방의 체력수준을 고려하여 처벌의 정도를 다소 감해 주는 아량도 보여 줘라.

두 개의 잣대가 필요하다

엄과 정을 실천할 때에는 이중적인 모습이 필요하다. 소대원 전체를 모아 교육하거나 지휘할 때에는 근엄한 모습으로 해야 권위가 서게 된다. 그러나 병사 한 명과 면담을 하거나 어떤 잘못을 저질렀다가 뉘우치고 개인적으로 찾아온 병사에게는 최대한 감싸 주고 도와주려는 부드럽고 자상한 모습을 보여 줘야 한다.

또한 잘못을 질책해야 할 때는 혼자만 조용히 불러서 야단치는 것이 좋다. 여러 사람이 모인 자리에서 누군가를 칭찬하는 것은 문제 되지 않지만 잘못을 지적하고 질책하는 것은 조심해야 한다. 여러 사람이 있는 데에서 혼내면 자존심이 상하여 자신의 잘못을 반성하기보다는 혼내는 사람에 대한 원망과 반항심만 생겨 부대의 단결을 저해할 수 있다. 따라서 하나와 여럿의 차이를 알고 지휘해야 한다.

엄(嚴)과 정(情)은 한쪽으로 너무 치우지지 말아야 한다. 항상 엄하기만 해서도 안 되고 부드럽기만 해서도 안 된다. 엄해야 할 때에는 엄하고 따뜻해야 할 때에는 따뜻해야 한다. 상과 벌(당근과 채찍), 엄(嚴)과 정(情)을 조화롭게 적절히 활용하기만 해도 당신은 최고의 소대장이 될 것이다. 또한 이것은 계급이 올라가도 부대를 지휘하는 데 가장 기본적인 요소이므로 소대장 시절부터 명확하게 습득해 두는 것이 좋다.

2. 법과 규정을 생활화하라

관공서나 회사 등 모든 조직에는 그 조직을 유지하고 업무를 하는 데 필요한 나름대로의 법과 규정들이 있다. 따라서 그 조직의 일원으로서 업무를 하기 위해서는 관련되는 규정들을 숙지하고 있어야 한다. 군대에도 육군규정이나 부대내규, 육군 방침 및 지침과 같은 다양한 규정들이 있다. 특히나 군대는 다른 조직과는 다르게 군대의 특성상 군율이 엄격하기 때문에 이러한 법과 규정들을 모르고서는 군대생활을 하기가 어렵다.

학창시절에 공부하던 방식으로 규정을 공부하라

소대장으로 부임하는 순간부터 육군규정, 부대내규, 상급부대에서 전달되는 각종 공문 등을 공부하라. 규정들을 꼼꼼히 읽으면서 중요한 부분에는 밑줄을 긋고 형광펜으로 표시도 하라. 일상생활에서 자주 쓰일 것 같은 사항은 별도의 노트에 요약해 두었다가 필요할 때마다 열어 보면서 수시로 복습하라. 이러한 식으로 몇 달만 반복하면 자연스레 규정이 익혀지게 될 것이다. 규정을 알아야 업무도 쉽게 할 수 있고 언행도 적법하게 취할 수 있다.

대부분의 초급장교들은 일을 시키면 규정을 찾아보고 일을 하기보다는 과거에 했던 자료들을 살펴보고 그것을 견본 삼아 비슷하게 흉내 내려고 한다. 그러나 경험이 짧기 때문에 과거의 자료나 방식이 옳은지 그른지 분간도 하지 못하고 단지 그것을 모방할 뿐이다. 따라서 업무를 제대로 하려면 관련되는 법과 규정을 공부해야 한다. 군생활에 뜻이 있는 사람조차 여가시간에 자기계발을 하는 것에만 시간을 투자하려 할 뿐 규정을 공부하는 것에는 소홀한 면이 많은데, 필수적인 자기계발 요소들을 갖추었으면 그 후에는 규정을 숙지하는데 투자해야 한다.

어떤 사람은 규정을 읽어 보지도 않고 상급자가 지시하는 대로만 업무하는 사람이 있다. 이런 사람은 하나를 지시하면 하나밖에 못하는 사람이다. 하나를 시켜도 관련 규정을 살펴서 추가적으로 해야 할 일을 스스로 찾아내어 시행할 줄 아는 사람이 되어야 한다.

규정을 찾아 실상과 비교해 보라

규정을 읽고 기억하는 것으로만 끝내지 말고 행동으로 옮겨라. 규정을 읽으면서 실무와 관련된 부분이 있으면 우리 부대 실상은 어떠한지 생각해 보고, 확인해야 할 부분이 있거나 궁금한 점이 있으면 별도로 기록하여 그것을 휴대하고 현장에 가서 직접 체크해 보라. 실제와 어떤 차이가 있는지 점검하면서 개선시켜 나가라. 알기만 하고 행동하지 않을 것 같으면 배울 필요도 없는 것이다. 초급장교에게는 ≪병영생활≫ 교범이 많은 도움이 될 것이다. 그 교범에 나와 있는 대로 병사들의 일과나 점호가 지켜지고 있는지 체크해 보고, 스스로 소대의 기강을 세워 나가라. 조직의 시스템은 각자가 해야 할 일을 스스로 해 나가야 확립되는 것이다. 소대장이 해야 할 일을 중대장이나 상급자가 시켜야만 하고 시키지 않으면 하지 않으려고 해서는 안 된다.

시간이 흘러 각종 규정을 다 익혀 머릿속에 넣고 있다고 해도 자만하지 마라. 해당 업무를 할 때에는 관련 규정을 알고 있다고 하더라도 다시 한 번 그 규정을 찾아보고 업무에 임해야 한다. '돌다리도 두드려 보고 건너라.'고 했다. 머릿속에 있는 기억만으로 업무를 하다 보면 뭔가 하나는 반드시 누락하게 된다. 작은 실수가 큰 화를 가져올 수 있으니 체크리스트를 따라 업무하듯 규정을 다시 한 번 확인하라. 관련 규정 파일들을 컴퓨터 바탕화면에 저장해 두는 등 규정집을 늘 가까이 두고 생활하는 습관이 필요하다.

3. 책임감을 가지고 열정적으로 임하라

일체유심조(一切唯心造)! 모든 것은 마음먹기에 달렸다

새로운 일이 부여되었을 때 '과연 내가 해낼 수 있을까?' 하고 두려워하지 마라. 단지 '해내겠다. 해야만 한다.' 하는 각오만 단단히 가져라. 임무완수에 대한 투철한 책임감은 어떤 어려운 일이라도 달성 가능하게 한다. 모든 것은 마음먹기 달렸다. '반드시 해내야 한다. 해내고야 말겠다.'는 불굴의 의지가 있다면 세상에 안 될 일이 없다. 책임감은 업무에 임하는 자세를 진지하게 만든다. 업무에 대한 강한 책임감을 가진다면 그 일을 반드시 완수해야겠다는 의지가 생기게 되고, 그러한 의지가 있으면 시간 가는 줄도 모르고 힘들거나 피곤한 줄도 모르게 된다. 초등학교 시절 매일 늦잠을 자다가도 소풍 가는 날에는 설레는 마음으로 아침 일찍 저절로 일어나게 되는 것과 같다. 정신은 행동을 지배한다. 책임감이 강하게 느껴지지 않는다면 억지로 마음속으로 다짐하고 되새겨서 업무에 대한 책임감을 강하게 만들어라. 여러분은 아직 사회 초년생이기 때문에 경험과 지식이 부족한 것은 당연하다. 그러나 젊은이다운 패기와 열정만큼은 기존에 있는 선배들보다 더 강해야 한다.

인기가수 엄정화가 어느 TV 프로그램에 출연하여 다음과 같이 고백한 적이 있다. 엄정화는 6살 때 아버지가 오토바이 사고로 돌아가시자 고등학교를 졸업한 후 취업전선에 뛰어들었다가 1989년 MBC 합창단 12기로 입사하게 된다. 당시 합창단 정식 공채의 모집기준은 전문대 졸업 이상이어야 했지만, 좋아하는 노래를 마음껏 부르면서 돈도 벌 수 있다는 생각에서 무작정 원서를 냈으나 서류전형에서 탈락했다가 우연히 오디션을 통해 특채로 선발되었다고 한다. 출근하는 첫날 엄정화는 MBC 건물 밖에서 한 시간 동안 회사 건물을 쳐다보며 앞으로의 회사생활에 대해 다짐을 하였다고 한다. '열심히 하자. 최선을 다해서 최고가 되자.' 하며 결의를 다졌고, 그 결과 그녀는 꿈을 이루게 되었다. 여러분도 엄정화와 같이 굳은 결의를 다져보라.

내면에 잠자는 열정을 불러일으켜 보라

책임감과 의지만으로는 그래도 뭔가 부족하다. 바로 임무를 완수하기 위해 최선을 다하는 열정이 추가적으로 필요하다. 문제해결을 위해 조금 노력해 본 후 안 되면 "더 이상은 불가능합니다." 하고 포기하거나, 이런저런 이유를 들어 안 된다고 핑계를 대려고 하지 마라. 더 깊이 조사하고 더 폭넓게 분석하는 등 악착같이 파고드는 자세가 필요하다. 주어진 일에 완전히 몰입하여 내면에 잠자고 있는 열정을 불러내 보라. 한 번만이라도 열정의 참맛을 느낄 수 있다면 당신은 성공할 수 있다. 왜냐하면 앞으로도 항상 그러한 수준으로 일하게 될 것이기 때문이다.

2010년 4월 세계적인 글로벌 컨설팅 기업인 타워스 왓슨이 '2010 글로벌 인적자원 보고서(Global Workforce Study)'를 발표하였다. 타워스 왓슨은 세계 22개국을 대상으로 직장인의 업무 몰입도를 조사한 결과 우리나라 직장인 중 자신의 업무에 높은 몰입도를 보이는 비중은 불과 6%로 나타났는데, 이는 전 세계 수준인 21%에 3분의 1에도 못 미치는 결과였다. 또한 자신의 업무에 별로 몰입하지 않거나, 마지못해 회사에 다니는 직원의 비율은 48%로 전 세계 수준인 38%보다 높게 나타났다. 타워스 왓슨의 연구결과, 직원들의 몰입도가 가장 높은 기업들은 연간 영업이익이 19% 상승했으나, 직원 몰입도가 가장 낮았던 기업들은 연간 영업이익이 33%나 감소하였다고 한다. 구성원들의 업무에 대한 열정과 조직에 대한 몰입이 얼마나 중요한지를 보여 주는 조사결과이다. 그러나 여기에 희망이 있다. 여러분이 바로 몰입하는 직원 6%에 속한다면 반드시 승승장구할 수 있다는 것이다.

세계적으로 유명한 아이폰과 아이패드를 개발한 스티브 잡스는 "이 일에 대해 열정이 충만하지 않으면 살아남을 수 없을 것입니다. 포기할 거라는 말입니다. 누구에게든 열정을 지닌 아이디어나 문제 혹은 바로잡고자 하는 무언가가 있어야 합니다. 그렇지 않으면 끈기를 갖고 끝까지 매달리지 못할 것입니다. 저는 그것이 승리의 절반이라고 생각합니다."라고 역설하였다. 시작이 반이고, 열정이 나머지

절반을 성공시켜 줄 것이다. 그러므로 열정이 있다면 모든 것을 이룬 것이나 마찬가지이다.

업무에 임하는 마음자세가 중요하다

상급자들이 부하를 평가할 때 단순히 주어진 임무를 이상 없이 완수했는가 하는 결과만 놓고 판단하지는 않는다. 하급자의 마음자세와 태도도 같이 고려한다. 책임감은 있는지, 얼마나 적극적이고 열정적으로 임하는지도 평가한다. 이번 임무만 중요한 것이 아니라 차후에도 쓰임새가 있을지 또한 상위 계급으로의 발전 가능성이 있는지도 고려하기 때문이다. 그러므로 임무완수에 대한 투철한 책임감을 견지할 줄 알고 열정적으로 업무에 임하는 자세만 갖춘다면 당신은 장기복무자로도 선발이 되고 나아가 인생의 승리자가 될 수 있을 것이다.

사단 참모부서에 근무하는 두 명의 간부가 있었다. 한 명은 머리도 똑똑하고 효율적으로 시간을 관리하여 주어진 일을 일과시간 내에 모두 마치고 거의 매일 정시에 퇴근하였다. 반면 다른 한 명은 상대적으로 이해력이 떨어지고 업무요령도 미숙하여 항상 늦게까지 야근을 하였다. 그러면서도 일찍 퇴근하려고 대충 일을 마무리하거나 예하부대에서 업무 관련하여 문의하려고 찾아오는 사람을 소홀히 대하지도 않았다. 그런데 나중에 진급 발표가 났는데, 똑똑하다고 했던 사람은 탈락하고 늦게까지 야근했던 사람은 진급하였다. 늘 열심히 업무에 임하는 자세가 일의 결과보다 더 높게 인정받은 것이다.

4. 문제의식을 가져라

새로운 곳에 가면 먼저 그곳의 룰을 배워라

새로운 환경에 부임하게 되면 신입생은 먼저 그동안 선배들이 해왔던 방식들을 먼저 익히게 될 것이다. 당연히 일단은 예전 방식들을 샅샅이 익혀야 할 것이다. 왜냐하면 모든 방식들에는 과거에 얽힌 어떤 사연과 내막이 있기 때문이다. 처음부터 과거의 방식을 거부하려고 해서는 안 된다.

하바드대학의 마이클 왓킨스(Watkins) 교수에 의하면 새로 부임한 리더가 그 조직의 업무를 파악한 후 부가가치를 창출하는 데에는 평균적으로 6.2개월이 소요된다고 하였다. 세계경영연구원 오정후 상무는 이 기간을 단축하기 위해서는 새 업무를 파악할 때까지 행동으로 나서지 말고 우선은 부하들의 생각과 스타일을 분석하고, 필요할 때에는 상사와 의논하여 협조관계를 만들라고 조언하고 있다.

문제의식을 가져라

과거의 방식을 모두 익힌 이후에는 문제의식을 가져라. 언제까지나 그 방식만 따라간다면 발전이 있을 수 없고 주변의 변화를 반영할 수 없다. 왜 그래야 하는지, 사연이 뭔지, 그때와는 상황이 바뀌지는 않았는지, 그렇다면 현재 상황에는 어떻게 하는 것이 좋을지를 생각해 보고 개선책을 고민해 보라. 아무 생각 없이 과거의 방식을 따라만 하다 보면 어느 순간 그 방식에 젖어들어 문제점이 보이지 않게 된다. 끊임없이 생각하고 고민하지 않으면 잘못된 점이나 개선해야 할 사항을 찾아낼 수 없다.

문제의식을 가지면 창의력이 발동된다

문제의식은 창의력을 가져다준다. 초급간부일 때는 명령에 대한 적극적이고 긍정적인 수명자세로 부여된 임무를 완수하는 능력이 필요하지만, 상위 계급으로 올라갈수록 현 실태에 대해 정확히 문제를 파악하고 이를 창의적으로 해결할 수 있는 능력이 요구된다. 따라서 초급간부일 때부터 문제의식과 창의력을 지속적으로 향상시켜 나가는 노력이 필요하다.

봄이나 무더운 여름날에 졸음운전을 방지하기 위해 어떻게 해야 할지 생각해 보라. 껌이나 사탕 같은 기호식품을 활용하기도 하고, 고개가 숙여지면 경보음이 울리는 '졸음운전 방지 경보기'를 귀에 착용하기도 하며, 물에 적시면 시원한 냉기가 오래 지속되는 '아이스 스카프'를 목에 착용하는 방법도 있다. 겨울철이나 비 오는 날이면 차량의 유리창에 습기가 차서 시야가 제한되는데, 이것을 보고 당연하다고 생각하지 말고 이로 인해 사고가 날 수 있음을 인식하여 '김서림 방지제'라도 뿌려 보는 노력을 하라.

心不在焉 視而不見 聽而不聞 食而不知其味

마음이 있지 않으면, 보아도 보이지 않으며
들어도 들리지 않으며 먹어도 그 맛을 알지 못한다.

– 대학(大學) –

5. 신언서판(身言書判), 군기본자세(軍基本姿勢)를 견지하라

신언서판은 오래전 중국 당나라 때 관리를 선발하는 기준으로 삼았던 것이지만 지금까지도 공직자에게는 매우 중요한 요소로 작용하고 있다. 신(身)은 그 사람의 풍채와 용모를 뜻하는 것으로 인상이나 태도, 걸음걸이 등을 포함한다. 언(言)은 언변술로, 말을 얼마나 논리적이고 설득력 있게 표현하는지를 의미한다. 서(書)는 필적과 문장력 등을 가리키고, 판(判)은 사물에 대한 판단력을 뜻한다.

수백 년이 지난 현대에도 사람을 평가하는 기준은 크게 변하지 않은 것 같다. 그래서 회사에서 신입사원을 뽑을 때 인상이나 심지어 관상까지 보기도 한다. 또한 서(書)와 판(判)을 보기 위해 자기소개나 입사 후 각오 등에 대해 발표를 시키며, 각종 자격증이나 시험성적표를 요구하기도 한다.

군대에서도 마찬가지이다. 여러분이 군 간부로 선발되어 들어왔다면 이미 신언서판에 대한 테스트를 거쳤을 것이고, 일정 기준을 만족하였기 때문에 통과한 것이다. 문제는 지금부터다. 시험 준비를 할 때는 시험에 통과하기 위해 일시적으로 노력한 것이라서 일단 시험에 통과하고 나면 그동안 준비해 왔던 것을 잊어버리는 경우가 많다. 그러나 직장생활에서 성공하려면 꾸준히 신언서판을 향상시켜 나아가야 한다. 그중에서도 초급간부 시절에는 신(身)과 언(言)이 중요하며, 그중 최우선시해야 할 것은 신(身), 바로 군 기본자세이다.

용모와 복장을 단정히 하고, 자세를 반듯하게 하라

군기본자세를 요약하자면 크게 용모, 복장, 자세로 나눌 수 있다.

여러분은 분명 군 간부가 되기 위한 교육과정에서 이러한 것을 수도 없이 반복 숙달하였을 것이다. 그런데도 막상 부대에 배치를 받아 생활하다 보면 군기가 해이해져 잊어버리게 된다. 그러나 명심하라. 여러분의 업무능력은 상관이 쉽게 계량화할 수 없어 판단하기 어렵지만, 군기본자세는 명백하게 드러나는 것이기 때문에 실질적으로는 업무능력보다 군기본자세를 통해 여러분을 평가할 수도 있다.

용모란 두발상태나 면도 등과 같은 안면의 청결상태를 말한다. 초급간부는 특히 두발을 항상 단정하게 해야 한다. 머리가 길어질 때까지 기다렸다가 상관에게 지적받고 나서 이발을 하게 되면 이미 때는 늦은 것이다. 두발상태를 단정히 유지하려면 통상적으로 한 달에 두 번, 즉 2주마다 이발을 해야 한다. 초급간부들이 두발에서 지적받는 것은 3주마다 이발을 하려다가 마지막 1주간에 지적을 받는 것이다. 1주를 앞당겨 이발한다고 해도 한 달에 5,000원을 더 쓰는 셈이다. 단돈 5,000원만 더 투자해도 직장에서 인정받을 수 있는데 5,000원 때문에 굳이 싫은 소리를 들을 필요가 있겠는가? 또한 이발을 할 때는 뒷머리를 모자가 내려오는 부분까지 짧게 올려 쳐라. 통상 앞과 옆은 신경 써서 짧게 하는데, 뒷머리는 아랫부분만 조금 깎아 덥수룩하게 하는 사람이 있다. 면도도 매일 실시해서 깨끗하게 하고, 얼굴표정도 생기 있게 관리하라. 밤새 게임을 하거나 늦게까지 음주하여 피곤한 모습을 보이고 눈이 충혈되어 있으면 신뢰를 얻기 힘들다.

복장은 전투복, 전투화, 전투모의 단정함을 들 수 있다. 전투복은 최소한 격주 단위로 세탁하고 다림질하여 착용하라. 전투화는 매일 아침 손질하여 깨끗하게 하라. 전투모는 실외를 이동할 때는 항상 착용하고, 잠시 탈모하여 손에 파지할 때는 모자 창 부분을 쥐어 옆구리에 갖다 대라. 모자 뒤의 헝겊 부분을 대충 잡고 흔들면서 다니는 것은 매우 버릇없어 보인다. 또한 모자는 수평으로 착용해야지 사회에서 스포츠 모자를 쓰듯이 앞부분을 올려서 사선으로 착용해서는 안 된다.

자세는 정지해 있거나 이동할 때의 자세 그리고 경례자세가 있다. 정지해 있을 때에는 항상 양발에 체중을 균등하게 두고 바로 서야지 짝다리를 하거나 주머니에 손을 넣고 있는 행동을 해서는 안 된다. 이동할 때는 땅을 쳐다보지 말고 전방을 주시하며 늠름하게 걷고, 두 손은 뒷짐을 지지 않는다. 겨울에 손이 시리면 장갑을 착용하고 입수보행은 하지 않도록 하라. 경례는 국가에 대한 충성심과 상관에 대한 자발적인 복종심의 표시이다. 따라서 경례자세는 무엇보다도 중요한 것이다. 경례자세가 불량하면 충성심이 없고 상관에게 반항하는 것처럼 보이게 된다. 또한 경례할 때 손은 올리지만 시선은 상관을 쳐다보지 않고 다른 곳을 쳐다보면 상관은 경례를 받으면서도 기분이 몹시 불쾌해진다. 따라서 바쁘다고 대충 경례하지 말고 정성껏 실시해야 한다. 바른 경례자세를 위해서는 다음과 같은 사항을 유의해야 한다. 경례를 했을 때 손바닥이 전방에서 보이지 않도록 주의하라. 손끝은 모자를 벗었을 때에는 오른손의 집게손가락과 가운데손가락 사이가 오른쪽 눈썹의 바깥쪽 끝에 오게 하고, 모자나 안경을 착용했을 때에는 모자를 쓰지 않았을 때의 손위치를 전방으로 연장했을 때의 위치에 둔다. 즉 모자창의 오른쪽 모서리나 안경의 우상단 끝 부분에 두면 된다. 그렇게 하려면 경례를 할 때 오른쪽 팔꿈치는 양쪽 가슴의 연장선보다 전방으로 30도 내밀어 주어야 한다. 손등과 손가락은 바로 펴서 하박과 전체적으로 일직선을 이루도록 하라. 경례자세는 본인이 스스로 느낄 수 없으므로 거울을 보고 수시로 연습해야 한다. 그렇게 하지 않으면 어느 순간 손끝이 아니라 손바닥 중간이 눈썹 끝에 오기도 하고, 히틀러식으로 손바닥이 전방을 향하게 되기도 한다.

1988년 탤런트 안성기 씨가 출연한 '성공시대'라는 영화가 있었다. 주인공이 신입사원으로 입사한 후 매일 아침 양복을 깔끔하게 차려입고 출근 전에 거울을 보며 용모를 살핀 후 힘차게 구호를 외치고 출발하는 장면이 있었는데 그 모습이 아주 인상적이었다. 여러분도 매일 아침 이와 같이 해 보는 것이 어떻겠는가? 그러면 반드시 남보다 더 확실하게 성공할 수 있을 것이다.

그런데 왜 군기본자세가 불량하면 성공하기 어려운 것인가? 그것은 바로 외적인 군기본자세가 여러분이 직무에 임하는 업무자세, 마음자세를 표출하는 것이기 때문이다. 서(書)와 판(判)에 해당하는 업무능력은 현재는 다소 미흡해도 마음가짐만 올바르다면 차후에 얼마든지 향상시킬 수 있다. 그러나 마음가짐이 준비되어 있지 않은 사람은 조직에 해(害)가 될 뿐이다. 그렇기 때문에 군기본자세가 중요한 것이다. 자세와 용모가 불량한 초급간부에게 상관이 "주머니에 손 넣고 다니지 마라." 또는 "머리가 길다. 이발 좀 해라." 하고 지시했는데 그 다음번에도 시정하지 않고 똑같은 모습으로 나타났다고 생각해 보라. 명령체계가 준엄한 군대조직에서 사소한 지시사항 하나를 제대로 수행하지 못하는 간부를 어떻게 상관이 신뢰할 수 있겠는가? 이해가 안 되는 어렵고 복잡한 지시를 한 것도 아니지 않는가? 기억력이 나빠서 기억을 못 하거나 아니면 의지나 관심이 없어서 이행하지 않는 것이다. 이와 같이 작은 지시사항이나 사소한 임무 하나를 완수하지 못한다면 더 큰 임무도 맡길 수가 없다. 어디에도 써먹을 수가 없다는 것이다. 그렇기 때문에 신(身), 군기본자세가 중요한 것이다.

브리핑과 신고를 연습하라

군기본자세를 갖추고 나면 언변술을 연습하라. 상관이 하급자를 보고 짧은 시간에 그 사람의 능력이나 발전 가능성을 판단하는 근거는 바로 군기본자세와 말(言)이다. 초급간부 수준에서의 언변술이란 굳이 능변(能辯)이나 달변(達辯) 같은 거창한 수준을 요구하는 것이 아니다. 그러한 것은 당신이 군대생활을 해 나가면서 천천히 발전시키면 된다. 지금으로서는 단지 상급지휘관이 당신 초소나 소대를 방문하였을 때 상황브리핑을 패기 있고 자신 있게 할 수만 있으면 된다. 언제 나타날지 모르는 상관을 위해 상황브리핑 예문을 준비하여 수시로 연습해 둬라. 브리핑에 소질이 있는 사람은 몇 번 만에 숙달하겠지만 그렇지 않다면 수백 번을 연습해서라도 완벽하게 소화해 둬라. 상급지휘관이 당신을 대면하는 기회는 1년에 단 한 번뿐일 수 있다. 그 한 번의 기회가 당신의 앞날을 바꾸어 놓을 수도 있는 것이다.

상급지휘관과 대면하는 또 다른 기회는 바로 신고이다. 군대에서는 어떤 임무가 주어지거나 부대를 이동할 때마다 신고를 하게 된다. 그런데 신고를 하면서 신고 순서와 신고 문구 몇 줄을 암기하지 못해서 틀리는 경우가 가끔 있다. 문제는 상급지휘관 앞에 서게 되면 순간적으로 긴장하기 때문인데, 이것을 방지하려면 자동적으로 말이 나올 수 있을 만큼 반복해서 연습하는 수밖에 없다. 그런데도 신고를 쉽게 생각하여 연습을 게을리하거나 마음의 준비를 철저히 하지 않아 실수하게 되는 것이다. 상관은 바로 당신의 이러한 안일한 마음자세를 탓하는 것이다. 상관과 마주하여 무언가를 말하게 된다면 어떻게 말할 것인지를 고민하고 연구하라.

6 · 25전쟁 때 맥아더 장군의 일화를 보면 말 한마디가 얼마나 중

요한지 알 수 있다. 전쟁 발발 3일 만에 수도 서울이 함락당하고 국군은 한강을 연하는 선에서 겨우 방어선을 구축하고 있었다. 그러나 이때까지도 UN은 한국군 참전을 결정하지 못하고 있었는데, 그러던 1950년 6월 29일 맥아더 장군이 전황을 파악하기 위해 한강방어선 시찰에 나섰다. 시찰을 하던 중 맥아더 장군이 한 진지에 멈추어 한 국군 병사에게 물었다.

맥아더: 자네 언제까지 그 참호 속에 있을 텐가?
병 사: 군인이란 명령에 따를 뿐입니다. 저는 제 직속상관으로부터 철수하라는 명령이 있을 때까지 여기 있을 것입니다.
맥아더: 그 명령이 없으면 어떻게 하겠는가?
병 사: 죽는 순간까지 여기를 지킬 것입니다.
맥아더: 장하다! 자네 말고 다른 병사들도 다 같은 생각인가?
병 사: 그렇습니다. 각하!
맥아더: 참으로 훌륭하구나! 내가 여기 와서 자네 같은 군인을 만날 줄은 몰랐네. 지금 소원이 뭔가?
병 사: 우리는 지금 맨주먹으로 싸우고 있습니다. 적의 전차와 대포를 부술 수 있게 무기와 탄약을 주십시오.
맥아더: 그리고 또 없나?
병 사: 없습니다.

이 병사의 말 한마디는 맥아더 장군에게 깊은 감명을 주었고, 결국 미국이 지상군 투입을 결정하게 되는 중요한 계기가 되었다.

패튼장군의 일화를 통해 본 복장과 용모의 중요성

그가 제일 좋아하던 군사 명언은 "단정치 못한 병사는 전투에서 승리하지 못한다."였다. 전장에서든 바깥에서든 그는 항상 헬멧과 넥타이를 착용하도록 지시했다. 각반과 휴대 무기는 규정에 따라 반드시 착용해야 했고, 면도를 해야 할 만큼 충분히 나이가 든 사람은 하루에 한 번씩 꼭 면도를 해야 했다.

패튼이 제1기갑군단 군단장으로 북아프리카에 갔을 때의 일이다. ...... (중략) ...... 수개월간의 전투를 치르며, 전방에서 싸우고 있던 미군 병사들은 전통적인 야전복을 무시한 영국군의 간소한 복장에 영향을 받아왔다. 교전 중이 아닐 때는 점차 많은 병사들이 헬멧을 벗고 헬멧 착용 시 쓰도록 지급된 경전투모만을 착용하게 되었다. 패튼에게 이런 경전투모 착용은 해이해진 군기의 표상으로밖에 보이지 않았다. 그러자 그는 경전투모를 없애버리기로 하고, 이를 군단 개혁의 첫 번째 일로 삼았다. 그리하여 부대 내에서는 언제나 헬멧과 각반, 넥타이를 착용하라는 명령이 떨어졌다. 후방에서도 역시 헬멧을 착용하는 데 예외가 허용되지 않았고, 전방 부대 역시 전투 중에도 넥타이를 매게 했다. 이 규정을 시행하는 일환으로, 패튼은 장교에게 50달러, 병사에게는 25달러의 통일된 벌금 체계를 세웠다.

– 에드거 F. 퍼이어, ≪영혼을 지휘하는 리더십≫ –

6. 다음 날 할 일은 전날 밤에 미리 생각하고 메모해 둬라

퇴근 후에도 다음 날 업무를 생각하라

미래에 대해 대비하는 것은 항상 효과적이다. 남보다 한 치라도 앞서 내다보는 사람은 보다 더 여유가 있고 위험에 대처할 수 있다. 직장생활을 하는 데 있어서는 최소한 하루는 내다보고 준비해야 한다. 여러분은 학창시절에 이미 하루 앞을 준비하는 것을 습관화해 왔다. 다음 날 수업에 대비하여 시간표를 보고 책가방을 야간에 미리 준비했을 것이다. 업무도 이와 동일하다. 내일 할 일이 뭔지, 그 일을 시작하기 위한 준비사항이나 준비물은 무엇인지 미리 생각해 보라. 퇴근 후의 시간을 컴퓨터 게임이나 자기계발에만 투자하려고 하지 마라. 직장생활을 시작했으면 업무가 우선이다. 하루 전날 미리 준비하면 출근과 동시에 업무를 차질 없이 진행할 수 있고, 여유 있게 하루를 보내며, 여유 있는 만큼 다른 일을 더 준비하여 매사 남보다 앞서 나갈 수 있게 될 것이다.

아이디어를 메모할 준비를 하라

저녁에 결산을 하면서 다음 날 해야 할 일에 대해 토의를 하겠지만 그것으로 끝내서는 안 된다. 퇴근해서도 좀 더 생각해 보아야 한다. 생각하고 또 생각하다 보면 세부적으로 조치해야 할 사항들이 문득 떠오르게 된다. 부대 일에 집중하다 보면 TV를 시청하거나 동료들과 대화를 하다가도 어떤 말 한마디에 영감을 얻어 추가로 해야 할 일이나 더 좋은 방법이 떠오르게 된다. 이때 재빨리 떠오른 아이디어를 메모해 두어라. 그렇게 하지 않으면 순간적으로 떠오른 좋은 아이디어를 잊어버리게 되고 이후에 아무리 생각해도 떠오르지 않는다. 반면에 핵심적인 단어 하나만이라도 적어 두면 쉽게 생각해 낼 수 있다. 따라서 메모지와 펜을 항상 가까이에 비치해 두는 것이 좋다. 잠자리에 들 때에는 머리맡에 필기구를 두고, 다음 날 아침에 대비하여 화장실에도 비치하라.

상황별 메모 도구

① 일할 때(책상에서)

책상 오른쪽(왼손잡이는 왼쪽)에 메모지를 펼쳐 놓고, 바로 옆에 볼펜을 꽂아 언제든지 메모할 수 있도록 한다.

② 외근이 잦을 때

겉주머니에 수첩과 펜을 넣어 필요할 때 언제든지 메모할 수 있게 한다.

③ 걸을 때

소형 디지털카메라, 휴대용 녹음기, 작은 수첩을 항상 휴대하고 다닌다.

④ 차안

필요한 때 즉시 녹음할 수 있도록 휴대용 녹음기에 테이프를 넣어 다닌다. 가능하면 조작이 간편한 기기가 좋다.

⑤ 이동 중일 때

걸을 때는 휴대용 녹음기를 이용하고, 자동차나 비행기를 탔을 때는 IC RECORDER를 사용한다. 휴대전화의 메모기능을 이용해도 좋다.

⑥ 약속이 있을 때

가방이나 재킷, 바지에 메모지를 넣어 둔다.

⑦ 집에서 쉴 때

A4 용지 크기의 복사용지를 적당한 크기로 잘라 상자에 넣은 후 집 안 여기저기 놓고 그 위에 펜을 올려놓는다.

⑧ 잠잘 때(침대 옆)

머리맡에 노트를 준비해 둔다.

- 사카토 켄지, ≪메모의 기술≫ -

7. 항상 배우려는 자세를 견지하라

배우는 것을 두려워하거나 창피해하지 마라

필자는 초급장교일 때 전방 소대장을 마치고 위탁교육과 학교근무를 거쳐 한참 만에 야전에 다시 발을 내딛었다. 대위가 되어 향토사단 중대장으로 야전에 배치되었으나 현장의 실무경험이 부족했던 나는 도대체 어떤 일들을 해야 하는지도 몰랐고 공문 한 장도 어떻게 작성하는지를 몰랐다. 그리하여 우선적으로 몇 달간에 걸쳐 육군규정 전 부분을 숙독하였고, 이어서 각종 지침 및 규정들을 닥치는 대로 섭렵하였다. 규정과 방침들을 단순히 읽고 숙지하는 데 그치는 것이 아니라 실무에 필요한 내용들은 요약 정리하여 필기해 두고 시간 날 때마다 다시 한 번 읽어 암기하려고 노력하였다. 규정을 실무에 바로 적용하기 위해서는 이해만 하는 것이 아니라 머릿속에 완전히 넣고 있어야 하기 때문이다.

지금 당장은 필요하지 않더라도 직책이 올라가면서 앞으로 언젠가는 필요할 것 같은 사항도 기회 있을 때 배워 둬라. 지금은 가르쳐 줄 사람이 있고 배울 수 있는 시간적 여유도 있어서 기회가 되지만, 시간이 지난 후에는 그러한 것들이 모두 사라져 배울 수 없게 될 수도 있다. 중대장 시절에 정비지원 업무와 관련하여 운용되는 전산시스템이 있었는데, 그때 당장은 내 업무에 필요하지는 않았지만 정비업무에서는 필수적인 프로그램이라서 언젠가는 필요할 것 같은 생각이 들었다. 그래서 야간에 담당 병사를 불러 그 전산시스템을 공부하였고 이후에 많은 도움이 되었다. 기회는 준비된 자에게 돌아간다. 새로운 것이 있으면 호기심을 가지고 배우려고 노력하라. 기회가 있을 때 한시라도 빨리 배움을 시작하고, 가르침을 받는 데에는 병사라고 하여 창피해하지 마라. 초급간부일 때는 업무와 관련된 것뿐만 아니라 테니스나 축구, 탁구와 같은 스포츠도 배워 두는 것이 좋다. 수많은 병사들을 다스려야 하는 군대에서는 스포츠도 유용한 지휘수단이다. 개같이 배워서 정승같이 활용하자.

상관의 가르침은 적극적으로 받아들여라

사람은 후배를 가르치는 것에서도 보람을 느낀다. 그러기에 상관은 여러분에게 많은 것을 가르쳐 주려고 노력한다. 그런데 정작 받아들이는 사람이 이를 귀찮아하고 귀담아들으려 하지 않는다면 가르치는 사람도 흥이 나지 않아서 더 이상 가르쳐 주려 하지 않게 된다. 여러분이 배울 자세가 되어 있어야 상급자도 더 신나게 가르쳐 준다.

상관이 말할 때 귀를 쫑긋 세우고 눈동자를 빛내며 집중하라. 상관이 하는 말에 공감이 갈 때는 고개를 끄덕이며 맞장구도 치고, 기억할 만한 사항이라고 생각되면 주머니에서 메모지를 꺼내 기록도 하라.

필자는 대위 시절에 테니스에 흥미를 느껴 열정적으로 몰입하였다. 같이 게임할 사람이 중령이든 대령이든 어려워하지 않고 적극적으로 쫓아다녔는데 그분들은 게임이 끝나면 그들만의 노하우를 한 가지씩 내게 가르쳐 주었다. 처음엔 듣기만 했는데 돌아서면 잊어버리게 되어 다음에는 아예 라켓주머니에 메모지와 필기구를 가지고 다니면서 유용한 팁(Tip)을 가르쳐 주면 열심히 받아 적었다. 그러고는 나중에 혼자서 다시 한 번 그 가르침대로 시도하고 연습해 보면서 내게 맞는 방식은 채택하고 맞지 않는다고 판단되는 것은 버렸다. 내가 열심히 받아 적자 선배들은 더 적극적이고 진지한 모습으로 여러 가지 노하우를 전수해 주었고, 이러한 방법으로 나는 단기간에 테니스 실력을 향상시킬 수 있었다.

우리가 일상에서 범하기 쉬운 병폐는 모르면서 배우지 않는 것이요, 자기는 알면서 남을 가르치지 않는 것이며, 할 수 있는데도 하지 않는 것이다.

– 마리아 캘리 –

8. 부지런하고 성실하라

부지런한 사람이 성공한다

성공한 사람치고 게으른 사람은 없다. 전쟁에 승리하기 위해서도 마찬가지다. 롬멜이나 이순신 장군은 작전계획도 훌륭하게 수립하였지만 부단히 정찰하고 사전 준비를 철저히 했기 때문에 승리할 수 있었다. 계획만 잘했다고 해서 성공하는 것은 아니다. 계획된 시나리오대로 진행될 수 있도록 장비의 상태를 살피고, 병사들을 훈련시켜야 하며, 정신상태가 준비되도록 독려도 해야 한다. 소대장이 지시한대로 일이 진행되고 있는지, 병사들이 소대장이 없을 때에도 근무를 제대로 서고 있는지 부지런히 돌아다니며 확인하라.

통상 지휘관의 스타일을 분류할 때 머리가 좋고 나쁨과 부지런하고 게으름을 조합하여 4가지로 분류하면서, 머리가 좋으면서 게으른 경우를 가장 이상적인 지휘관이라고 한다. 그래야 계획과 일처리는 정확하면서 부하들을 힘들지 않게 하기 때문이다. 그러나 이것은 어디까지나 고급지휘관에게나 어울리는 말이다. 사실 맥아더나 롬멜, 이순신 장군 같은 지휘관들은 머리가 좋았으면서도 게으르지는 않았던 것 같다. 게다가 초급장교라면 머리가 좋으면서도 더욱더 부지런해야 한다. 그래야 초급장교 시절에 밑바닥부터 철저하게 배울 수 있기 때문이다.

이제 막 직장에 들어온 초년생이 업무를 모르는 것은 이해가 되어도 게으른 것은 용납하기 어렵다. 게으르다는 것은 그만큼 자기관리를 못 하고 직장생활에 대한 의욕도 없다는 것을 의미한다. 어떤 소대장은 훈련을 다녀온 지 며칠이 지나도 사무실 정리를 하지 않고 군장류를 제 위치에 정리하지도 않을 뿐만 아니라 훈련하면서 묻은 흙이나 이물질을 손질하지 않는 경우가 있다. 그러면서도 퇴근시간이 되었다고 하여 정시에 퇴근하고, 휴일이라고 해서 자기 시간만 챙기기도 한다. 군인이 된 이상 전투준비와 임무수행태세는 항상 완비되어 있어야 한다. 부대의 임무수행은 제쳐 두고 자기 개인적인 일에만 신경 쓰는 간부는 절대로 인정받을 수 없다.

불성실하면 처벌받을 수 있음을 인지하라

매사에 성실한 생활태도를 보여라. 성실성은 먼저 시간을 잘 지키는 것에서부터 시작된다. 따라서 아침에 잠이 많은 사람은 알람시계를 여러 개 준비하든가 하여 출근시간에 늦지 않도록 하라. 출근시간에 늦거나 시간이 없어 아침식사를 거르는 습관도 상급자에게는 좋게 보이지 않는다. 각종 회의시간에도 지각하지 않도록 여유를 두고 움직여라. 차라리 미리 여유 있게 도착해서 주변 사람들과 인사도 나누고 관련 업무도 파악하는 것이 현명하다. 상급자나 동료들과의 회식자리에도 늦지 않도록 하여 항상 성실한 이미지를 보여 줘라. 언젠가는 그들이 당신에 대한 이미지를 소문내어 줄 것이다.

초급장교 중에는 간혹 자기 통제력을 잃고 밤늦게까지 컴퓨터게임을 하거나 술을 먹고 늦게 출근하기도 하고, 출근하더라도 정상적인 업무를 못 하는 경우가 있다. 이러한 행동은 한 번은 용서해도 두 번은 용서될 수 없음을 명심해야 한다. 군대에는 엄격한 군율이 있어서 장교들도 징계를 받을 수 있다는 것을 알아야 한다. 이 경우 금전적인 피해는 물론 훗날 훈장이나 국가유공자 선정 시에도 불이익을 받을 수 있음을 염두에 두어야 한다.

9. 현장에서 솔선수범하고, 부하들과 동고동락하라

현장에 동참하라

소대장은 지휘관이 아닌 지휘자로서 현장에서 같이 일해야 하는 직책이다. 직장생활에 첫발을 내딛는 초년생으로서 당연한 것이 아니겠는가? 소대장들의 연령도 병사들과 크게 차이 나지 않고 체력도 가장 왕성한 시기이므로 병사들과 같이 현장에 동참하는 것이 무리한 일은 아닐 것이다.

대대장이나 중대장의 지시사항은 최종적으로 소대장에게 전달된다. 그러면 소대장은 소대원들을 이끌고 현장에 나가 주어진 임무를 수행하게 되는데, 이때 지휘자라고 하여 감독만 해서는 안 된다. 소대장에게 가장 절실하게 요구되는 것은 솔선수범과 동고동락이다. 그래야만 소대원과 진정으로 마음이 통하게 되고 전우애가 싹터서 유사시 어떠한 상황에서도 부여된 임무를 달성할 수 있게 되는 것이다.

필자가 소대장 시절에는 진지구축이 중요하게 강조되던 시기였다. 하루 일과는 아침부터 저녁까지 고지에 올라가 진지를 구축하는 것이었다. 부대에 전입 가서 소대장 취임식도 진지공사 현장에서 간략하게 치른 후 나도 곧장 웃통을 벗어젖히고 병사들과 같이 삽자루를 들었다. 소대장으로서 권위도 내세우고 멋있는 모습만 보여야 하는 것이 아닌가 하는 생각도 들었지만 솔선수범하는 것이 옳다고 판단했다. 나는 한 장소에서 공사를 하다가도 지휘자로서 중간 중간에 다른 공사 구간도 살펴 전체적으로 문제가 없는지, 전술적 운용에 타당하게 공사가 이루어지고 있는지를 점검하고 지도하였다. 그리고 가끔은 막걸리를 가져다 소대원들을 격려하였다. 그때 소대원들과 같이 땀을 흘린 추억으로 인해 그들과의 만남은 지금도 계속되고 있다.

상관의 지휘의도는 소대장이 알고 있다

말이라는 것은 항상 한 단계 건너가게 되면 의미가 변질된다. 말을 전달하는 사람이 잘못했을 수도 있고, 듣는 사람이 잘못 이해해서 그럴 수도 있다. 소대장이 중대장이나 대대장으로부터 업무를 지시받았다면 상급지휘관의 의도가 어떤 것이고 최종상태가 어떠해야 하는지는 소대장이 가장 잘 알고 있다. 그런데 소대장이 업무수행에 직접 동참하지 않고, 진행과정을 확인하면서 지도도 하지 않은 채 병사들에게만 시킨다면 결과는 기대했던 것과는 완전히 다르게 나타날 것이다.

대대장을 역임하던 어느 겨울날 소대장에게 연병장 제설작전을 지시하였다. 그런데 소대장은 다른 할 일이 있다고 하여 분대장에게 그 일을 지시하고는 자리를 비웠다. 제설작전이 완료된 후 현장을 가보니 내가 소대장에게 지시했던 것과는 완전히 다른 모습으로 되어 있었다. 날씨도 추운데 이제 와서 병사들에게 다시 제설하라고 지시할 수도 없는 일이라서 그대로 두었으나 소대장에게는 서운한 마음이 들었다. 아무리 사소한 것이라도 소대장 혼자의 판단으로 가볍게 넘겨서는 안 된다. 부득이 소대장이 자리를 비우더라도 중간중간 확인을 하여 상급자의 의도대로 진행되고 있는지 점검을 하든가, 상급지휘관의 의도를 분대장에게 명확히 전달해서 궁극적으로는 부여된 임무가 완벽하게 달성되도록 노력해야 한다.

10. 상황을 파악할 때는 철저하게 파악하라

상황파악을 할 때는 여러 경로를 통해 파악하라

모든 일의 출발은 정보에서부터 시작한다. 상황을 정확히 알아야만 적절한 조치를 할 수 있는 것이다. 상황파악을 할 때 통상적으로 초급간부가 범하는 실수는, 대충 한두 군데 통화해 보고 내용을 이해했다고 생각되면 그것으로 끝낸다는 것이다. 본래 정보라는 것은 전달하는 사람의 관점이나 성향에 따라 왜곡될 수 있다. 병사는 병사 수준에서 판단하여 상황을 전파하게 되고, 실무자는 자기 업무 분야 위주로만 판단하여 전파하게 된다. 사실 상황을 종합적으로 판단하여 객관적으로 전파하기가 쉬운 일은 아니다. 상황을 알려 주는 사람도 그 내용을 잘 모르는 상태에서 답변해 주기도 한다. 그러므로 한두 가지 경로로만 상황을 파악하면 왜곡된 정보를 수집하게 되고 그로 인해 부정확한 판단을 야기할 수 있다. 따라서 여러 경로와 방법으로 상황을 파악해야 한다. 내가 파악한 상황으로 인해 차후 그 파급효과가 크면 클수록 더욱 신중을 기해야 한다.

소대원들이 청원휴가를 신청할 때에도 내막을 철저히 파악하라. 가족 중에 누가 아파서 청원휴가를 신청한다고 하면 그것이 맞는지 부모님이나 병원에 직접 전화하여 확인해 보라. 병명은 뭔지, 현재 간호는 누가 하고 있고, 앞으로 치료는 어떻게 진행되는지 등을 물어보라. 병사 자신이 몸이 아파 청원휴가를 나간다면 병원은 예약했는지, 휴가를 나가서 어떤 조치들을 할 것인지 등을 꼼꼼히 파악해 보라.

상식의 힘을 믿어라

당직근무를 서거나 훈련을 하면서 전파된 상황을 있는 그대로 믿지 마라. 앞서 설명한 이유들로 인해 상황전파 내용이 틀릴 수도 있다. 물론 최초보고는 있는 그대로, 전파를 받은 대로 상관에게 보고해야 한다. 그러나 돌아와서 다시 한 번 상황전파 내용을 되짚어 봐야 한다. 상식적으로 생각했을 때 앞뒤가 맞는지, 현실적으로 타당한지, 앞뒤로 연관된 사건들이 시간상으로 타당한지 등을 상식적으로 판단해 보라. 그리고 뭔가 앞뒤 논리가 맞지 않는다면 다시 한 번 전화하여 상황을 정확하게 파악하라. 시간이라는 것도 사실 각자가 가지고 있는 시계의 시간들이 모두 달라서 어떤 한 사람이 전파한 시간이 정확하다고 믿을 수 없다.

간부와 통화하라

초급간부들이 상황파악을 할 때 잘못하는 것 중의 또 하나는 병사들과 통화한 내용만으로 정보를 수집한다는 것이다. 아마도 본인의 계급이 장교 중에서 가장 낮고 아직 부대에 적응도 안 되어 간부들과 통화하기가 두려워서 그럴 것이다. 혹시라도 전화했다가 괜히 싫은 소리만 들을까 봐 지레 겁먹는 것이다. 그러나 상식적으로 타당하지 않다고 판단되는 것을 정확하게 파악하려면 간부와 직접 통화해 보아야만 한다. 두려워 말고 과감하게 간부를 바꿔 달라고 하여 통화하라.

전달사항을 전파할 때도 마찬가지이다. 소대장 직책이면서도 당직사령 근무를 서는 경우가 있는데, 대대장이 당직사령인 소대장에게 어떤 중요한 사항을 중대에 전파하라고 하였을 때 이를 중대 당직사관이나 해당 중대장에게 직접 전파하지 않고 상황근무를 서고 있는 병사에게만 전달한다면 상황전파 내용이 왜곡될 수 있다. 결국 중대장에게까지 정확한 의미전달이 안 되어 업무에 차질을 가져오게 된다. 따라서 순간순간 일어나는 일들을 가볍게 넘기지 말고, 중요한 것인지 아닌지 신중히 생각해 본 후에 어떻게 처신해야 할 것인지를 판단하라.

11. 능동적으로 임하라

도와줄 일이 없는지 생각해 보라

여러분이 소대장으로 부임했다는 것은 지금까지 안락한 부모님 집에서만 살던 과거와는 달리 새로운 형태의 생활에 직면했다는 것이다. 따라서 몸도 마음도 아직 적응이 안 된 직장생활을 하다 보면 몹시 피곤하기도 하고 새로운 업무에 대한 두려움도 있고 해서 부대의 업무에 능동적으로 뛰어들기가 어렵다. 그래서 상급자가 전체 간부들을 대상으로 어떤 지시사항을 전달하고 교육하면 이를 적극적으로 받아들이기보다는, 그것이 나와 관련이 있나 없나를 판단해 보고 관련이 없다 싶으면 관심조차 두지 않으려는 이기심이 발동하게 된다. 상급자가 되어 보니 부하들의 그러한 모습이 한눈에 보이게 됨을 느낀다. 상대방이 아무리 겉으로 드러내지 않고 숨기려 해도 부하의 마음상태가 그대로 느껴진다는 것이 신기할 정도이다.

다른 사람이 주도하는 일이라서 나와는 무관한 일이라고 해도 그 일이 부대 입장에서는 중요한 행사라면 한 번쯤은 '내가 뭔가 도와줄 일이 없을까?' 하고 생각하여 같이 동참하고 도와주려는 적극적이고 능동적인 자세를 견지하라. 간부가 되어서 시키는 일만 하려고 해서는 안 된다. 비록 큰 도움은 못 될지언정 도와주려는 마음가짐 하나만으로도 타인으로부터 존경받게 될 것이다.

추정된 과업을 염출하라

부대에 연대장이나 사단장 등 상급지휘관이 순시를 오게 되면 비록 우리 소대를 직접 순시하지는 않는다 하더라도 소대 주변을 깨끗이 환경 정리하고 소대원들의 두발이나 복장도 깔끔하게 하는 등 나름대로의 준비를 하라. 대대장이나 중대장 등의 핵심 멤버들이 순시에 대비한 준비들을 하겠지만, 그렇다고 해서 소대장이 나 몰라라 하고 가만히 있어서는 안 된다. 나름대로 추정된 과업을 도출하여 시행하라. 경계초소나 독립소대를 담당하고 있는 소대장이라면 경계 근무 상태를 점검하여 보완하고 브리핑 연습도 철저히 준비해야 할 것이다. 그러면 상관들은 당신을 고맙게 생각할 것이다.

혹한기 훈련을 나간다면 자신의 훈련물자만 준비할 것이 아니라 소대원 하나하나를 직접 살펴 장갑이나 양말 등의 방한물자는 갖추었는지, 핫패드는 수량이 얼마나 되는지, 과거에 동상을 앓았거나 현재 동상 증상이 있는 사람은 없는지, 몸이 아파서 훈련을 나가는 데 제한되는 병사는 없는지 등을 스스로 찾아보고 조치하라. 그리고 조치한 사항을 중대장에게 보고하여 자신을 PR하라.

대대의 어느 소대에 부사관이 서너 명 편성되어 있었고, 그 소대의 소대장은 부대 사정상 중사가 맡고 있었다. 그런데 그중 한 간부는 소대장이 병력들을 이끌고 훈련을 하러 가거나 진지공사 등과 같이 어떤 부여된 임무를 수행하러 밖에 나갔다가 늦게 복귀할 것 같으면 아무런 말도 없이 먼저 퇴근해 버렸다. 혼자 남아 있으면서 소대장이 돌아오기 전까지 남아 있는 병사들에 대한 면담을 하여 그 결과를 기록도 하고 소대 주변에 대한 환경정리나 마무리 안 된 작업도 해야 하는데 그러한 일들을 스스로 찾아서 할 줄 몰랐다. 여러분이라면 어떻게 하겠는가? 소대장이 그 간부를 볼 때 어떤 생각이 들겠는가?

12. 꾸준히 자료를 수집하고 축적해 두어라

업무별 바인더와 실수노트를 작성하라

소대장으로 부임하여 새로운 업무를 열심히 배우다 보면 정신없이 시간이 지나가 버린다. 그렇게 1년이란 세월이 지나고 다음 해가 되면 유사한 업무들이 다시 반복되는데, 업무 참고자료나 과거의 자료가 없다면 처음부터 다시 고민하고 준비해야 한다. 또한 처음부터 다시 시작하다 보면 과거의 실수를 올해에 또 되풀이할 수도 있다. 그러나 과거 자료가 있다면 예전의 시행착오와 누락 요소들을 보완하여 보다 성숙한 군생활을 할 수 있을 것이다. 따라서 어떤 임무를 수행하거나 훈련을 할 때마다 사전에 준비했던 사항이나 훈련실시간에 나타난 문제점, 앞으로 발전시켜야 할 사항들을 기록해 둬라. 바인더를 준비하여 업무 종류별로 분류해 두면 좋다. 예를 들면 상급지휘관에 대한 복무계획 보고, 전술훈련 평가, 연간 사업계획, 연말 성과분석, 혹한기 훈련 등이 있을 것이다. 업무별로 분류하지 않고 한 권의 바인더에 다양한 자료들을 혼합하여 합철해 두면 차후에 해당되는 자료를 찾아내기가 어려워 활용가치가 떨어진다.

여러분은 학창시절에 문제를 풀거나 시험을 보고 나면 틀린 부분에 대해서는 오답노트를 작성했던 경험이 있을 것이다. 직장생활을 할 때에도 마찬가지로 부여된 임무를 수행하다가 잘못했거나 실수한 일, 미처 생각하지 못한 사항들에 대해서 실수노트 또는 실패노트를 작성해 보라. 그렇게 하면 업무능력이 훨씬 빠르게 향상될 것이다. 설령 기록된 내용을 두 번 다시 보지 않게 되더라도 기록하는 것만으로도 복습이 되어 효과를 볼 것이다.

좋은 자료가 있으면 수집하라

본인이 경험했던 업무뿐만 아니라 주변 사람들이 작성한 보고서나 계획서 중에 좋은 자료가 있으면 관심을 가지고 수집하라. 소대장이라고 해서 소대장 업무에만 신경 쓸 것이 아니라 가끔은 대대 참모부에 올라가서 선배들은 무슨 일을 하는지도 살펴보고, 그들이 작성한 문서나 상급부대에서 전달된 문서 중에 잘된 것이 있으면 스크랩을 하라. 당신도 언젠가는 그 직책에 가서 임무를 수행할 수 있다. 짧게는 1년 후면 참모로 올라갈 수도 있다. 가능하면 일어날 수 있는 모든 상황에 대비하여 자료를 확보하고 사전에 미리미리 준비해야 훗날 그 직책을 맡게 되었을 때 보다 원만하게 일처리를 할 수 있다. 인사(人事)의 원칙은 적재적소! 준비된 자만이 원하는 자리를 차지할 수 있다.

보고서뿐만 아니라 각종 군사서적이나 군 간행물도 수집하고, 신문을 읽으면서도 쓸 만한 내용이 있으면 스크랩하라. 사관생도 시절 나는 전사에 흥미를 느껴 한국전사와 세계전사에 관한 책들을 수집하기도 하고, 작전과 전술에도 흥미를 가져 그와 관련된 책들을 보이는 대로 사 모았다. 하지만 군생활 10년을 하는 동안 그 책들은 그다지 요긴하게 쓰일 일이 없었고, 오히려 이사 다니는 데 거추장스럽기만 하였다. 그런데 소령 진급 후 육군대학에 입교하여 교육을 받게 되자 드디어 10년 동안 그 무거운 책들을 지니고 다닌 효과를 보게 되었다. 육군대학에서는 전술토의를 많이 하게 되는데, 토의를 준비하면서 내 주장의 역사적 배경이나 근거를 그 책들에서 찾을 수 있었다. 웬만한 자료는 여기에서 쉽게 찾을 수 있었기 때문에 학습 준비시간도 단축할 수 있었고, 그러한 것들이 누적되어 최종 교육성적도 우수하게 받을 수 있었다.

군대에는 여러 가지 간행물이 있는데, 그중 전투발전 소요나 제도 개선을 모아서 발간하는 책이 있다. 초급장교 때 그 간행물들을 읽어 보고 나도 언젠가는 그러한 간행물에 글을 실어야겠다는 목표를 가졌다. 그래서 전투발전요구나 관리개선에 대한 다른 사람들의 자료를 수집하여 그들은 어떤 내용을 다루었는지 또한 작성방법은 어떠한지에 대해 관심을 가지고 살펴보았다. 그 결과 몇 년이 지나 나도 그 목표를 달성할 수 있었다.

13. 근무기간별로 목표를 정하라

주기적으로 목표를 조정하라

아무 생각 없이 무작정 흘러가는 대로 근무하다 보면 세월이 지난 후에 남는 것이 없다. 기간별로 목표를 정해 놓고 생활해야 무언가 이루는 것이 있게 된다. 그러다가 어느 순간 그것들을 되돌아보면 삶의 보람을 느끼게 될 것이다. 군대생활을 하면서 목표를 정할 때는 여러 가지 관점에서 나누어 생각해 볼 수 있다.

먼저, 해당 계급이나 직책별로 목표를 설정할 수 있다. 소위나 소대장 때의 목표는 업무를 제대로 배우고 소대원들과 한 몸이 되겠다는 목표를 설정할 수 있을 것이다. 그러다가 중위가 되면 장기복무자 선발에 목표를 둘 수 있고, 대대 참모가 되었을 때에는 영어공부를 열심히 해서 TOEIC이나 TEPS 시험에 응시한 후 영어반이나 제2외국어 과정에 입교하는 것을 목표로 삼을 수 있다. 이와 같이 계급별로 또는 직책별로 목표를 구분해 보라. 직장생활에서의 목표뿐 아니라 인생의 목표도 같이 고려하라. 중위 때는 애인을 사귀고, 대위 때는 중대장을 마친 후 몇 살이 되면 결혼을 하겠다는 목표를 세울 수 있다.

다음은, 기간별로 목표를 나누는 방법이 있다. 군생활 전체의 목표를 정하고, 이를 달성하기 위해 5년이나 10년 단위로 인생의 중간목표를 설정해 보라. 그리고 그 중간목표를 달성하기 위해 필요한 것이 무엇인지를 염출하여 1년 단위의 목표를 설정하라. 매년 새해가 되면 한 해 동안 무엇을 이룰 것인지 생각해 보라. 그 다음에는 1년 목표를 달성하기 위해 월별로 달성해야 할 월간목표나 진도를 설정하고, 그것을 다시 주간 단위로 나누어 실천한다면 반드시 원하는 목표를 달성할 수 있을 것이다.

끝으로, 근무지역별로 목표를 설정하는 방법이다. 군인은 직업의 특성상 근무지가 자주 바뀌게 된다. 정도의 차이는 있겠지만 통상적으로 2년 정도면 새로운 근무지로 옮겨 가게 된다. 이것은 군대생활을 하는 데 불편한 사항일 수 있지만 긍정적으로 보면 전국 각지를 저절로 여행할 수 있는 좋은 기회이기도 하다. 따라서 새로운 지역으로 옮겨 가면 그곳에서 근무하는 기간 중에 근처 지역을 여행하는 계획을 세워 보라. 나중에 다른 지역으로 전출 간 후에 그 지역을 다시 찾기란 쉽지 않다. 군대에서는 위수지역이라는 것이 정해져 있어서 해당 지역을 벗어나려면 휴일이라도 휴가를 내야만 벗어날 수 있다. 그러므로 그 지역에 근무할 때 주변의 관광명소나 역사 유적지 등을 조사하여 계절별로 적절히 나누어 방문하도록 계획해 보라.

자기계발을 위한 목표를 설정하라

대학생들이나 사회에서 직장생활을 하는 사람들은 회사에 취직하거나 승진을 위해 꾸준히 나름대로의 스펙(Specification)을 갖춰 나간다. 군대에서도 마찬가지로 각 개인의 자기계발 정도를 평가하여 진급심사나 장기복무자를 선발할 때에 잠재역량 요소로 반영하고 있다. 따라서 초급간부 시절부터 시간을 헛되이 보내지 말고 필요한 스펙을 하나씩 갖춰 나가야 한다.

자기계발을 위한 노력 중 잠재역량으로 반영되는 것으로는 영어, 한자, 전산, 학위 및 각종 자격증, 군사 분야 연구실적 등이 있다. 영어는 TOEIC이나 TEPS 시험에 응시하여 취득한 공인점수를 기변하고, 한자는 국가 공인단체에서 주관하는 한자급수자격 시험에 응시하여 그 결과를 반영한다. 전산과 관련해서는 PCT에 응시하여 공인성적을 기변하고, 워드프로세서나 문서실무사 등의 자격증을 취득하기도 한다.

여러 가지 자격증을 취득하기 위해서는 인사사령부 홈페이지에 실려 있는 국가기술자격검정 소개자료를 참조하라. 전투발전요구는 인트라넷으로 제출할 수 있는데, 육군교육사령부 홈페이지를 참조하면 더 자세한 정보를 얻을 수 있다. 관리개선은 지휘계통을 통해 제출하며 부대별로 반기나 분기단위로 지속적으로 이루어진다. 앞으로 여러분이 갖춰야 할 스펙들이 많다. 따라서 시간 있을 때마다 하나씩 미리미리 공부해 두는 것이 좋다. 일단은 목표를 크게 잡고 준비하라. 그리하면 다는 못 이루어도 어느 정도는 이룰 수 있게 될 것이다.

자신의 건강이나 대인관계에 도움이 되도록 운동을 익히는 것을 목표로 정할 수도 있다. 건강을 위해 헬스나 수영, 마라톤 등을 익히거나, 운동도 하고 사람도 사귈 수 있는 테니스, 탁구, 축구 등의 스포츠를 익히는 것도 군대생활을 하는 데 매우 유용하다. 운동실력도 그냥 저절로 얻어지는 것이 아니다. 시간과 노력을 투자해야 하고 열정을 가져야 한다. 어떤 사람은 새벽시간을 활용하여 테니스 레슨을 받기도 한다. 강인한 체력이 요구되는 군인이다 보니 스포츠를 익혀 두는 것도 장래에 큰 재산이 된다. 여러분이 갖춰야 할 스펙들이 많지만 군대생활에 우선적으로 꼭 필요한 것부터 하나씩 목표를 달성해 나가라. 또한 현재의 계급이나 직책, 근무 여건에서 할 수 있는 것부터 목표를 세워 달성해 나가라.

14. 긍정적인 마음으로 임하라

상급자에게는 더 큰 의도가 있을 수 있음을 경계하라

사람은 누구나 나름대로의 주관과 고집이 있기 때문에 상관으로부터 어떤 지시를 받거나 타인의 행동을 보면 자기만의 기준으로 잘잘못을 평가하고 마음에 들지 않을 때에는 심하면 험담까지 하게 된다. 그러나 사회생활이라는 것이 항상 내 뜻대로만 되는 것이 아니다. 나와 뜻이 맞지 않는다 하여 또는 코드가 맞지 않는다고 해서 상대를 싫어하거나 노여워하지 마라. 특히 상대가 상급자라면 나보다 경험과 지식이 훨씬 많기 때문에 내가 미처 생각하지 못한 뭔가가 있을 수 있음을 항상 염두에 두어야 한다. 때로는 상급자가 나를 시험해 보기 위해서 일부러 비합리적인 지시를 내렸을 수도 있고, 말로는 다 표현하지 않았지만 내심으로 뭔가 의도하는 바가 있어서 무리한 지시를 했을 수도 있다. 설령 그것이 아니더라도 밑져야 본전이니 무슨 일이든 상관을 믿고 긍정적으로 받아들여 보라.

옛날 중국의 무왕이 태공망에게 인재를 선발하는 방법에 대해 묻자, 태공망은 겉모습과 속내를 다 살펴야 하며 사람의 속마음을 알아보기 위해서는 다음의 여덟 가지 방법이 있다고 설명하였다. "첫째, 말로 물음을 던져 대답이 얼마나 자세한지 살펴봅니다. 둘째, 집요하게 토론하며 몰아붙여서 임기응변하는 기지를 살펴봅니다. 셋째, 아무도 모르게 염탐꾼을 붙여서 홀로 있을 때의 성실성을 살펴봅니다. 넷째, 숨김없이 분명하게 드러내 놓고 곧바로 물음을 던져서 덕행을 살펴봅니다. 다섯째, 재물을 맡겨서 얼마나 청렴한지를 살펴봅니다. 여섯째, 아름다운 미녀를 안겨 주어 얼마나 올바르고 곧은지를 살펴봅니다. 일곱째, 재난이 일어났다고 알려 주고 얼마나 용기가 있는지를 살펴봅니다. 여덟째, 잔뜩 술에 취하게 하여 취중의 태도를 살펴봅니다." 세상의 이치가 이와 같은데 어찌 한 치 앞의 이익만 보고 행동할 수 있겠는가?

비판은 속으로만 하라

필자가 초군반 교육을 받을 때 어느 교관이 세 가지를 강조했던 것이 기억난다. 첫째, 엄(嚴)과 정(情)이었고, 둘째, 문제의식이었으며, 셋째, 주인의식이었다. 여기서 문제의식은 잘못된 점을 찾아 개선하라는 의미인데, 사람이란 문제가 보이면 저절로 비판도 하게 되는 것 같다. 따라서 어느 순간 문제의식이 변질되어 비판의식으로 자리 잡지 않도록 경계해야 한다.

낮말은 새가 듣고 밤말은 쥐가 듣는다고 하였다. 한번 내뱉은 말은 주워 담을 수가 없다. 내가 한 험담이 상대방의 귀에 들어갔다고 상상해 보라. 만약 상급자에 대해 험담한 것이 귀에 들어간다면 직장생활에 치명적인 화를 불러올 수 있다. 그러니 비판이나 불평이 있으면 마음속으로만 하라. 절대 입 밖으로 내뱉지 마라. 불평이나 험담도 자꾸 하게 되면 습관이 된다. 나중에는 사소한 것에도 불평불만을 내뱉어 조직의 단합을 해치고 조직 전체의 임무달성에도 방해가 되는 사람으로 전락할 수 있다.

옆에 있는 사람이 누군가에 대해 험담을 한다고 해도 부화뇌동(附和雷同)하지 마라. 사람이란 누군가에 대해 같이 험담을 하다가도 험담의 정도가 지나친 사람을 보면 점점 그 분위기에 혐오감을 느끼게 되고, 결국에는 험담하는 그 사람 자체가 싫어지게 된다. 그리하여 그 사람을 다시 만나기를 꺼리게 된다. 같이 험담을 한다면 조금만 장단을 맞춰 주고 끝내야지 스스로 함정에 빠져 들어가서는 안 된다.

긍정적으로 받아들여라

상관이 어떤 임무를 시키면 '그것을 왜 해야 하나?' 하고 불평하지 말고 긍정적으로 받아들여라. 시키는 사람도 그렇게밖에 할 수 없는 무슨 내막이 있다고 생각하라. 그리하면 마음이 훨씬 편해지고 보다 긍정적으로 받아들일 수 있게 될 것이다. 사실 내가 그 사람

입장이 되어도 그 이상으로 일을 잘해 낸다는 보장도 없다. 장기판에서 훈수를 두는 것은 쉬워도 막상 실제 하기는 어려운 법이며, 스포츠 경기를 보면서 비평하기는 쉬워도 실제 본인이 뛴다면 그보다 절대 더 잘할 수는 없을 것이다. 상관의 지시사항을 적극적으로 받아들이고, 그 지시사항에 문제나 오류가 있다면 정상적인 절차를 따라 상급자에게 보고하거나 스스로 해결책을 물색하여 조치하라. 하천의 오염된 물도 흐르면서 저절로 정화되듯이 모든 자연에는 자정(自靜) 기능이 있다. 하물며 당신은 지능을 갖춘 인간인데 그 정도 문제 하나를 스스로 헤쳐 나가지 못하겠는가?

15. 나쁜 감정은 빨리 잊고 새로운 마음자세와 각오를 보여라

빨리 잊고 표정을 관리하라

사람이 항상 모든 일에서 잘할 수는 없다. 가끔 상급자에게 지적을 받거나 혼날 수도 있는데, 그렇다고 해서 하루 종일 계속해서 침체되어 있거나 기분 나쁜 표정으로 있지 마라. 오전에 지적받고 나서 오후까지 무표정하거나 화난 표정으로 있으면 상급자가 볼 때는 오히려 더 불쾌하다. 집안에서의 상황을 상상해 보라. 자식이 뭔가 잘못을 하여 부모가 혼을 냈을 때 자녀가 하루 종일 말도 안 하고 인상 쓰고 있는 것보다는 조금 지나서 “아빠!” 하고 살갑게 다가와 안기는 것이 훨씬 귀엽고 사랑스럽지 않겠는가? 아버지는 그 순간 자식이 잘못한 일에 대해서는 아무 생각도 나지 않는다. 따라서 아침에 혼이 났어도 점심식사 하러 가다 만났을 때에는 언제 그랬냐는 듯이 밝은 표정을 짓고 의욕적인 모습을 보여라.

표정관리를 잘하라. 얼굴은 마음의 창문이기 때문에 표정관리는 중요하다. 화난 표정은 마음속에 화가 나 있음을 표현하는 것이다. 백문(百聞)이 불여일견(不如一見)이라서 말로는 화난 것이 아니라고 해도 상대방은 당신 얼굴표정을 더 믿을 것이다. 책상 위에 작은 거울을 하나 두고 호감 가는 표정, 의욕적이고 적극적인 표정을 만들도록 연습해 보라.

잘못을 시인하고, 각오를 말하라

소대장은 얼마든지 실수할 수 있다. 군생활을 시작한 지 한두 해밖에 지나지 않은 소위나 중위라면 더욱더 그러하다. 물론 동일한 사항에 대해 반복적으로 실수를 저질러서는 안 될 것이다. 그런데 이때 실수나 잘못을 하고 나서 가만히 있는 것은 바람직하지 못하다. 실수한 것을 스스로 느꼈으면 상관에게 찾아가 무엇을 잘못했다고 떳떳이 고백하고, 앞으로는 실수하지 않겠다는 의지를 표명하라. 물론 이것이 쉬운 일은 아니다. 창피하기도 하고 자존심 상하는 일이기도 하다. 또한 상급자가 어려워 먼저 찾아가기 어려울 때도 있다. 필자도 그렇게 해 보지는 못한 것 같다. 어차피 이미 엎질러진 물이고, 상관이나 내 자신 모두가 잘못된 것임을 이미 알고 있는데 굳이 또 찾아가 이야기할 필요가 없다고 생각했었다. 그런데 대대장을 하면서 겪어 보니 그게 아니었다.

부대에서는 매월 국기게양식을 하게 된다. 대대장으로 부임하여 이 행사를 하는데 그때마다 실무자가 어느 한 부분에서 항상 실수를 하였다. 어느 날 여느 때와 같이 국기게양식을 하게 되었는데, 그날도 역시 행사 멘트가 잘못되었고 앰프 설치와 애국가 반주 등에 미흡한 점이 발견되었다. 하지만 그날은 그동안 너무 지적을 많이 한 것 같은 생각이 들어 아무런 말도 하지 않고 가만히 두었다. 물론 행사준비를 제대로 하지 못한 것에 대한 서운한 감정은 마음 한구석에 남아 있었다. 그런데 조금 있다가 행사를 담당했던 실무자가 찾아와서는 "조금 전 행사에서 행사멘트와 반주에 착오가 있었는데, 죄송합니다. 다음부터는 이상 없도록 하겠습니다."라고 말하는 것이었다. 부하가 이렇게 당당하게 자신의 잘못을 시인하고 나오자 당돌하다는 생각도 다소 들었지만, 오히려 대대장이 지적하지 않아도 스스로 잘못된 점을 깨닫고 시정하겠다고 말하는 것이 매우 신뢰가 가고 믿음직하게 느껴졌다. 세상 모든 일이 내가 생각했던 것과는 다른 부분들이 많다. 역시 내 기준에서 볼 것이 아니라 상대 기준에서 봐야 할 것 같다.

사고사례를 보면 때로는 지휘관의 질책에 부하가 적응하지 못하고 탈영을 하는 경우도 있다. 상관이 부하를 지적하였을 때 표정이 계속 무겁게 있으면 상관은 부하가 이러한 사고를 저지르지는 않을까 두려워진다. 결국 상관은 부하가 실수를 해도 더 이상 지적하지 않게 된다. 업무를 가르쳐 주려고 하기보다는 아예 그 사람에 대해 포기하게 된다. 그러니 어떻게 해야 하겠는가? 앞서 말한 부하처럼 침체되지 말고 당당하게 나서야 하지 않겠는가?

제2장 참모의 업무방법

소대장 생활을 마치고 중위가 되면 통상 대대의 참모직책을 수행하게 된다. 이러한 참모업무는 장교들에게 있어서 중대장이나 대대과 같은 지휘관 시절을 제외하면 군복무 시간의 대부분을 차지하게 된다. 부사관의 경우에도 중사나 상사가 되면 참모직위에 근무할 기회가 많아지는데, 부사관이 행정능력이나 참모업무 수행능력을 갖추게 되면 진급을 하는 데도 유리하고 군생활 전반에 걸쳐 크게 도움이 된다.

참모(Staff)란 지휘관의 활동을 보좌하기 위하여 특별히 임명된 사람을 말한다. 회사로 치면 사장을 제외한 대리나 과장 등에 해당된다. 사람들은 농담 삼아 참모는 참는 것이고, 지휘관은 지(자기) 멋대로 하는 것이라고도 한다. 그만큼 참모가 지휘관을 보좌하기 어려운 일이고, 지휘관의 지휘의도에 맞춰 업무하기가 힘들다는 의미일 것이다. 그러나 위기는 곧 기회다. 그만큼 어려운 일이기에 여러분이 조금만 더 노력한다면 빛을 발할 수 있다.

1. 지시사항을 수시로 기록하라

기록하지 않으면 잊어버린다

지휘관은 시간을 자기 주도적으로 사용할 수 있으나, 참모는 지휘관의 시간계획에 맞추어 움직여야 하고 지휘관 지시사항과 참모 고유 분야에 대한 업무를 동시에 추진해야 하기 때문에 혼란스러울 때가 많다. 이렇게 바쁘게 움직이다 보면 지휘관이 지시한 것도 금방 잊어버리게 된다. 방금 전에 지시받은 일을 시행하기도 전에 누군가가 또 다른 지시사항을 내린다거나, 다른 급한 일이 생겨 그 일을 먼저 처리하다 보면 이전에 지시한 사항은 까맣게 잊어버리게 된다. 따라서 잊어버리지 않으려면 철저하게 기록하는 수밖에 없다. 지시받은 사항이나 업무수행과 관련된 착안사항을 수시로 기록하라.

기록을 잘하기 위해서는 여러 개의 수첩을 준비할 필요가 있다. 일반적인 회의에 참석할 때에는 통상적으로 사용되는 '육군수첩'이나 책 크기 정도의 수첩을 휴대하라. 수첩이 없이 회의에 참석하는 것은 수명자세가 안 되어 있는 것으로 보인다. 반면에 이동 중이나 훈련 시와 같이 육군수첩을 지참할 수 없는 경우에 대비하여 주머니에는 늘 작은 '포켓용 수첩'을 휴대해서 다녀라. 그리하여 육군수첩과 같이 커다란 수첩을 휴대하지 않았을 때 상급지휘관이 뭔가를 지시하거나 좋은 아이디어가 떠오르면 즉시 포켓용 수첩을 꺼내어 기록하라. 책상 앞이나 생활공간 주변에는 다양한 메모지를 비치하여 언제든지 기록할 수 있게 준비해 둬라. 그래야 잊어버리지 않는다.

티끌이 모여 태산이 되고, 가랑비도 계속 맞으면 옷이 젖게 되는 법이다. 참모가 지휘관의 사소한 지시사항 하나라도 절대 잊어버리지 않고 철저하게 수행해야 상관으로부터 신뢰를 얻을 수 있다. 작은 일이라고 해서 가볍게 넘기거나, 지시사항을 무시하고 시행하지 않거나, 똑같은 실수를 계속해서 반복한다면 상관은 더 이상 당신을 믿고 일을 맡길 수가 없다.

이러한 상황에 처하지 않으려면 우선적으로는 지시사항을 잊지 않는 것이 중요하다. 따라서 일단은 모든 지시사항을 철저히 기록하라. 그렇게 하고 나서 기록한 것을 다시 한 번 검토하라. 기록한 것으로 끝내면 아무런 소용이 없다. 따라서 사무실에 돌아오면 차분히 앉아 기록한 사항들을 살펴보고, 그중에서 내게 해당되는 사항들을 추출하여 자신의 일정관리 수첩에 다시 옮겨 적어 정리하라. 그리고 오늘 당장 시급히 처리해야 할 일이 있는지를 검토하라. 그런 일이 있다면 만사를 제쳐 두고 그 업무부터 신경 써야 한다. 시급한 과제에 대한 처리가 끝났으면 나머지 지시사항들에 대해서는 경중완급을 따져 하나씩 시행하고, 완료된 업무는 차례로 지워 나가라. 그리고 오늘 완료되지 않은 업무는 일정관리 수첩의 내일 날짜에 다시 옮겨 적음으로써 시간이 지나도 잊지 않고 지속적으로 추진할 수 있게 하라.

주변을 관찰하라

꾸준히 주변을 관찰하면서 느낀 점을 기록하라. 이러한 습관은 군인이 전투에서 승리하기 위해서도 필수적인 요소이다. 그래서 방어작전의 준칙 중에서도 첫 번째가 '전장감시' 아니겠는가? 주변 동료나 상급자 중에 잘하는 사항이 있으면 그 방식을 기록해 둬라. 5~10년 후 선배들의 모습을 관찰하면서 그들의 생활모습이나 업무요령을 배우고 기록하라. 그리하면 당신도 그 시기가 되었을 때 그들과 같은 모습으로 되어 있을 것이다. 필자가 이 책을 발간하게 된 배경도 꾸준한 관찰과 기록에 있다. 임관 이후부터 업무하는 요령이나 사람과의 관계에 대해 상급자로부터 가르침을 받고 스스로 느낀 사항들을 꾸준히 기록해 두었다. 처음에는 똑같은 실수를 두 번 다시 되풀이하지 말자는 생각에서 시작한 기록이었으나, 결국은 그것들이 하나로 모여 책으로 발간된 것이다.

2. 적극적이고 능동적으로 일하라

스스로 찾아서 일하라

상급자가 원하는 하급자의 모습은 항상 일을 잘하는 것만 원하는 것이 아니다. 특히나 해당 참모업무를 처음 경험해 보는 사람은 모든 것이 처음 겪는 일이라 당연히 실수가 있기 마련이다. 중요한 것은 똑같은 실수를 되풀이하지 않으려고 노력하는 모습과 어떤 일이든 스스로 찾아서 움직이려는 적극적이고 능동적인 모습을 보이는 것이다. 이러한 사람은 현재는 다소 미흡해도 앞으로 나날이 발전할 수 있는 사람이다. 여러분은 자신이 열심히 일하고 있다고 자화자찬하고 있을지 모른다. 그러나 상관의 눈에는 당신이 적극적인지 소극적인지가 한눈에 정확하게 보인다. 또한 당신이 만족하고 있는 것보다 훨씬 더 높은 수준의 적극성을 요구하고 있다. 따라서 현재의 수준에 만족하지 말고, 주변 동료나 상급자들은 어떻게 행동하는지 자세히 관찰하고 배워라.

업무에 임하면서 시키는 것만 하지 말고 스스로 찾아서 일하라. 자신의 참모업무와 관련된 규정과 공문을 세심히 읽고 그중에서 해야 할 일이 있으면 누가 시키지 않아도 스스로 시행하라. 지휘관이 알면 세부적으로 질문할까 봐 두려워 자신이 하고 있는 업무를 숨기려 하지 말고, 적극적으로 밖으로 펼치고 내세우며 지휘관에게 자주 보고하라. 그래야 지휘관도 당신이 무슨 일을 하고 있는지 알고 인사평가에 반영할 수 있다. 업무를 숨기면 지휘관은 불안해서 더 많은 관여와 질책을 하게 된다. 자주 보고해 줘야 궁금하게 생각하거나 불안해하지 않는다.

상급부대에 전화하는 것을 두려워하지 마라

조직의 업무는 대부분 공문이나 보고서에 의해 지시되고 보고되기 때문에 사람이 대면하여 서로 말을 주고받을 때와는 다르게 그 내용을 이해하기 어렵다. 더구나 소대장을 마치고 참모업무를 처음 접하는 사람이라면 문구만으로 공문의 내용을 이해하기 어려울 것이다. 이와 같이 공문의 내용이 이해되지 않거나 궁금하면 혼자 고민하지 말고 과감하게 상급부대에 전화해서 세부적으로 파악하라. 창피함이나 두려움은 한순간이다. 일이 잘못되었을 때에 대한 부대의 손실을 고려해 보라.

상급부대 실무자와 전화통화를 자주 하다 보면 부수적으로 얻는 이익도 많다. 우선은 서로 간에 인간적인 감정의 교류가 생겨 차후에 업무를 수행하기가 훨씬 수월해진다. 또한 하급자가 상급자에게 적극적으로 전화하고 뭔가를 알려고 노력하는 모습에서 상급자는 대견한 생각을 갖게 되고, 이것이 결국 당신에 대한 평가가 되어 성공의 밑거름이 되기도 한다. 전화하기가 귀찮거나 상급 실무자가 두려워 자기 나름대로 내용을 해석하여 일을 처리하다 보면 더 많은 시행착오와 노력의 낭비를 가져올 수 있고, 때로는 큰 화(禍)를 가져올 수도 있음을 경계해야 한다.

다른 참모 분야에도 관심을 가져라

부대 업무의 한 분야만 담당하는 참모라도 부대 전반적인 것에 관심을 가져야 한다. 지휘관이 회의를 주관하는데 작전장교라고 해서 작전 분야가 언급될 때에만 정신을 집중하고 다른 분야에 대해서는 귀를 닫고 있으면 안 된다. 아인슈타인도 자신의 뇌를 1%밖에 사용하지 못했다고 하지 않는가? 당신의 능력은 당신이 알고 있는 것보다 훨씬 뛰어나다. 다른 분야에 대해 관심을 가져 귀 기울여 듣고 암기한다고 해서 자기 분야에 대한 지식을 담아 둘 그릇이 줄어드는 것은 아니다. 당신이 참모가 아니라 지휘관이라는 생각을 가지고 전 분야에 대해 관심을 가지고 지휘관처럼 고민하는 적극성과 능동성을 갖춰라.

중위 참모들을 모아 놓고 회의를 하다 보면 자기 분야에 대한 보고가 끝났다고 하여 손톱을 물어뜯는다거나 딴생각을 하는 사람이 있다. 매일 아침저녁으로 회의를 하면서 지휘관이 부대관리에 관한 사항을 지시하고 사고예방에 대한 정신교육도 실시하지만, 참모로 있을 때는 그러한 분야에는 관심을 두지 않다가 어느 순간 대위 진급발표가 나서 중대장으로 발령을 하려고 하면 준비가 안 되었다고 발뺌을 하는 사람도 있다. 중위 참모를 하면서 언제까지나 그 자리에 있을 것이라고 생각하는가? 중대장 직책을 맡을 것에 대비하여 지금부터라도 부대관리에 신경 쓰고 지휘요령도 터득하라.

타 분야에 관심을 가져야 하는 것은 대대급 제대에서뿐만 아니라 사단급 이상의 부대에서도 필요한 사항이다. 어느 날 사단장이 병력을 수송할 때는 가급적 카고차량보다는 버스를 이용하라고 지시하였다. 이후 한동안은 모든 사람들이 그 지침을 숙지하고 잘 이행하였으나 시간이 지나면서 점점 잊어버리게 되었다. 그러다가 어느 부대에서 대대장이 교체된 후 그러한 내막을 모르고 카고차량으로 병력을 이동하는 계획을 아침 상황보고에 반영하였다. 그런데 당직사령을 맡은 사단 실무자는 사단장의 지침을 잊어버려서인지, 아니면 자기 분야가 아니기 때문에 관심을 가지지 않아서인지, 사전에 이 사항을 걸러 내지 못하고 그대로 아침회의록에 반영하였다가 질책을 받게 되었다. 이와 같이 자기 분야가 아니라는 이유로 관심을 기울이지 않으면 결국은 낭패를 보게 된다. 사단장의 모든 한마디 한마디에 귀를 기울였더라면 사전에 해당 부대나 관련 참모에게 전화하여 왜 그렇게 하는지 알아보고 수송차량을 변경할 수 있었을 것이다. 지휘관이라면 그렇게 하였듯이…… 따라서 지휘관처럼 생각하고 코드를 맞추려면 지휘관이 하는 모든 지시사항을 내 업무 분야가 아니더라도 잘 듣고 숙지해 두어야 한다.

3. 참모업무는 첩보획득과 적시적인 첩보제공이 중요하다

첩보는 스스로 노력해야 얻어진다

야전부대에서의 참모업무는 일반적으로 인사, 정보, 작전, 군수 기능으로 나누어진다. 각 참모는 자기 고유 기능의 업무를 수행하지만 궁극적으로는 지휘관과 부대를 중심으로 모든 기능이 통합되어야 한다. 정부조직에서 각 부처의 활동이 결국은 국가라는 하나의 조직을 운영하기 위해 통합되는 것과 같다. 따라서 각 참모는 자기 분야에서 주어진 업무를 성실히 추진하는 것도 중요하지만, 지휘관과 부대에 영향을 주는 첩보를 획득하고 이를 적시에 보고하는 것 또한 매우 중요하다.

첩보의 획득은 저절로 주어지는 것이 아니라 얼마나 많이 노력하느냐에 따라 다르다. 영화나 전쟁사례를 봐도 더 많은 첩보를 획득하기 위해서 정찰기를 띄우고 감청도 하며 첩보원을 운용하기도 하지 않는가? 때로는 첩보원이 죽음을 무릅쓰고 적진 깊숙이 들어가 활동하는 경우도 있다. 이와 같이 첩보라는 것은 본인이 활동하고 노력해야만 얻어지는 것이다.

첩보를 획득하는 방법

대대급 부대에 근무하는 참모들은 어떤 방식으로 첩보를 획득할 수 있는가? 먼저, 해당 참모계선별 업무협조를 통해 첩보를 획득할 수 있다. 자신의 업무라인에 있는 상급부대 실무자와 자주 통화하라. 우리 부대의 활동사항이나 예정사항을 상급부서에 알려 주면서 상급부대에 특이사항은 없는지, 우리 부대가 미리 준비해야 할 사항은 없는지 물어보라. 그렇게 함으로써 첩보가 자연스럽게 획득된다.

다음으로, 인트라넷을 효율적으로 활용하라. 요즘은 전산망이 잘 구축되어 있어서 부대의 홈페이지나 '표준 전자결재 체계'에서 상급부대의 실시사항이나 예정사항을 손쉽게 확인할 수 있다. 또한 아침마다 상황보고 회의록이 작성되어 게시되기도 한다. 이것들을 매일 열어 보고 우리 부대 해당 사항이나 내 업무 분야에 해당되는 것이 없는지를 확인하라. 검열이나 지도방문과 같은 특이한 활동사항들을 항상 모니터링(monitoring)하여 지휘관에게 보고할 수 있어야 한다. 하루 이틀 동안 아무런 해당 사항이 없다고 하여 상급부대 활동사항에 대해 확인하는 것을 생략해서는 안 된다. 1년 중에 한 번만이라도 제대로 된 첩보를 확인하여 조치할 수만 있어도 성과는 있는 것이고, 그것조차 없다 하더라도 상급부대 활동사항을 확인함으로써 당신의 업무능력이나 시야가 넓어지게 될 것이니 손해되는 일은 아니다.

끝으로, 상급부대에서 다른 부대를 점검한 결과를 주의 깊게 읽어 보라. 우리 부대가 아니라고 해서 그냥 넘기면 안 된다. 당신이 업무를 추진하면서 지침이나 규정을 잘못 적용하여 틀리게 시행하고 있는 것들이 있을 수 있고, 때로는 모르고 있는 규정도 있을 수 있다. 이럴 때 다른 부대의 점검결과를 읽어 보면 규정상 문구에는 없지만 실제 운용상에서 시행해야 하는 여러 가지 세부사항들을 발견할 수 있고, 모르고 있었다거나 추가로 적용해야 할 사항들도 발견하게 된다.

첩보에 대해 보고하는 요령

획득한 첩보를 보고하는 데에도 요령이 필요하다. 단순히 이러한 일이 있다고만 보고하는 것이 아니다. 상급부대로부터의 검열이나 점검이 계획되어 이것을 상관에게 보고할 때에는 다음과 같은 요령이 필요하다. 먼저, 검열일정과 점검관, 점검내용 등을 세부적으로 파악하여 보고한다. 가용하다면 과거의 점검결과나 다른 부대의 점검자료 등을 확보하여 보고하라. 경우에 따라서는 방문자의 출신 및 임관연도, 병과 등에 대한 세부 인적사항과 담배를 피우는지, 차(tea)는 무엇을 좋아하는지 등 기호품에 대해서도 확인하여 보고할 필요가 있다.

다음은, 사전에 전달된 점검내용이나 체크리스트를 가지고 우리 부대의 실태와 비교하여 현재 우리 부대의 수준은 어떠하고, 그에 따라 해당 참모는 어떻게 준비하고 무엇을 추진하겠다는 것을 보고하라. 있는 사실만 보고하는 것이 아니라 추진계획이나 실무자의 의지를 표명해야 지휘관이 안심하고 해당 실무자에게 맡길 수 있다. 업무가 어떻게 진행될 것인지를 연상해 보고 그에 필요한 사항들을 파악하여 보고하라.

찬스에 강해야 한다

부대를 운영하면서 모든 분야를 매 순간마다 완벽한 모습으로 갖추어 둘 수는 없다. 현대화된 사회에서는 지켜야 할 규정이나 지침만 해도 헤아릴 수 없이 많다. 이 모든 규정들을 어떻게 매 순간 완벽하게 지킬 수 있겠는가? 상황에 따라 이것을 꼭 지켜야 할 때가 있고 저것이 강조되는 시기가 있기도 하다. 시기와 상황에 따라 핵심을 제대로 파악하여 부대를 운영하고, 상급부대 검열에 순발력 있게 대응하는 등 주어진 찬스(Chance)에 강해야 한다.

며칠 후에 상급부대에서 우리 부대에 순찰을 나온다는 것을 미리 알았다면 주변정리를 깔끔히 하고, 당직근무도 철저히 하며, 군기본자세나 각종 규정준수에도 좀 더 신경 써서 대비할 수 있을 것이다. 이번 주말에 비상소집 훈련이 있다면 사전에 전파하여 비상대기를 철저히 할 수 있다. 그러나 그러한 첩보를 입수하지 못한다면 흐트러진 모습을 있는 그대로 보여 줘 부대와 지휘관에 대한 이미지를 실추시키게 될 것이다. 하필 1년 중 가장 최악의 상태를 목격했다 하더라도 그 한 번의 이미지가 부대 전체와 1년 전체의 이미지로 자리 잡게 된다. 따라서 필요한 첩보를 적시 적절하게 획득하여 순발력 있게 대응해야 한다.

4. 신속 정확한 보고로 지휘관의 결심을 도와라

사회에서도 마찬가지이겠지만 군대에서는 특히 신속하고 정확한 보고가 상급자의 적시 적절한 결심을 이끌어 내어 전승을 보장한다. 그러나 신속성과 정확성은 창과 방패와 같은 모순성을 내포하고 있다. 즉 신속하게 보고하기 위해서는 정확한 상황파악을 하는 것이 제한되고, 정확하게 파악한 후 보고하게 되면 신속성이 떨어지게 된다.

긴급하거나 애매하면 신속성이 우선이다

긴급한 일인지 아닌지를 판단하기 어려운 상황이거나, 군생활의 경험이 짧아 판단에 자신이 없다면 신속성을 취해야 한다. 또한 사람이 다쳤거나 교통사고 등과 같이 사고와 관련된 것이라면 두 번 생각할 것 없이 신속성을 취해야 한다. 사람이 다쳤는데 왜 사고가 났고 얼마나 다쳤는지를 파악한 후 보고하려다 보면 치료시기를 놓쳐 생명을 잃을 수도 있다. 이런 경우에는 정확한 상황파악이 안 되어 윗사람에게 제대로 답변을 못 하고 질책을 받게 되더라도 두려워할 필요가 없다. 우선은 신속히 간략하게 보고한 후 다친 사람을 구조하러 가는 것이 급선무이다. 그러한 상황이라면 당연히 상관도 이해할 것이다.

병력이 탈영이나 미복귀하였을 때에도 마찬가지다. 탈영한 사람의 평소 생활태도가 성실했다 하여 '조금 기다리면 들어오겠지.' 하는 안일한 마음으로 기다리지 말고 신속히 상급부대에 보고하라. 그 순간 당신에 대한 책임소재는 사라진다. 뜨거운 감자를 떠안고 있지 말고 상급자에게 바로 넘겨라. 그래야 상급부대도 신속히 통로를 차단하거나 수색을 하여 더 큰 사고를 예방할 수 있다.

중간계층에서도 신속성이 요구된다

대개 모든 최초보고는 상황파악이 다소 미흡하더라도 신속하게 보고하는 것이 요구된다. 부대에 어떤 사고가 발생했다거나 전시에 적 출현을 발견했다면 신속히 알려 주어야만 상급부대에서도 필요한 준비를 해서 적시 적절한 지원을 할 수가 있기 때문이다. 그런데도 정작 사건이 발생하면 생각처럼 신속하게 보고되지는 않는다. 특히 보고의 대상이 고위층이라면 더욱더 늦어지게 된다. 어쩌면 그것은 당연한 결과인지도 모른다. 왜냐하면 보고하는 대상의 직책이 높을수록 중간계통에 있는 사람들은 자신이 좀 더 정확하게 상황을 파악하려고 뭔가를 더 묻기 때문이다. 어설픈 정보를 가지고 상급자에게 보고할 수 없다는 것이다. 따라서 중간계통에 있는 사람들도 신속성과 정확성 중 어느 요소가 더 중요한지를 순간적으로 판단하여 행동할 필요가 있다. 아무리 좋은 약이라도 때를 놓치면 아무런 소용이 없다. 적시성을 충족시켜야 한다.

한편 당신이 상급지휘관이 되면 이러한 특성을 간파하여 긴급한 보고가 올라왔을 때 아랫사람이 상황파악을 다소 미흡하게 했더라도 다그치거나 질책하지 말아야 할 것이다. 상급자가 한번 질책을 하게 되면 그 다음부터 하급자는 상황을 더 정확하게 파악한 후 보고하려 하기 때문에 절대로 신속성을 달성할 수 없게 되고 그로 인해 결국은 상황을 더 악화시키게 된다. 부대지휘의 성패는 항상 지휘관이 좌우하는 것이다. 하급자들이 신속한 보고를 하지 못하게 되는 근본적인 원인을 상급자 자신에게서 찾으려는 겸허한 자세가 필요하다.

급하지 않은 것은 정확하게 파악한 후 보고하라

긴박한 상황이 아닌 일반적인 업무를 할 때에는 세밀하고 정확하게 파악한 후 보고해야 한다. 일상 업무에서 단지 나타난 현상에 대해서만 보고하게 되면 신뢰를 잃기 쉽다. 한 가지 현상에 따른 부수적인 사항도 파악하고, 관련 근거도 확인해야 하며, 향후 조치해야 할 사항들은 무엇인지 등을 신중히 검토해 보아야 한다. 부정확한 내용이나 대충 파악한 내용으로 보고하면 허위보고가 되고 그로 인해 지휘관의 판단을 그르칠 수 있다. 통상 최초보고 이후의 보고는 다소 시간적 여유를 가지고 상황을 보다 정확하게 파악하여 보고할 수 있다.

상급부대에서 점검을 나온다고 할 때 지금 당장 출발했다면 정보를 입수한 즉시 지휘관에게 보고하고 예하부대에 전파하여 신속히 그에 대한 준비를 해야 한다. 그러나 지금이 아닌 한참 후에 나온다면 누가 나오고 왜 오는지 등을 세밀히 파악하여 보고해야 할 것이다. 사실 초급간부일 때에는 이 사안이 긴박한 것인지 아닌지를 구분하기 힘들 때가 많다. 때로는 긴박한 사안인 줄 알고 곧바로 대대장에게 찾아가 상급부대에서 검열관이 출발하였다고 보고하였는데 대대장은 생각지도 않게 검열관의 계급과 이름을 되묻는 경우도 있다. 그래서 대대장실을 나와 그것을 확인한 후 추가로 보고하면 지휘관은 다시 검열관의 임관기수나 병과를 묻게 되고, 실무자는 또다시 밖으로 나와 이를 확인하여 대답한다. 그렇게 대대장실을 두세 번 들락날락하게 되면 실무자 스스로 사고의 폭이 좁았음을 반성해야 한다. 한 번 정도는 나왔다가 다시 들어갈 수 있으나, 이를 여러 번 되풀이할 정도로 치밀함이 부족해서는 안 된다. 그러한 능력이 하루아침에 길러지지는 않을 것이다. 그러므로 초급간부 시절부터 어느 정도까지 세부적으로 파악한 후 보고해야 하는지, 신속성을 요하는지 정확성을 요하는지를 구별하는 능력을 꾸준히 향상시켜 나가야 한다. 그리하여 어떤 상황에 부딪히면 직감적으로 반응할 수 있도록 몸에 익혀야 한다.

5. 보고를 철저히 하라

특이사항은 고민하지 말고 무조건 보고하라

참모 업무를 하다 보면 이 정도는 별일 아닐 것 같고 지휘관이 몰라도 될 것 같아 보고하지 않거나, 보고를 해야 할 것 같기도 하고 안 해도 될 것 같기도 해서 생략했다가 낭패를 당하는 경우가 종종 있다. 따라서 혼돈스러울 정도라면 일단 보고해야 한다. 중요한지 아닌지, 보고를 안 함으로 해서 커다란 파장을 가져올 것인지 아닐지를 경험이 적은 초급간부 참모가 판단하기는 어렵다. 그러므로 일단은 무조건 보고하라. 초급간부라면 조금이라도 특별하다 싶으면 무조건 보고하는 것이 현명하다. 그러다가 경험이 쌓여 보고 여부를 구분할 수 있는 능력이 생기면 그때 가서 선별하여 보고해도 된다. 지휘관이 볼 때는 보고하지 않고 혼자서 처리하는 간부보다 자주 보고하는 간부가 더 믿음직스럽다.

사안의 중요성은 지휘관이 가장 잘 안다

하급자는 어떤 일이 발생하였을 때 그 일이 중요한지 아닌지 판단하기가 제한된다. 사실 초급간부는 굳이 그 일의 중요성을 판단하려고 고민할 필요도 없다. 바로 대대장에게 보고함으로써 경험과 정보가 풍부한 지휘관이 그 일에 대한 경중완급을 판단하게 해야 한다. 대대장은 여러 참모나 예하 중대장으로부터 수많은 보고를 받고, 사단장이나 사단 참모 등으로부터 여러 가지 지시를 받거나 정보를 입수한다. 그렇기 때문에 어떤 현상에 대해 보고를 받으면 그 일이 얼마나 중요하고 어떤 파장이 있을 것인지를 판단할 수 있다. 그러나 대대장이 입수한 그러한 정보들을 모든 부대원들에게 낱낱이 전파해 줄 수는 없다. 그렇기 때문에 지휘관만이 가장 정확한 상황판단을 할 수 있는 것이다. 여러분이 하찮게 생각한 사안이 지휘관에게는 중요한 정보일 수 있고, 사단 참모나 사단장이 지시한 사항과 연관되어 있을 수도 있다. 그러므로 참모 선에서 보고의 가치를 판단하지 말고 있는 그대로 보고하라.

휴일이나 야간이라고 해서 주저하지 마라. 보고가 안 되어 일이 잘못되었을 때의 파장이 훨씬 더 크다. 주말에 당직근무를 수행할 때에도 차량운행이나 환자진료가 있으면 망설이지 말고 지휘관에게 보고하라. 보고 안 하는 것이 지휘관을 편하게 해 주는 것이 아니라 보고하는 것이 도와주는 길이다.

참모는 업무뿐만 아니라 보고도 잘해야 한다

모든 업무와 보고는 최초보고, 중간보고, 최종보고의 순으로 이루어진다. 그러나 참모업무를 하다 보면 여러 가지 바쁜 업무로 인해 새로운 일이 생겼는데 그 일에 대한 최초보고를 잊어버리기도 하고, 일을 진행하면서 추진경과나 지휘관이 궁금해하는 사항에 대한 보고를 누락시키기도 한다. 또는 최초와 중간보고는 했지만 업무가 종결되고 나서 전체 과정을 정리하여 마무리 짓는 최종 결과보고를 하지 못하고 혼자서 조용히 마무리 짓게 되는 경우도 있다. 이러한 오류를 범하지 않도록 노력하라. 보고의 습관과 요령이 당신을 유능하게 보이게도 하고 무능하게 보이게도 한다. 적시적인 보고를 잊어버리지 않으려면 부단히 기록하고, 업무 자체에만 신경 쓸 것이 아니라 업무 중간 중간 무엇을 어떻게 보고할 것인지에 대해서도 꾸준히 생각해야 한다. 참모는 지휘관을 궁금하지 않게, 불안하지 않게, 피곤하지 않게 해야 한다.

※ 때로는 개인의 성격에 따라 사소한 것은 보고받지 않고 실무자 스스로 해결하기를 바라는 상관도 있음에 유의하라. 또한 실무자 선에서 해결 가능하고, 일이 잘못되어도 큰 여파도 없는 사항은 굳이 보고할 필요가 없다. 보고해 봤자 보고자의 약점만 노출시킬 뿐이다. 따라서 무엇을 보고하고 무엇을 생략할 것인지에 대해 한 번쯤은 고민해 보라.

6. 정직하게 보고하라

업무를 감추려고 하지 마라

자신이 하는 업무를 감추려고 하지 말고 적극적으로 드러내라. 어떤 사람은 상급부대로부터 중요한 공문이 전달되었는데도 이를 보고

하지 않고 혼자서만 묵묵히 수행하는 사람이 있다. 또한 일을 완료하고서도 이러한 일이 있었다고 한마디 언급도 없이 조용히 결재서류에 끼워 넣어 종결하려 하기도 한다. 이런 식으로 본인이 추진하는 업무를 나타내지 않고 감추려고 하는 것은 업무에 자신이 없거나 자신이 무능력하다고 말하는 것과 같다. 밖으로 드러내면 지휘관이 추가적인 지침을 부여함으로써 당신이 해야 할 일이 많아져 수고스러울 수는 있겠지만, 그로 인해 과오를 예방할 수 있고 수고한 만큼 지휘관으로부터 인정받게 될 것이다. 자칫 잘못하면 되로 막을 것을 말로도 못 막는 상황이 생길 수도 있는 것이다. 따라서 회의나 결산 시간에 상급부대에서 이러한 일이 지시되어 착수하고 있다고 보고하라. 또한 그 업무를 추진 중에 어떠한 특이사항이 있었는지도 수시로 정리하여 보고함으로써 자신을 PR하라.

과오나 실수는 곧바로 인정하라

진실은 반드시 밝혀진다. 그것이 지금 당장은 아니더라도 시간이 지나면 언젠가는 밝혀지게 되어 있다. 따라서 잘못을 저지른 것이 있다면 지금 드러내어 깨끗이 처리하는 것이 낫다. 시간이 지나 상관이 다른 루트로 먼저 알게 되면 업무에 대한 질책은 물론 인간성에 대한 배신감까지 느끼게 되어 더 큰 화가 미친다. 이렇게 되면 당신을 무능력하다고 생각할 뿐만 아니라 신뢰할 수도 없다고 판단하게 된다. 능력이 부족한 것은 경험을 쌓으면서 만회할 수 있으나 신뢰는 한번 무너지면 다시 회복하기 어렵다. 둘 다 잃을 필요 없이 하나라도 건져야 하지 않겠는가? 과오를 저질렀거나 업무를 하면서 실수한 것이 있으면 그 순간만 모면하려 하지 말고 정직하게 밝혀서, 업무에서는 비록 질책을 받아도 사람에 대한 신뢰는 잃지 않도록 하라.

규정을 제대로 알아야 허위보고를 하지 않는다

거짓된 보고가 아닌 정직하고 정확한 보고를 하려면 규정에 명시된 문구를 정확하게 이해할 필요가 있다. 대대장 시절에 대대 참모들이 정비중대에서 운영하는 수리부속을 'PL(규정휴대량)'이라고 언급하여 그것이 아니라 '정비중대 운영량'이라는 용어가 옳다고 지적해 주었다. 그러자 자신은 학교기관에서 그렇게 배웠고 육군규정에도 그렇게 나와 있다고 대답하였다. 그래서 그 규정을 가져오라 하여 확인해 봤더니 '정비중대 운영량은 PL과 유사하게 운영하는 개념이다.'라고 되어 있었다. '유사하다'는 문구를 '동일하다'는 개념으로 오인했던 것이다.

어느 날 감시장비 중의 한 종류가 자주 고장이 나서 그 장비에 대한 장비 운용실태를 파악하여 사단장에게 보고하려고 준비를 하였다. 고장이 많은 원인을 분석하는데 한 참모가 보고하기를 "그 장비는 소대장이 운용해야 하는데 병사들까지 돌려 가며 사용해서 고장이 많습니다."라고 보고하였다. 그 참모의 보고만 믿고 보고서를 작성할 수도 있었겠지만 '소대장만 운용해야 한다.'는 말에 이상한 생각이 들어 그런 규정이 어디 있는지 가져오라 하여 확인해 보니, 장비편성 기준이 '소대당 1개'라는 문구를 보고 그렇게 보고한 것이었다. 장비편성 기준과 소대장만이 운용해야 한다는 것은 별개의 문제인데 그 참모는 동일하게 생각한 것이다. 하마터면 대대장이 사단장님께 허위보고를 할 뻔하였다. 따라서 참모는 규정을 있는 그대로 정확하게 보고해야지 자신의 생각대로 재해석하지 말아야 한다. 추가적인 확대해석은 경험이 쌓인 후에 고려하라.

7. 보고요령을 개발하라

보고가 능력을 대변한다

보고(報告)란 사전적 의미로는 어떤 임무를 띤 사람이 그 일의 내용이나 결과를 글 또는 말로 알리는 것을 말한다. 따라서 조직에서 뭔가 일을 하게 되는 구성원이라면 보고는 늘 그림자처럼 따라다니는 일상이 된다. 그리고 보고의 잘잘못은 업무의 내용이나 결과와는 별개로 당신을 평가하는 척도가 된다. 그러므로 참모는 보고하는 요령을 터득하여 자신의 능력을 표출하고 상관에게 인정받을 수 있도록 노력해야 한다.

보고를 받는 상관의 특성을 먼저 살펴보자. 이들은 실무자에게 임무를 부여한 당사자이기 때문에 그 업무에 대해 어느 정도는 알고 있고 앞으로 나아갈 방향에 대해서도 감(感)을 잡고 있다. 또한 이들은 여러 가지 동시다발적으로 처리되는 많은 업무로 인해 가용시간이 많지 않다. 따라서 굳이 업무내용을 장황하게 설명할 필요가 없이 가능하면 짧은 시간에 제대로 된 보고로 상관을 정확하게 이해시켜야 한다. 당신이 어떻게 보고하느냐에 따라 상관의 이해도가 달라지며 판단의 결과도 달라질 수 있다. 따라서 같은 내용이라도 어떻게 보고할 것인지를 비교 분석하여 말의 순서나 단어에 대해 고민해 보라. 그리고 보고 문구가 준비되었으면 억양이나 말의 빠르기 등을 사전에 연습해 보라.

〈보고하는 요령〉

두괄식으로 말하라

대부분의 보고는 두괄식으로 하는 것이 좋다. 이것은 결론을 먼저 언급한 후 세부사항을 뒤에 부연 설명하는 방식이다. 미괄식으로 여러 사실들을 열거한 후에 결론을 이야기하려고 하면 듣는 사람이 혼란스럽다. 핵심적인 내용을 먼저 들으면 뒤에 나오는 말이 다소 혼돈스러워도 방향을 유지하며 들을 수 있으나, 결론이 뭔지도 모르는데 앞에서 이런저런 내용을 계속해서 열거하며 헤매고 있으면 듣는 사람은 짜증이 날 수밖에 없다. 상관도 이미 대략적인 내용을 알고 있고, 시간은 없는데 기다리는 결론이 나오지 않으면 상관의 입장에서는 참기 어렵게 된다. 다만 가끔 결론만 듣고 세부사항은 듣지 않는 사람도 있으니 이런 경우에는 결론에 앞서 핵심적인 수식어구나 부연 설명하는 말을 간략히 언급해도 무방할 것이다.

보고의 목적이 드러나게 하라

이 보고가 상급자가 지시한 사항에 대한 결과보고인지, 보고와 동시에 차후 조치방향에 대해 상관에게 결심을 요구하는 부분이 있는지, 의문사항에 대한 질문인지 등이 명확히 나타나게 하라. 이와 같은 보고의 목적은 별도로 언급하여 나타낼 수 있고, 문맥상에 저절로 나타나게 할 수도 있다. 단순 보고는 서술형으로 언급하고, 결심을 요하는 보고는 질문형으로 하면 된다. 보고와 질문이 혼합되어 있을 때는 전달 부분과 질문 부분을 구분하여 언급하고, 질문 부분에서는 명확하게 의문형을 취하라.

논리적으로 설명하라

보고의 내용이 길 경우에는 전체적인 어순이 논리적이어야 하고, 앞뒤의 인과관계가 물 흐르듯 자연스럽게 이어지도록 해야 한다. 사건이 일어난 시간 순으로 보고하거나, 추리사건을 헤쳐 나가듯 문제의 원인과 결과를 논리적으로 풀어 나가 보고받는 사람이 이해되게 하라. 그렇게 하기 위해서는 보고하기 전에 전체적인 구성을 머릿속으로 연상해 보는 것이 좋다. 순서를 기억하기 어려울 것 같으면 핵심 단어나 사건을 수첩에 메모하여 중간 중간 보면서 설명하는 것도 좋은 방법이다.

한 번의 보고로 끝내지 말고 재차 보고하라

실무자도 지시사항을 잊어버릴 수 있지만 상관도 마찬가지로 보고받은 사항을 잊어버릴 수 있다. 어떤 업무를 보고받은 직후 더 중요하거나 급한 일이 생겼을 경우에는 십중팔구 방금 전 보고받은 내용을 잊어버리게 된다. 특히 지휘관들은 부대의 전체적인 운영에 대해 수십 명의 부하로부터 계속해서 보고받고 이를 수시로 체크해야 하기 때문에 부하들의 보고를 자주 잊어버리게 된다. 인상적인 보고는 뇌리에 오래 남지만 그렇지 않으면 쉽게 잊혀 버린다. 그러므로 부하는 어떤 업무에 대해 한 번 보고했다고 해서 마음 놓고 있으면 안 된다. 중요한 업무에 대해서는 지휘관이 보고사항을 인지하고 있는지 살펴보고, 잊어버린 것 같다면 조심스러운 어투로 '오늘 이런 일이 있다.'라거나 '오늘 이런 조치를 해야 한다.'라고 재차 확인시켜 주어야 한다. 그렇지 않으면 왜 미리 보고하지 않았냐고 오히려 당신을 질책하는 상황이 생길 수도 있다.

자신 있게 보고하라

보고를 하는데 보고하는 사람이 자신 없는 어투로 말하면 보고의 내용을 신뢰하기 어렵다. 따라서 자신감 있는 어투로 보고해야 한다. 목소리는 적당히 크면서도 절도가 있어야 하고, 중요한 부분에는 악센트가 들어가 강조되는 부분이 드러나게 해야 한다. 말의 끝 부분은 절대 흐리지 말고 단어 하나까지 명확하게 발음하라. 자신이 내린 결론에 대해 확신을 가지고 보고하라. '~라고 알고 있습니다'나 '제가 알기로는 ~입니다'와 같이 애매한 표현은 쓰지 않는 것이 좋다. 확신이 가지 않는다면 차라리 다시 확인하고 판단한 후에 보고하라.

상사에게 말 잘하는 7계명

1. 농담은 초반에 하라

분위기 반전시킨다고 아무 때나 농담을 하면 안 먹힌다. 보고 초반에, 회의 초반에, 대화 초반에 해야 입가에 미소가 떠오르게 마련이다. 회의가 다 끝나 가는데 농담 한마디 던져 봐야 썰렁하기만 하다. 오히려 성실성을 의심받을 가능성이 높다. 엘리베이터 토킹처럼 짧은 대화에서도 어설프게 농담을 시도했다가는 수습하지 못할 공산이 크다.

2. 역린은 건드리지 마라

모든 상사에게는 콤플렉스가 있다. 가족사, 출신학교, 외모, 나이, 업무능력, 노래실력 등 그들이 감추고 싶어 하는 부분을 건드릴 생각은 아예 하지 마라. 새로운 상사를 만나면 빠르게 그들의 콤플렉스에 관한 정보를 모아서 참고하는 것이 예상치 못했던 '버럭질'을 만나지 않는 지름길이다.

3. 대화 스타일을 파악하라

보고는 두 가지다. 두괄식과 미괄식. 상사의 대부분은 두괄식으로 우선 결론부터 이야기하는 것을 좋아한다. 시간을 절약하기 때문이다. 그러나 간혹 상세한 배경 설명을 바탕으로 스스로 결론 내리길 원하는 '미괄식 선호형'도 있으니 유의할 것.

4. '같고요'는 금물

판단하기 어렵거나 모호한 문제일 때 자신도 모르게 '~같습니다'라고 하는 경우가 많다. "~라고 가정할 경우 ~하다"라거나 "~한 근거에 의하면 ~라고 봐야 한다"고 자신 있게 이야기하며 동시에 책임을 약간 피하는 것이 현명하다.

5. Q&A 방식으로 전달해 보자

일단 결론부터 얘기해서 상사의 질문을 끌어내는 Q&A 방식의 대화법은 핵심이 잘 전달된다. 자신감도 있어 보인다. 다만 상사가 엉뚱한 질문을 해서 맥을 끊는다면 질문을 사전에 차단하는 '완벽한 보고'가 더 좋다.

6. 경청이 최고다

말을 잘하려 하지 않아도, 재치가 없어도, 상사의 말을 잘 들어주면 다 용서된다. 상사가 말하는 것은 웬만하면 중간에 끊지 말아야 한다. 다 듣고 '하신 말씀을 요약하면'이라며 다시 내용을 정리해서 상사에게 만족감을 주는 것이 바람직하다.

7. 스스로의 대화를 점검해 보라

주변 사람의 양해를 얻어 대화 내용을 10분간 녹음하거나, 비디오로 찍어 보라. 눈을 다른 데 두거나, '쩝', '음'과 같은 이음말이 너무 많거나, 말의 속도가 적절치 않은 것을 알게 되어 얼굴이 화끈해질지도 모른다.

- HR컨설팅회사 머서코리아 -

8. 보고시기를 잘 맞춰라

주변 분위기를 고려하라

보고를 할 때 보고서의 내용을 잘 만드는 것도 중요하고 앞서 설명한 보고요령에 맞춰 보고하는 것도 중요하지만 언제 보고하느냐 하는 것도 매우 중요하다. 주변 상황이나 분위기를 감지하여 보고시기를 적절하게 선택해야 한다. 같은 내용이라도 보고받는 사람의 컨디션에 따라 결과가 달라질 수 있다. 분위기가 좋을 때에는 오탈자와 같은 작은 실수는 그냥 넘어갈 수도 있지만, 분위기가 좋지 않을 때에는 똑같은 상황이라도 호되게 질책을 받을 수 있다. 예하부대에서 부대관리를 잘못하여 어떤 사고가 나서 분위기가 무거울 때 부대관리 점검결과를 보고하러 들어간다면 사소한 실수도 크게 처벌받을 수 있으니 잠시 시간을 미루어 기분이 풀어진 후에 들어가는 것이 좋다. 아무리 보고서 내용이 좋고 언변술이 뛰어나다 해도 분위기를 극복하기는 어려울 것이다.

상관의 스케줄을 고려하라

보고시기를 선택할 때는 시간을 나에게 맞추려고 하지 말고 지휘관에게 맞춰서 생각하라. 처음 참모업무를 하는 사람들은 대체로 시간을 본인에게 맞춰 내가 보고할 수 있는 시간, 내가 보고하기 편한 시간에 보고하려고 한다. 그러다 보니 지휘관이 급히 어디를 가려고 하거나 퇴근하려고 하는데도 지금 당장 그 업무를 마무리 짓고 싶은 마음에 급하지 않은 문서임에도 불구하고 보고서를 내민다. 그러나 이런 경우 상관이 볼 때는 실무자가 업무를 계획성 없게 처리하거나 경중완급을 모르는 것 같은 느낌을 받게 된다. 따라서 지휘관이 바쁜 시간에 결재받으려고 조급해하지 마라. 특히 퇴근하기 직전에 양이 많거나 중요하고 복잡하여 오래 검토해야 하는 보고서를 제시하는 것은 무리이다. 시간이 급하고 중요하다면 어느 시점이든 상관없겠지만 급한 것이 아니라면 퇴근시간에 임박하여 보고하는 것보다는 다음 날 아침에 보고하는 것이 좋다.

상관이 일과 이후 야근하는 시간은 가급적 회피하는 것이 좋다. 야근 시간만큼은 상관도 조용히 보내고 싶고, 주간처럼 방해받지 않고 차분하게 일하고 싶어 한다. 그렇지만 업무 이야기가 아닌 개인적인 이야기를 하거나 친분을 쌓기 위해 야근시간에 찾아가는 것은 무방하다. 지휘관이 야간훈련이나 당직근무 등을 하여 피곤해할 때는 오전시간은 피하고 오후에 보고하라. 상관의 컨디션이 좋을 때 보고해야 상관도 제대로 된 판단을 내릴 수 있다.

상급자의 입장에서 생각하여 미리 보고하라

보고를 할 때 먼저 고려해야 할 것은 상급자이다. 상급자가 어떻게 느끼고 받아들일 것인가에 대해 초점을 맞춰야 한다. 저녁에 참모부 회식을 하려고 계획하여 지휘관에게 보고를 해야 한다면 며칠 전이나 최소한 오전 중에는 보고하여 지휘관도 대처할 수 있게 해줘라. 일과종료 시간이 다 되어 보고할 경우, 비상대기 등 어떤 사유가 있어 회식을 못 하게 하면 기대감에 부풀어 있던 부하들은 갑작스런 취소에 실망이 클 것이다. 이렇게 되면 지휘관이 부하들로부터 비난받을 것을 염려하여 어쩔 수 없이 승낙하기도 한다. 이러한 상황은 보고가 아니라 일방적인 통보에 해당된다. 지휘관은 승인권을 가진 사람인데 오히려 부하로부터 통보를 받게 되는 상황이 되면 지휘관으로서 자존심이 상하게 된다. 당연히 그 부하가 좋게 보일 수 없는 일이다.

휴가 출발신고를 할 때에도 어느 시점에 하는 것이 좋을지 생각해 볼 문제다. 대부분의 사람들은 지휘관에게 휴가 출발신고를 할 때 오후 늦게 퇴근시간이 다 되어 보고한다. 너무 일찍 신고하면 지휘관이 '업무는 뒷전이고 휴가 갈 궁리만 하고 있구나.'라고 생각할까 봐 지레 겁을 먹는 것이다. 물론 그럴 수도 있지만 중요 직책에 있는 사람이라면 오전 중에 보고를 해야만 그 사람이 휴가를 갈 것에 대비하여 급한 업무를 먼저 지시하거나 다른 사람에게 맡기는 등의 업무 조정을 할 수 있다.

시작과 끝은 상쾌하게 해 줘라

하루를 시작하면서부터 지휘관의 마음을 무겁게 하지 마라. 아침에 만나면 업무 이야기에 앞서 밝은 표정으로 먼저 즐거운 인사부터 나눠라. 또한 결심하기 복잡하거나 양이 많은 보고서는 한 주의 처음과 끝은 피하는 것이 좋다. 한 주를 상쾌하게 출발하고, 마무리는 깔끔하게 하여 주말을 편히 보내고 싶은 것이 인지상정 아니겠는가?

아침회의시간에는 현상을 간략히 알려 주거나 간단명료하게 결심할 수 있는 내용 위주로 보고하고, 시간과 고민을 요하는 사항이나 중요한 검토문서는 전체회의가 끝난 후 별도로 들어가 보고하라. 아침부터 복잡한 보고서를 꺼내면 지휘관은 아직 워밍업도 안 되어 있기 때문에 좋은 판단이 나오기 어렵고, 한 사람한테만 해당되는 안건으로 다른 여러 사람이 긴 시간을 기다려야 하므로 비난의 눈총을 받게 된다. 또한 아침 시간에는 지휘관도 하루의 일과를 정리해 볼 시간이 필요하다. 지휘관이 준비되지 않았는데 무작정 보고서만 밀어 넣는 행동은 어리석은 짓이다.

필자가 대대장을 할 때는 비대면 보고를 활성화하여 보고할 문서가 있으면 대대장이 자리에 없더라도 언제든지 보고서를 책상 위에 두도록 지시하였다. 어차피 내가 먼저 읽어 보고 생각해 봐야 올바른 판단도 하고 추가적인 지침도 내릴 수 있기 때문이었다. 그런데도 어떤 참모는 복잡한 보고서를 굳이 아침회의시간에 대대장 앞에 내놓고 장황하게 설명하였다. 그러다 보니 회의시간이 길어져 여러 사람을 기다리게 하였고, 어쩌다가 내용에 잘못된 부분이 있으면 아침부터 언성을 높이게 되니 지휘관은 물론 참석한 다른 참모들까지 기분을 상하게 만들었다.

9. 해야 할 일을 미리 예상하여 스스로 착수하라

일을 시켜서 하기보다는 해야 할 일을 찾아 스스로 착수하라. 가령 어떤 분야에 대한 검열이 있다면 지휘관이 시키지 않아도 스스로 추진일정을 수립하고 준비사항이나 체크리스트를 작성하여 계획성 있게 추진해야 한다. 겨울이 다가온다면 월동준비 계획을 수립하고, 훈련이 있다면 훈련 준비계획을 작성하여 보고한다. 지휘관이 지시해야만 업무를 착수하려는 소극적인 태도를 보여서는 안 된다.

업무를 시작하기 전에는 준비계획을 보고하라

경험이 짧은 초급간부가 자신이 해야 할 일을 어떻게 찾고, 도대체 무엇을 보고해야 하는 것일까? 먼저, 어떤 일을 하기 전에는 준비계획을 세워서 보고하라. 시간이 오래 걸리는 일은 거의 대부분 준비계획이 필요하다. 검열이나 평가, 야외훈련 등과 같이 특별하거나 중대한 업무라면 반드시 준비계획을 보고해야 한다. 사실 초급간부들은 이런 경우에 준비계획이라는 것을 세워 보고해야 하는 것인지도 모르고 일을 해 나가는 경우가 많다. 그러나 조직에서는 그냥 막연히 일을 시작하는 것이 아니라 상급지휘관에게 먼저 준비계획이라는 것을 보고해야 한다. 그렇게 함으로써 실무자도 해야 할 일이 무엇인지 미리 생각할 수 있게 되고, 지휘관은 이 보고를 통해 하급자가 생각하지 못한 부분을 지도해 줄 수 있게 된다. 따라서 이러한 준비계획 보고는 반드시 필요한 것이다.

다음은, 해야 할 일의 종류를 관련 규정을 확인하여 염출해 내라. 육군규정이나 부대내규는 물론 각종 규정과 상급부대에서 전달한 공문 등을 읽어 보면 무엇을 준비해야 하는지에 대한 세부 항목들을 뽑아낼 수 있다. 규정과 공문을 잘 읽어 보고 우리 부대 현실은 그 지침대로 되어 있는지 살펴본다면 참모가 무엇을 해야 하는지 찾을 수 있을 것이다.

지휘관이 궁금해할 사항은 미리 보고하라

지휘관이 궁금해하고 불안해할 사항은 무엇이 있을지를 고민하고 파악하라. 그러한 것들은 시키지 않아도 스스로 미리 준비해야 한다. 예를 들어 야외에 훈련을 나가 있다면 취침 전에는 장비와 병력의 이상 유무를 확인하여 보고하고, 장거리 운행을 나간 차량이 있으면 복귀 여부를 확인하여 보고해야 한다. 우천 시에는 평소보다 일찍 출근하여 부대 시설물에 이상이 없는지 점검하고 특이사항을 보고하라. 눈이나 비가 많이 내릴 때에는 날씨를 감상만 하고 있지 말고 부대에서 조치해야 할 사항이 무엇인지를 염출하여 보고하라.

부대운영의 중점과 방향도 스스로 설정해 보라

통상 부대운영의 중점과 방향은 지휘관이 설정한다. 그러나 이를 지휘관만의 일이라고 치부한다면 참모의 근무태도는 느슨해지게 된다. 또한 부대운영의 방향을 참모가 모르고 있으면 업무를 열심히 해도 그 방향이 지휘관의 의도와 어긋나는 등 핀트가 맞지 않아 지휘관으로부터 인정받지 못하는 상황에 처할 수도 있다. 그러므로 이번 주 또는 이번 달의 부대운영 중점이 무엇인지, 지휘관의 관심사항이 뭔지 한번 생각해 보고 업무추진과 보고의 중점을 그것에 맞춰라.

10. 매사 공문으로 근거를 남겨라

공문이란 공문서의 준말로, 공무원이 직무상 작성하는 문서 또는 공무에 관한 서류를 말한다. 따라서 공적인 업무를 하는 공무원이라면 당연히 공문서에 기초하여 업무를 처리하는 습관을 들여야 한다. 그래야만 차후에 문제가 발생하였을 때 그 문서를 찾아 명확한 근거를 제시할 수 있다. 어떤 실무자들은 가끔 메일이나 전화통화에만 의존하여 업무를 처리하는데, 이것은 정상적인 방법이 아니며 차후 상당히 위험한 상황에 처할 수도 있다.

가령 상급부대에서 상황이 심상치 않아 경계강화 지시를 하였는데 참모가 예하부대에 그에 대한 세부지침이나 명령을 공문으로 전달하지 않고 구두로만 지시하였다고 가정해 보자. 그런데 우연하게도 그날 경계망이 뚫려 문제가 되었다면 누가 책임을 져야 하겠는가? 구두명령도 명령이라지만 이를 증명할 증인이나 증거가 없다면 어찌되겠는가? 게다가 구두로 지시한 것은 세월이 지나면 정확하게 기억할 수도 없다. 따라서 시간이 촉박하여 구두로 먼저 지시하더라도 추후에 다시 문서로 전달하는 습관을 지녀야 한다.

대대장 시절에 장갑차 1대를 종합정비창에 순환정비를 내려보냈는데, 알고 보니 순환정비 대상이 아닌 장비가 내려간 것이었다. 원인을 조사해 보니 예하부대가 대상 장비를 보고할 때 잘못된 현황을 보고하여 발생한 일이었다. 그런데 현황을 보고한 시점도 1년이 지났고, '표준 전자결재 체계'에서 공문이 아닌 메일로 발송한 것이어서 그 근거를 찾을 수가 없었다.

2009년 일부 군의관들이 평일 업무시간에 골프를 친 것이 발각되어 문제가 된 적이 있었다. 이에 전 간부를 대상으로 일과 중 골프 여부를 조사하였는데, 휴가를 신청했으나 공문으로 명령조치가 되지 않은 채 운동을 하여 처벌을 받은 사람도 있었다.

11. 결재를 상신할 때는 요약이나 추진계획을 첨부하라

대대장이 하루에 처리하는 결재문서는 수십 개에 달한다. 어떤 날에는 100여 개에 달하는 공문을 처리하기도 한다. 각각의 공문은 기안문과 더불어 세부내용이 붙임문서로 첨부되는데, 붙임문서를 열어 보려면 파일을 서버로부터 다운받은 후 해당 프로그램을 구동시켜야 하기 때문에 시간이 많이 소요된다. 수십 개의 문서를 일일이 이런 식으로 열어 보려면 하루 종일이 걸릴 수도 있다. 따라서 공문을 접수하여 상관에게 결재를 상신할 때에는 공문이 접수된 상태로만 올리지 말고 그 공문의 핵심내용을 요약하여 첨부하라. 주요 내용은 무엇인지, 우리 부대에 관련된 사항은 무엇인지, 조치해야 할 사항은 무엇이며 개략적으로 어떻게 추진할 것인지에 대한 실무자의 의견을 첨부하여 상신하라. 그래야 상관이 당신을 별도로 불러 차후 추진방향에 대한 의견을 묻지 않을 것이다. 이러한 요약문은 표준 전자결재 체계를 이용할 때에는 '요약전'이나 '의견넣기' 메뉴를 활용하여 첨부할 수 있고, 수기문서를 사용할 때는 별도의 문서를 작성하여 첨부한다. 양이 많은 문서나 책 한 권을 보고할 때에는 핵심내용을 1~2장으로 요약하여 첨부하는 것이 좋다. 보다 정확하고 신뢰할 수 있는 실무자 의견을 첨부하기 위해서는 그 공문과 관련된 규정이나 방침, 과거 사례 등을 찾아봐야 한다.

실무자는 자기 업무에 대해서 정통해야 한다. 매번 상관에게 "어떻게 할까요?" 하고 질문할 것이 아니라 어떻게 하겠다는 실무자로서의 판단이 정해져 있어야 한다. 양자택일의 결심을 득해야 하는 안건의 보고서를 만들어 상신할 때에는, 있는 현상만 나열하지 말고 각각의 안(案)에 대한 장단점과 파급효과 등을 분석하여 이러이러한 이유로 어느 안을 건의한다고 하는 참모 나름대로의 주관을 가지고 있어야 한다.

12. 예령을 걸어 줘라

예하부대에 예령을 걸어 줘라

참모의 역할은 부대의 현황을 종합하여 보고하는 것도 있지만 더 중요한 것은 예하부대가 해야 할 일을 계획하고 통제하는 것이다. 대대의 참모는 계획하고, 중대는 계획에 의거해서 실행한다. 따라서 참모가 어떤 업무를 계획할 때는 중대에서 실행 가능하게 해야 한다. 이때 보다 빠른 준비와 실행을 위해서는, 계획을 완성한 후에 그 내용을 중대에 알려 주려고 하지 말고 계획을 작성하는 단계에서부터 미리 알려 줘야 한다. 그리하여 예하부대가 준비할 시간과 여건, 분위기를 갖추게 하라. 최소한 마음의 준비라도 되어 있어야 명령이 전달되면 전 중대원이 즉각적으로 전력을 다해 주어진 임무에 매진할 수 있게 된다.

지휘관에게도 예령을 걸어 줘라

예하부대에만 예령을 걸어 주는 것이 아니라 지휘관에게도 예령을 걸어 줘라. 참모가 어떤 업무를 추진하면서 최초와 중간보고 없이 혼자서 조용히 일하고 있다가 마지막 순간에 갑자기 내놓으면 지휘관은 당황하게 된다. 자신이 하는 일에 대해 "요즘 이런 일을 진행 중이고, 앞으로 이런 일을 해야 하는데 어떻게 추진할 예정입니다." 하고 보고하는 것이 지휘관에게 예령을 걸어 주는 방법이다. 일일결산 등의 회의시간에 보고해도 되고, 점심식사를 하면서 가벼운 대화식으로 보고할 수도 있다. 그 업무가 중대한 사안이라면 한 번으로 그치지 말고 자주 강조하는 것이 좋다. 중요한 사안인데도 처음부터 보고하지 않고 일이 어느 정도 진행된 후에 보고하게 되면 추가로 조치해야 할 사항이 있어도 시간이 없어서 포기해야 하기도 하고, 진행된 사항들이 지휘관이 보기엔 잘못된 것으로 판단되어 취소하고 다시 해야 하는데 부하들이 지금까지 노력해 온 정성 때문에 포기할 수도 없어 고민하게 되는 경우도 있다. 그러므로 일의 시작단계에서부터 보고하여 지휘관도 준비하고 생각할 수 있게 해 줘라.

양이 많은 보고서나 회의록이 있으면 며칠 전에 미리 지휘관에게 제출하라. 회의록을 사전에 중간검토 받았다면 최종보고서를 회의에 임박하여 제출해도 문제가 없겠지만, 그렇지 않다면 최소한 하루 전날 저녁에는 지휘관에게 제출해야 한다. 그렇게 해야 지휘관이 야간에라도 읽어 보고 생각할 시간을 가질 수 있다. 양이 많고 복잡한 보고서를 회의 직전에 보고한다면 지휘관이 짧은 시간에 그 내용을 파악할 수 없기 때문에 그 회의는 좋은 성과를 거두기 어렵다.

말에도 예령이 있다

보고를 하는 과정에서도 예령의 원칙이 적용된다. 보고자의 설명이 횡설수설하면 안 되고 다음 상황을 예측할 수 있게 해야 한다. 어떤 사람은 상황을 보고할 때 자초지종을 제대로 설명하지 않고 일의 중간 부분부터 설명하거나 앞뒤로 왔다 갔다 하여 듣는 사람으로 하여금 도대체 무엇에 대한 내용인지도 모르게 하다가 결국 한참을 듣고 나서야 이해되게 설명하는 경우가 있다. 이렇게 보고하면 지휘관은 보고를 들으면서도 다음에 어떤 말이 나올지 도대체 예측할 수가 없다. 따라서 지휘관이 마음의 준비를 할 수 있도록 단계적으로 예령을 걸어가면서 보고해야 한다. 사건이 발생한 순서대로 설명하거나, 일의 진행 경과를 따라 보고하라. 순서가 뒤바뀌면 혼란스러워지고 이해하기 어려워진다. 사건의 원인과 결과가 서로 연관되게 보고하라. 결과만 언급하고 원인을 설명하지 않으면 듣는 사람은 다음 문구가 귀에 들어오지 않고 머릿속으로 원인이 뭔지 혼자서 궁리하게 된다.

보고서를 작성할 때는 무엇에 대해 분석하여 보고하겠다고만 말하지 말고, 왜 그것에 대한 보고서를 작성하는지 그 이유를 먼저 설명하라. 상급부대에서 지시해서 하는 것인지, 어떤 검열이 있어서 그것에 대비하여 하는 것인지 또는 본인이 스스로 문제점을 발견해서 하는 것인지를 미리 언급하라. 그것이 예령이다. 누구를 징계하겠다고만 말하면 지휘관은 큰일이 생긴 줄 알고 가슴이 덜컥 내려앉는다. 따라서 '중대에 누가 있는데 폭언을 한 것이 있어서 징계하겠다.'라고 설명하라. 차량사고가 났다고 먼저 말하면 지휘관은 큰 사고가 난 것으로 생각한다. 따라서 '오늘 어떤 차량이 무슨 일로 운행을 나갔는데 어디서 어떻게 접촉사고가 있었다.'라고 말하라. 그리하면 지휘관은 앞부분의 말을 들으면서 마음의 준비를 하게 된다. 서두를 꺼낸다는 것 자체가 큰 사고가 아님을 암시하는 것과 같다.

업무도 예령을 걸어가면서 하라

어려운 업무를 추진할 때에는 자신과 지휘관에게 예령을 걸어가면서 추진하면 쉽게 해결할 수 있다. 먼저 자신에게 예령을 걸어 주는 방법은, 일을 단계적으로 처리하는 것이다. 복잡하고 해결책이 보이지 않는 어려운 업무는 처음부터 완벽하게 해결하려고 하거나 단번에 처리하려고 서두르지 마라. 처음엔 해결책이 보이지 않는 업무도 하나씩 단계적으로 해결해 나가다 보면 최종적인 해결책이 보이게 된다. 따라서 처음부터 끝이 안 보인다고 해서 두려워하거나 그 일을 포기하지 마라.

다음으로 지휘관에게 예령을 걸어 주는 방법은, 지휘관이 그 일에 대해 사전에 생각할 수 있게 미리 알려 주는 것이다. 지휘관들은 어떤 문제든 항상 답안을 가지고 있다. 따라서 당신이 고민하는 것을 이야기하면 지휘관은 자신이 생각하는 방향이나 답안을 말해 주게 된다. 이때 지휘관이 제시한 그 지침을 따라가기만 하면 일이 쉽게 풀리게 된다. 어려움에 봉착할 때마다 수시로 지휘관과 해결책을 논의하다 보면 어떤 일이든 해결할 수 있으니 두려워 마라.

13. 부대의 자랑거리를 만들어 상관을 빛나게 하라

창의적이고 혁신적인 일처리로 남보다 돋보이게 하라

부대에 대한 이미지는 주로 지휘관이 결정짓는다. 지휘관이 열심히 한다거나 성실하면 그것이 곧 상급지휘관이나 외부 사람들이 부대를 바라보는 이미지가 된다. 지휘관이 성실하면 부대지휘도 성실하게 하여 부대가 임무수행을 잘하게 될 것이기 때문에 그럴 것이다. 그런데 상급부대에서 점검을 나왔는데 부하들이 업무를 소홀히 하여 점검결과가 좋지 않게 되면 부대에 대한 이미지가 실추되고, 지휘관에 대해서도 겉으로만 성실하고 실제로는 그렇지 않은 이중적인 사람으로 평가하게 된다. 반면에 실무자가 해야 할 일들을 제대로 하게 되면 부대와 지휘관에 대한 이미지는 더욱 향상될 것이다. 따라서 참모 한 명의 업무수행 결과가 대수롭지 않은 것이라고 가볍게 생각하면 오산이다. 자기 분야에서 최선을 다하고 남보다 조금만 더 열심히 해 보라. 같은 업무를 하더라도 그 수행 면에서 조금만 더 정성을 들이고, 더 창의적이고 혁신적인 방법을 연구해 보라. 남들과 같은 수준, 같은 형태로는 자랑거리가 될 수 없다. 남보다 돋보이는 업무를 하라.

대대장 시절에 근무태도가 매우 성실한 군의관이 있었다. 군의관은 의약품도 관리하였는데, 당시 의약품 보급 프로그램에는 약품의 유효기간을 명시해 주는 기능이 없어서 일일이 현황판에 기록하며 관리하였다. 하지만 의약품의 종류도 많고 약품마다 유효기간도 달랐기 때문에 현황판에 기록하여 관리하는 것은 매우 비효율적이었다. 이에 불편함을 느낀 군의관은 약품현황을 관리하는 프로그램을 개발하여 약품별로 유효기간을 입력하면 만기되기 몇 달 전 품목은 노란색, 유효기간 경과품목은 빨간색 등으로 색깔이 자동으로 표시되게 하였다. 그러던 어느 날 군사령부에서 검열을 나왔는데 이 프로그램을 보고 높이 칭찬하며 군의관과 대대장에게 표창을 전달하였다. 이와 같이 참모가 자신이 맡은 업무를 성실히 수행함으로써 대대장과 부대를 빛나게 할 수 있다. 따라서 남이 알아주지 않는다고 해서 대충 일하지 말고, 매사에 창의적이고 혁신적인 방법으로 남보다 돋보이게 처리하라.

맡은 일에 최선을 다하면 언젠가는 빛을 본다

부대원들의 부지런하고 적극적인 업무자세도 부대를 빛나게 한다. 대대장 시절에 사단이 군전투지휘검열을 받게 되었다. 군인에게 있어 사격은 기본적인 것이기에 검열에서는 항상 사격측정이 빠지지 않는다. 사단도 역시 사격연습에 열중하고 있었는데, 사격측정이 임박하여 최종 연습사격을 하려던 어느 날 자동화사격장의 기계가 고장이 났다. 사격장에 대한 정비지원은 군지사 정비대대에서 담당하여 그곳에 연락을 하였더니, 정비를 담당하는 군무원이 곧바로 찾아와 고장 난 기계를 가져가서 밤새 정비한 후 다음 날 새벽 일찍 다시 찾아와 사격장이 정상 가동되도록 조치해 주었다. 타 부대의 사정을 이해하고 이렇게 적극적으로 조치해 주는 것은 사실 쉬운 일이 아니다. 이에 사단에서는 그 부대의 적극적인 업무자세를 높이 칭찬하며 해당 정비관에게 표창을 전달하였다.

병력들을 잘 관리하는 것으로도 부대에 기여할 수 있다. 어느 간부는 야외훈련을 나가서 병사들과 동고동락하며 병사들의 고충을 적극적으로 돌봐 주었다. 몇 달 후 대대가 감찰예방활동 점검을 받으면서 병사들에게 설문조사를 하였는데, 이 간부에 대한 병사들의 칭찬이 자자하였다. 통상 병사들은 간부들에게 불만을 가지기 쉬운데, 반대로 이 간부는 병사들을 잘 돌봐 주어 부대가 점검을 잘 받게 된 것이다.

보고서를 잘 만들면 상관이 빛난다

참모는 보고서를 통해서도 지휘관을 빛나게 할 수 있다. 먼저, 직속상관이 차상급 지휘관에게 보고하는 보고서는 성심껏 준비하라. 논리 정연하며 차상급 지휘관의 의도를 꿰뚫는 보고서는 지휘관을 돋보이게 한다. 다음은, 직속상관이 차상급 지휘관에게 특별히 보고할 만한 일거리를 만들어 주기적으로 보고할 수 있게 해 줘라. 어떤 업무에 대해 문제점을 찾아내고 발전방안을 연구하여 보고하는 것이다.

상관이 당신에게 은혜를 베풀기만 바랄 것이 아니라 당신도 상관에게 베풀어 보라. 상관에게 물질적으로 보답하라는 것이 아니라 보고서를 정성껏 훌륭하게 만들어 주어 상관을 빛나게 하라는 것이다. 또한 보고서가 잘되었을 때에는 업무성과의 공로를 실무자 자신이 아닌 상관에게로 돌려 보라. 내가 잘나서가 아니라 지휘관이 지침을 잘 줘서 그렇다고 말하는 기지를 발휘해 보라. 당신이 상관을 내세우면 그에 대한 보답은 반드시 되돌아온다.

14. 관련 자료를 충분히 준비하라

어느 조직에서나 상위 직책으로 갈수록 본인이 직접 현장을 조사하거나 데이터를 수집하여 보고서를 작성하기보다는 중간계층에서 검토한 보고서를 통해 의사결정을 하게 된다. 이 과정에서 실무자가 기초 데이터를 잘못 수집하거나 중간에서 분석의 방향을 잘못 잡으면 최고책임자는 엉뚱한 의사결정을 내릴 수가 있다. 그래서 CEO나 지휘관들은 주어진 정보만 믿고 의사결정을 하는 것이 아니라 직관에 의해서도 판단한다고 한다.

참고자료를 준비하라

군대에서는 중간계층에서 자료를 분석하여 보고하는 과정에서 실수를 범할 우려가 더 크다고 본다. 민간회사에서는 각자가 해당 직책에서 오랜 경험을 가지고 임무를 수행하지만, 군대에서는 수시로 보직이동이 있어 경험을 축적하기가 어렵고 특히 하급제대에서는 군생활 경력이 많지 않은 중위급 장교들이 참모조직을 형성하는 경우가 많기 때문이다. 따라서 경험 많은 장기근무자가 중간에서 신중하게 검토해 줄 필요가 있고, 지휘관은 보고서의 최종결과만 보지 말고 그 결과가 나오기까지의 중간과정도 검증해 보아야 한다. 이 과정에서 해당 참모는 관련되는 참고자료를 적시에 제공할 수 있어야 한다. 앞의 '정직하게 보고하라'는 부분에서 언급하였듯이 실무자가 규정을 잘못 이해하여 엉뚱한 결론을 이끌어 냈을 수도 있기 때문이다.

상급부대 회의에 참석할 때에도 같은 이치이다. 상급지휘관도 보고서의 타당성을 확인하기 위해 하나하나 검증하게 되는데 이때 관련된 참고자료나 세부 데이터가 없다면 더 이상 회의나 토의가 진행될 수 없다. 따라서 지휘관이 차상급자에게 보고하러 가거나 회의에 참석할 때는 더 깊이 고민하여 관련되는 참고자료를 다양하게 준비해 줘라. 가져가는 참고자료의 양이 많을 때는 실무자인 당신이 대동하여 참고자료들을 휴대해야 할 것이다.

지휘관의 입장에서 필요한 것을 준비해 줘라

지휘관이 회의에 참석할 때는 더 많은 고민과 준비가 필요하다. 먼저, 회의록이 사전에 배포되었는지 확인하여 미리 확보하라. 지휘관이 지참해서 갈 수 있도록 회의록을 미리 출력하고, 이때 페이지 수가 많으면 이를 바인더로 만들어 준비하라. 다음은, 회의록을 해당 참모가 사전에 미리 읽어 보고 우리 부대에 해당되는 내용이 있는지 점검하라. 우리 부대에 대해 미흡하게 평가된 사항이 있으면 왜 그렇게 되었고 후속조치는 완료되었는지 확인하여 보고해 주고, 토의과제가 있으면 발표할 내용을 미리 작성하여 지휘관에게 제공하라. 끝으로, 회의 내용과 관련된 교범이나 전술교리, 규정들을 찾아 제공해 줘라. 그리하여 보고의 내용에 논리와 근거를 뒷받침할 수 있게 하라.

훈련에 관한 회의에 참석할 때는 우리 부대의 훈련일정, 출동인원, 훈련계획 및 방법들에 대한 보고서를 준비하라. 지휘관이 야외훈련을 하기 위해 사전에 지형정찰을 떠난다면 관련 지역이 나와 있는 지도와 나침의, 망원경 등을 준비해 줘라. 더 뛰어난 참모라면 이동간에 갈증 날 것에 대비하여 생수도 준비해 줄 것이다. 역지사지(易地思之)로 당신이 지휘관이라 생각하고 무엇이 필요할 것인지를 연상해 보라.

15. 정보의 흐름을 효과적으로 통제하라

먼저 알고 있는 것을 자랑하지 마라

참모는 상급부대에서 전달되는 공문을 가장 먼저 접하기 때문에 정보습득이 가장 빠르다. 지휘관보다도 먼저 해당 분야의 정보를 접하게 되는 경우가 많다. 사람은 통상 남이 모르는 것을 자신만 알게 되면 우쭐해지기 쉽고 그리하여 이를 자랑삼아 퍼뜨리고 싶어진다. 그러나 그것이 지휘관의 지휘의도에 어긋날 수 있음을 경계해야 한다. 상급부대에서 전달된 지시사항이라 해서 지휘관의 판단 없이 무조건적으로 전파하고 시행하려 해서는 안 된다. 상급부대에서는 일반적인 상황에 기초하여 지시하지만 대대장은 부대의 상황과 특성을 고려하여 한 번 더 생각해 보고 그 지시를 따르는 것이다. 참모가 습득한 정보도 궁극적으로는 부대발전에 기여해야 하는 것이지 자랑의 수단이 되어서는 안 된다.

빨리 알릴 것과 늦게 알릴 것을 구분하라

며칠 후에 훈련이나 검열이 있다면 이러한 사항은 해당 제대에 신속히 알려서 준비시간을 최대한 많이 주는 것이 임무달성을 위해 효율적이다. 그러나 때로는 알리지 말거나 늦게 알려야 하는 정보도 있다. 예를 들면 혹한기훈련을 나갔다가 기상이 안 좋아 하루 일찍 철수하였을 때를 생각해 보자. 철수 후 상급부대에서는 정시에 퇴근해도 된다고 전파되었다. 사실 상급부대는 대대보다 먼저 철수하여 정시에 퇴근해도 문제가 없었다. 그러나 대대는 천막과 훈련물자를 회수하고 병력수송 차량을 기다리느라 늦게 철수하여 정리정돈 등의 마무리가 미흡하였다. 이에 대대장은 퇴근시간을 두 시간 정도 늦추려고 생각하고 있는데, 참모가 독단적으로 사단에서 전달된 정시 퇴근을 예하 중대에 전파하였다면 대대장으로서는 난처해진다. 정시에 퇴근시킬 수도 없고 그렇다고 늦게 퇴근시키면 부하들은 대대장에게 불만을 가지게 될 것이다. 결국 그 참모는 대대장으로부터 질책을 받게 될 것이다. 이와 같이 사안에 따라서 진행사항이나 예정사항을 조기에 알려서 사전에 대비하게 해야 하는 경우가 있는가 하면, 최종결정이 나기 전까지는 남들에게 알리지 말아야 하는 경우도 있음을 명심해야 한다. 지휘관에게 먼저 보고하여 지휘관의 지침에 따르라.

지휘관을 감싸 줘라

참모는 지휘관 주변에 머물면서 지휘관과 자주 접촉하게 된다. 그래서 지휘관의 부정적인 측면도 보게 되고 지휘관의 속마음도 먼저 알게 되는 경우가 있는데 이러한 것들을 있는 그대로 전파해서는 안 된다. 지휘관이 직접 공표하기 전에는 보고도 못 본 척, 들어도 못 들은 척 행동해야 하는 경우가 많다. 예를 들어, 지휘관이 간부들에 대한 보직조정을 염두에 두고 당신에게 이 사람 저 사람에 대해 질문하고 의견을 물었을 때 이러한 사실을 지휘관보다 먼저 다른 사람들에게 이야기해서는 안 된다. 부대에 보직조정이 있을 것이라는 소문을 섣불리 퍼뜨린다면 현재 해당 직책에서 근무하는 사람들은 보직이동에 대한 결말이 나기 전까지는 일이 손에 잡히지 않게 될 것이고, 중요한 직책에서 배제된 사람도 근무의욕이 생기지 않을 것이다.

지휘관이 한 말이나 지시사항을 전파할 때는 지휘관이 말한 그대로만 전파할 것이 아니라 그 전파로 인한 파급효과까지 고려하여 완곡하게 표현할 수 있어야 한다. 가령 지휘관이 기분이 상해 있는 상태에서 격하게 한 말을 있는 그대로 전파한다면 그 지휘관은 부대원들로부터 원망과 불신을 받게 될 것이다. 이 경우 이에 대한 책임은 정보 전달자에게도 있음을 명심하라. 개떡같이 말해도 찰떡같이 알아듣는다는 말이 있다. 참모는 지휘관이 개떡같이 말해도 찰떡같이 알아듣고 전파해야 한다. 보다 순화되고 군인답고 품위 있는 말로 바꾸어 전파하라는 것이다.

16. 참모도 현장 확인의 습관이 필요하다

현장에 답이 있다

모든 답은 항상 현장에 있다. 현장을 봐야 문제점이 보이고 해결책도 찾을 수 있다. 가령 교육장교가 교육훈련 향상방안에 대한 보고서를 준비한다고 해 보자. 교육장교가 소대장을 거쳤다면 과거에 직접 교육훈련을 시켜 본 경험이 있으니 책상에 앉아서도 과거를 연상하며 보고서를 작성할 수 있다. 그러나 이러한 탁상행정으로는 근본적인 해답을 찾을 수 없다. 현장에 나가서 교육훈련이 이루어지는 모습을 살펴보고, 교관 및 교육생들과도 대화를 나눠 봐야 문제가 뭐고 어떤 식으로 개선해야 하겠다는 답이 보이는 것이다. 현장의 목소리를 들어야만 피부로 와 닿고 생생하게 살아 있는 것 같은 보고서가 나온다. 죽은 보고서인지 살아 있는 보고서인지는 상급자가 보면 한눈에 알아볼 수 있다. 평소에 시간이 없다면 휴일이라도 시간을 내어 현장을 확인하라. 그마저도 도저히 현장에 나가 볼 시간이 없다면 전화를 통해서라도 현장 실무자의 의견을 들어 봐야 한다.

탁상행정의 결과로 절름발이 같은 조치가 취해지는 것을 가끔 목격할 수 있다. 한번은 격오지 부대에서 유류탱크에 유류를 보충하는 것이 힘들어 그 여건을 개선시키고자 소형 유조차를 보급한 적이 있다. 현장에서 유조차의 필요성을 처음 제기한 사람은 고충해소 차원에서 획기적인 제안을 하였지만 상급부대 실무자가 업무를 수행하는 과정은 현실적이지가 못했다. 해당 부대에서 보유하고 있는 유류탱크의 용량조차 제대로 확인하지 않아서 유조차의 용량이 유류탱크의 용량보다도 작은 차를 보급하여 한 번에 유류를 보충하지 못하고 몇 번을 왕복해야 하는 상황이 된 것이다. 유류탱크의 용량이 부대마다 다를 수도 있는데 아마도 그 실무자는 탱크용량이 가장 작은 부대에 전화하여 확인했던 모양이다.

직접 움직여라

참모가 책상에 앉아서 일을 쉽게 처리하려고 하면 상황이 더 어렵게 꼬여 버릴 수도 있다. 누구를 시키는 것보다 때로는 본인이 직접 움직이는 것이 훨씬 효과적인 경우가 많다. 일례로, 어떤 보고서나 물건을 누구에게 전달해야 하는 경우를 생각해 보자. 참모가 직접 가서 전달하지 않고 병사나 다른 사람을 시켜 전달하게 되면 심부름을 하는 사람이 전달받을 사람을 제대로 못 찾아 주변의 다른 사람에게 맡기거나 엉뚱한 곳에 방치하여 전달이 되지 않을 수도 있다. 차라리 처음부터 당신이 직접 움직였다면 단번에 정확하게 일처리가 되었을 것이다. 예하부대의 현상을 파악할 때도 마찬가지이다. 당신이 직접 현장에 가서 파악하면 10분이면 될 일도 다른 사람을 시키거나 예하부대에 파악하여 보고하라고 지시하면 며칠이 걸리기도 한다. 쉽게 하려고 하면 오히려 더 어려워진다. 작은 일이라도 '필사즉생 필생즉사(必死卽生 必生卽死)'의 정신으로 임해야 한다.

현장을 확인해야 하는 또 다른 이유 중의 하나는 본인이 직접 눈으로 보고 확인하지 않은 것은 100% 신뢰할 수가 없기 때문이다. 가령 상관이 뭔가를 확인하여 보고하라고 지시하여 다른 사람에게 들은 내용만 가지고 보고를 하였는데 그 내용이 잘못되었을 수도 있는 것이다. 나중에 상관이 그 현장을 가 보았을 때 보고받은 내용과 달리 미흡한 부분이 발견되면 참모가 허위보고를 했다고 생각하여 상관은 그 참모를 신뢰하지 않을 것이다.

공문지시와 현장 확인을 병행하라

지휘관이 부대운영과 관련된 사항을 참모에게 지시하였을 때 그 지시내용 중에 예하부대가 행동으로 움직여야 할 부분이 있다면, 참모는 지휘관의 지시사항을 중간에서 전달만 할 것이 아니라 예하부대가 그 지시대로 이행하고 있는지도 확인 감독할 의무가 있다. 최종적으로 그 부대에서 어떻게 시행하고 있고 어떻게 완료되었는지를 끝까지 확인한 후 관련 업무를 끝내야 한다. 지시한 것만으로 자기가 해야 할 일을 끝냈다고 생각해서는 안 된다. 참모는 완료되었다고 보고했는데 실제 행동하는 제대에서는 이루어지고 있지 않다면 이는 허위보고에 해당된다.

참모가 공문 지시만 하고 현장을 확인하지 않아 질책을 받는 경우는 매우 많다. 어느 날 상급부대로부터 사격장 관리상태를 점검해 보고 안전관리를 철저히 하라는 지시가 사단에 전달되었다. 사격장에서 사격을 하다 보면 불발탄이 가끔 발생하는데, 이를 소홀히 관리하면 사고가 날 수 있기 때문에 이를 방지하고자 내려진 지시였다. 그런데 해당 참모는 현장을 직접 확인하여 문제점을 발견하려 하지 않고, 공문으로만 '불발탄 처리를 규정대로 처리하고 사격 간에 각종 안전대책을 철저히 하라.'고 지시하였다. 이것은 매우 소극적인 업무 방식이며 지휘관에 대해 충성을 다하는 모습이 아니다. 참모부서에 근무한다고 해서 일반적인 내용으로 공문만 전달하여 책임을 회피하려고 해서는 안 된다. 궁극적으로는 실제 행동으로 조치가 되도록 현장을 직접 가서 문제점이 뭔지 찾아보고 실질적인 해결책을 고민해 본 후 세부적인 조치방법까지 포함하여 지시해야 하는 것이다.

17. 완벽한 일처리에 도전하라

상대방의 눈높이에 맞춰라

업무의 수준을 상대방의 눈높이에 맞춰서 준비하라. 상대가 어떤 지위, 어떤 성격의 검열관인지를 살펴보고 그 시각에 맞춰 준비해야 한다. 시험 준비든 업무든 항상 핀트를 맞춰야 한다. 검열에 대비하여 실무자가 열심히 준비하게 되면 본인이 고생한 것만 생각해서 이 정도면 충분하다고 자만하거나 스스로 만족하게 된다. 그러나 검열 준비가 잘되었는지 아닌지를 평가하는 것은 항상 내가 아니라 상대방이다. 그들은 나보다 훨씬 계급이 높은 상급자이다. 나보다 경험도 많고 보는 시각도 넓다는 것을 명심하고, 그들의 눈높이에 맞춰 업무 수준을 평가해 보아야 한다.

보고서를 최종수준으로 완벽하게 매듭지어라

보고서를 작성하여 지휘관에게 제시할 때는 이것이 최종적으로 제출하는 보고서라는 마음으로 완벽하게 만들려고 노력하라. 보고서를 작성할 때 내용보다 시간이 급한 것이 있고, 시간적으로는 급하지 않되 내용이 제대로 갖춰져야 하는 것이 있다. 타이밍이 중요한 보고서는 실무자가 오래 가지고 있으면서 고민하지 말고 적당한 수준까지만 작성한 후 신속하게 상관에게 검토받거나 보고하는 것이 상책이다. 그러나 시간적 여유가 있는 보고서라면 한 번에 통과될 수 있을 만큼의 최종수준으로 만들려고 노력해야 한다. 실무자 자신의 수준에서 만족하지 말고 상관의 수준에서 만족되어야 한다. 바로 위에 있는 지휘관이 아니라 보고서를 최종적으로 보고받는 상관의 지위에 맞게 작성되어야 한다. 대대장에게 제출하는 것이면 대대장 수준에 맞게, 사단장에게 제출하는 보고서라면 사단장의 수준에 맞게 작성하라. 대대장에게 제출하는 보고서라면 대내적인 업무이기 때문에 디자인이나 내용이 다소 허술해도 되고 오탈자가 있어도 무방할 것이다. 그러나 사단장에게 제출하는 보고서는 보다 더 철저해야 한다. 여기서의 오탈자 하나는 부대와 지휘관에 대한 평가로까지 이어지게 됨을 명심해야 한다. 일단 초안상태로 상관에게 제시해 보고, 상관이 수정해 주면 그때 가서 또 고치겠다는 마음으로 하면 언제 끝을 맺을지 모르는 일이다. 또한 상관은 검토하는 횟수가 늘어날수록 기분이 점점 더 언짢아질 것이고, 결국은 그 참모에 대해 신임할 수 없게 될 것이다. 따라서 보고서를 최종수준이 되도록 세심히 살펴서 오탈자나 착오가 없고 더 이상 손댈 필요가 없게 만들어라. 보고서의 페이지 수, 디자인, 글씨 크기, 음영이나 칼라 등을 세심하게 점검하라.

끝까지 추적 관리하여 완벽하게 끝내라

무슨 일이든 업무를 끝까지 완벽하게 매듭짓는 습성을 지녀야 한다. 특히 오래 지속되는 일은 중간에 잊어버리지 말고 끝까지 추적 관리하라. 가령, 어떤 검열을 받았으면 검열을 받은 것으로 끝내지 말고 누가 시키지 않더라도 스스로 후속조치 목록을 작성하여 시행하고 최종 종결보고까지 하고 끝내야 한다.

업무를 시작할 때 항상 완벽하게 끝내겠다는 각오와 또 그렇게 할 수 있다는 신념을 가지고 추진하라. 임무를 부여받았을 때 무작정 시작하는 것과 완벽하게 수행하겠다는 각오와 다짐을 한 후에 착수하는 것과는 반드시 엄청난 차이가 생긴다. 매사 한 단계 더 높게, 한 번 더 신중하게 고민해 보라. 시행에 앞서 한 번 더 심사숙고한다면 그만큼 시행착오를 줄일 수 있고 업무 추진력에도 차이가 나게 된다. 상관이 어떤 수준의 최종결과를 원하는지, 다른 부대에서는 어떻게 하는지, 결과가 미칠 영향은 무엇이 있을 것인지 등을 고민해 보라.

18. 상관이 수정해 준 보고서를 검토하고 분석하라

상관이 수정해 준 문서는 업무 참고서이다

참모가 상관이나 지휘관에게 보고서를 제출하여 단번에 통과되기란 그리 쉬운 일이 아니다. 그러므로 당신이 보고한 자료에 수정사항이 많이 체크되어 나와도 마음 아파할 필요는 없다. 단지 그러한 교정 과정을 통해 당신의 업무능력과 기안능력을 향상시켜 나가려는 노력이 필요하다. 상관에게 보고서를 제출한 후 상관이 검토하여 수정하고 첨언한 것은 업무 참고서와 같다. 따라서 체크하여 반려된 보고서를 체크한 부분만 단순히 수정하여 가져다주려고 하지 말고 어느 부분이 어떻게 수정되었는지 검토해 보라. 이 부분은 왜 그렇게 수정되었을까, 어떤 용어, 어떤 단어로 교체되었는가 등을 분석하라. 상관이 코치해 준 사항을 보고 내가 미처 생각하지 못했던 것들을 깨우쳐 보라. 최초 내가 생각했던 것과 어떻게 차이가 나고, 나는 왜 그런 생각을 못 했는지 되짚어 보라. 이러한 피드백 작업을 통해 자신의 부족한 면을 찾아 보완할 수 있고 상관과 내가 어떤 부분에서 공감대가 형성되지 못하였는지를 파악할 수 있게 되어 차후에는 보다 완벽하게 보고서를 만들 수 있게 될 것이다.

지나간 보고서는 함부로 버리지 마라

수정된 보고서는 그 업무가 모두 종결될 때까지 함부로 버리지 마라. 지나간 문서들을 통해 보고서가 수정된 과정을 살펴봄으로써 업무 진행상태나 논리의 발전과정을 분석해 볼 수 있다. 경우에 따라서는 업무 진행과정에 대한 증거자료가 될 수도 있다. 또한 가끔은 상관이 보고서 수정이 제대로 되었는지를 확인하기 위해 지나간 보고서를 가져오도록 요구할 수도 있으므로 지나간 보고서라고 해서 곧바로 세절해서는 안 된다.

필자의 경우는 보고서를 수정해 준 후 그 다음 문서를 검토할 때 반드시 이전 보고서를 같이 가져오게 하여 두 개를 비교해 가며 수정해 준 부분이 제대로 고쳐졌는지를 확인한다. 이 방법은 앞서 수정해 준 문서대로 교정이 되었는지를 보다 정확하고 빠르게 확인할 수 있게 해 준다. 또한 이전에 수정해 준 문서에는 정신을 집중하여 검토하고 수정하면서 가졌던 아이디어를 기록해 둔 내용이 있어서, 그 문서를 보면서 그때의 기억을 다시 되살리며 검토할 수 있어 효과적이다. 그 메모를 보는 순간 새로운 아이디어나 더 나은 생각이 떠오르기도 하기 때문이다.

교정은 완벽하게 하라

어떤 사람은 지휘관이 정성껏 수정해 준 내용도 제대로 고치지 않고 다시 가져오는 경우가 있다. 창의적인 안을 제시하는 것도 아니고 단순히 워드작업을 다시 해서 제출하는 것인데 그것도 제대로 수행하지 못하면 상급자는 크게 실망하게 된다. 비록 수정해 준 내용이 복잡하고 혼란스럽겠지만 지휘관이 고쳐 준 부분은 다시 한 번 철저히 확인해서 완벽하게 보완해야 한다. 한편 상급자가 수정해 준 사항이라 하더라도 어순이나 조사가 분명히 잘못되었을 경우에는, 써 준 그대로를 기계적으로만 수정하려고 하지 말고 그러한 오류는 스스로 바로잡아라. 간단하게 수정할 수 없는 오류라면 상급자에게 그 사실을 보고하라. 분명하게 잘못되었는데도 아무 말도 하지 않고 가만히 있는 것은 상급자를 욕보이려는 의도로 해석될 수 있다.

19. 상급자가 부드럽게 업무를 지시해도 하급자는 스스로 엄하게 받아들여 최선을 다해 수행하라

업무를 하다 보면 지휘관이 언성을 높이고 화를 내는 경우가 있다.

다혈질적으로 매번 화를 내면 지휘관에게 문제가 있는 것이겠지만 그런 것이 아니라면 참모들의 업무 수행자세도 한번 돌아봐야 한다. 사람의 특성은 제각각이라 부드럽고 온화한 사람이 있는가 하면 성격이 불같아서 매사에 언성이 높은 사람도 있다. 하급자는 자연적으로 언성이 높고 엄한 상관의 지시에 더 긴장하게 된다. 엄하게 지시한 것에는 정신을 바짝 차리고 실수하지 않으려고 집중을 한다. 반면에 부드럽게 지시하면 받아들이는 강도가 약해져 신경도 덜 쓰고 임무를 끝까지 완수하려 하지도 않게 된다. 하지만 부드럽게 지시한다고 해서 이를 가벼이 여기면 안 된다. 부드럽게 지시했다고 해서 업무를 수행하는 자세가 해이해지면 결국 온화했던 상관도 점점 더 엄한 소리로 야단치게 되고 결국은 상하관계가 나빠질 수밖에 없다. 서너 번 부드럽게 지시했는데 그때마다 실무자가 업무를 소홀히 다루어 문제가 발생한다면 지휘관은 더 이상 부드럽게 나갈 수 없게 된다. 이런 식으로 몇 번 엄하게 지시하다 보면 지휘관도 그런 언행이 어느 순간 자연스레 몸에 배어 버리게 된다. 결국은 참모들도 지휘관의 엄한 모습에 억눌려 기를 못 펴고 어두운 인상을 쓰게 될 것이다. 그래서 그 부대를 방문하여 지휘관과 부하들의 얼굴 표정만 봐도 우수한 부대인지 아닌지를 알 수 있는 것이다. 그러므로 참모는 항상 상관의 부드러운 지시에 안일하게 대응하려는 자신의 나약한 정신자세를 스스로 바로잡아야 한다. 참모와 지휘관의 관계가 좋고 나쁨은 참모들이 하기에 달려 있는 것이다. 같이 근무한 지휘관은 향후 당신의 진로에 큰 도움을 줄 수 있는 사람이다. 최선을 다하고 매사에 성실하게 근무하여 인정받는 부하가 되라. 항상 남과 차별되고 앞서 나가려는 자세로 임하라.

20. 유대관계와 업무협조를 잘하라

남을 배려하라

참모업무란 소대장 시절의 업무와는 많은 차이가 있다. 그러나 앞에서 언급한 여러 가지 요령들을 습성화한다면 여러분은 훌륭하게 참모업무를 완수할 수 있을 것이다. 하지만 여러분이 남보다 일을 잘하고 상관으로부터 인정받고 있다고 해서 자신이 최고인 것처럼 자만하거나 뽐내어서는 안 된다. 당신이 우쭐대면 결국 다른 사람은 별것 아니라는 식으로 멸시하는 것이 되어 적을 만들게 된다. 지금 당장은 내가 최고인 것 같고 나만 인정받는 것 같을지 몰라도 주변 사람을 배려하지 않으면 장기적으로는 손해를 본다. 항상 신중하고 모나지 않게 행동하라. 상대방도 치켜세워 가면서 서로 기분 상하지 않게 일하라. 또한 당신 업무가 끝났다고 혼자서만 자유시간을 즐기지 말고 주변 동료의 업무가 끝날 때까지 기다려 주고 도와주는 배려심도 잃지 마라.

주변 사람과 유대관계를 맺어라

인접부대 실무자와 유대관계를 맺어 정보나 자료를 상호 교류하고 협조하라. 그리하면 일처리를 보다 원활하고 손쉽게 할 수 있다. 세상에 독불장군은 없다. 또한 모든 일을 백지상태에서 출발하는 것보다는 조금이라도 기초가 있는 상태에서 출발하는 것이 훨씬 낫다. 보고서를 처음부터 당신이 작성하면 1주일이 넘게 걸릴 수 있지만 다른 사람의 것이나 예전의 문서를 참고하면 하룻밤에 끝낼 수도 있다.

당신이 어려울 때 주변으로부터 도움을 받았듯이 인접부대 동료가 당신에게 업무협조를 구하면 적극적으로 도와줘라. 누구든지 당신을 찾아오는 사람에겐 얼굴만 한 번 스치더라도 상냥하고 진지하게 대해 줘라. 당신은 아무 생각 없이 대했을지 몰라도 상대방은 그 모습을 평생 간직할 수 있고, 그 모습으로 당신을 평가할 수도 있다. 따라서 도와줄 일이 있으면 적극적으로 도와주고, 설령 도와줄 일이 없다 하더라도 최소한 악수라도 건네며 따뜻하게 대해 줘라.

상급부대의 관련 실무자와도 자주 통화하고 시간 날 때 직접 찾아가 얼굴도 익혀라. 가끔은 공적인 만남뿐 아니라 사적으로 만나는 것도 필요하다. 사무적인 관계보다 인간적인 유대관계를 형성하는 것이 업무를 훨씬 더 매끄럽게 해 준다. 전화와 만남을 통해 상급부대 업무에 대한 첩보도 획득할 수 있다. 상급부대는 요즘 무슨 업무를 계획하고 추진 중에 있는지 파악하여 본인도 미리 준비하고 지휘관에게도 알려 주어 대비하게 하라.

참모협조를 늘 염두에 둬라

한 분야의 참모라고 해서 자기 분야만 보는 우물 안의 개구리가 되지 마라. 나에게 내려온 문서라도 때로는 2개 이상의 참모부서가 업무를 협조하여 처리해야 하는 경우가 있다. 그럴 때에는 관련되는 참모부서에도 공문의 내용을 전파하여 그 부서에 해당되는 사항은 그쪽에서 필요한 조치를 취하게 만들어야 한다. 가령 인사계통에서 체력단련을 주 2시간 이상 실시하라는 공문이 내려왔다면 이를 인사 실무자만 알고 끝내지 말고 교육장교에게 전파하여 주간훈련예정표에도 그 지침을 반영해야 하는 것이다. 이와 같이 인접 참모부와 어떤 연관이 있는지를 알고 업무협조를 하기 위해서는 평소 자신의 업무 분야에 대해서만 신경 쓸 것이 아니라 다른 참모부서의 업무에도 관심을 가지고 귀 기울여야 한다. 타 부서의 업무를 모르고서는 어느 부서와 무엇을 협조해야 하는지, 타 부서에 무엇을 알려 줘야 하는지도 모르게 된다.

제3장 중대장의 지휘기법

중대장부터는 지휘관으로서 여러분은 견장과 휘장을 달고 막중한 책임과 합당한 권한을 부여받아 부대를 지휘하게 된다. 부대의 모든 성패는 지휘관에게 달려 있다. 중대 예하에는 여러 개의 소대가 편성되어 있어서, 이제부터는 개인 혼자의 능력도 중요하지만 조직과 시스템을 활용하는 능력도 키워야 한다.

여러분이 소대장과 참모를 경험하면서 업무를 제대로 배웠다면 권한과 책임이 주어지는 중대장이라는 지휘관 직책도 무난히 수행할 수 있을 것이다. 당신이 중대장 직책을 수행해야 할 시기는 멀지 않다. 생각지도 않게 갑자기 들이닥친다. 소대장을 마치고 참모직책을 잠시 수행하다가 대위 진급예정자가 되는 순간 곧바로 중대장 직책을 맡아야 하는 경우도 생긴다. 따라서 매 순간 주어진 직책에서 배우고 익혀야 할 것을 소홀히 해서는 안 된다. 앞으로 중대장 직책을 충실히 수행해야만 차후 대대장 직책도 수행할 자격과 능력이 주어질 것이다.

1. 부하들이 보고를 잘하게 만들어라

중대라는 제대는 소대보다 규모가 커져서 전 병력의 움직임을 한 눈에 알아보기 어렵다. 부대 지휘도 소대장 때에는 혼자서 모든 것을 직접 했지만 이제는 여러 명의 소대장이 있기 때문에 이들을 어떻게 활용할 것인지도 생각해야 한다. 이제부터는 소대장을 비롯한 여러 부하들의 보고를 통해 업무가 이루어진다. 전시에도 중대장은 각 소대장으로부터 상황을 보고받고 조치할 것이다. 따라서 중대장이 지휘를 제대로 하려면 평소부터 부하들이 업무 진행상태나 결과, 발생한 특이사항들에 대한 보고를 철저히 하도록 만들어야 한다. 병사는 해당 간부에게 보고하고, 간부는 중대장에게 보고하는 체계를 확립하라. 중대장은 각 루트로 들어오는 정보들을 종합하여 부대의 분위기나 상황을 판단하고 대응책을 강구해야 한다. 신속한 상황보고가 있어야만 적절한 조치가 취해질 수 있다. 보고는 임무 달성을 위한 전제조건이다.

어떤 일이든 중간계층이나 병사 선에서 종결하지 말고 중대장에게 보고하게 하라. 그래야만 실수가 없다. 중대에 상급자가 순찰을 다녀간 사항도 보고받아야 한다. 순찰 간에 특별히 지시한 것은 없었는지, 무엇을 보고 갔는지, 그때 주변 상황은 어떠했는지 등을 세밀하게 확인하라. 순찰자가 말은 안 했어도 무언가 잘못된 점을 발견했을 수 있으므로 스스로 그것을 찾아서 개선하려는 노력이 필요하다. 대대장이 소대장에게 무엇인가 지시했거나 전달한 사항이 있으면 그것이 중대장과 관련 없는 내용인 것 같아 보여도 중대장에게 보고되어야 한다. 공문이나 지시사항이 급하게 내려온 것이 있으면 행정계원이라도 중대장에게 즉시 찾아와 보고하게 하라. 간부를 통해 보고

하려고 소대장이나 행정보급관을 찾다가 시기를 놓치면 문제가 더 커진다. 따라서 부하들이 뭐든지 즉각적으로 보고하도록 부단히 교육하고 숙달시켜야 한다.

2. 수시로 확인하라

현장을 순찰하라

중대장은 대대장과 대면하여 임무를 직접 전달받기 때문에 대대장의 지휘의도를 누구보다 정확하게 알고 있다. 그러나 중대장이 소대장에게 임무를 다시 전달하여 지시사항이 한 단계 건너뛰면 그 의도는 변질될 수 있다. 또는 소대장의 경험이 짧기 때문에 일하는 수준이나 최종상태가 지휘관이 요구하는 수준에 미치지 못할 수 있다. 따라서 중대장은 최대한 현장을 자주 확인해야 하고 중대원과 같이 현장에 위치하려고 노력해야 한다. 중대장이 사무실에 앉아 있는 것보다 수시로 순찰을 하고 현장을 확인해야 사고를 예방하고 상급자의 지휘의도도 구현할 수 있다. 최소한 오전에 한 번, 오후에 한 번은 주둔지나 병력들이 활동하고 있는 곳을 직접 찾아가 순찰할 필요가 있다. 자주 움직이는 것이 여러분의 건강이나 체력에도 도움이 되니 긍정적인 마음으로 순찰하라.

발로 뛰고, 눈으로 보고, 손으로 만져 보라

통상 하급자들은 사소한 것들은 보고하지 않으려 한다. 지휘관이 두렵기 때문일 수도 있고 귀찮아서 그럴 수도 있다. 또한 남자로서 사소한 일까지 모두 보고하는 것이 소심해 보이거나 고자질하는 것처럼 보일까 봐 그럴 수도 있다. 그렇기 때문에 지휘관이 사무실에 앉아 부하로부터 보고받는 내용만으로 부대를 지휘하려 하면 현실을 제대로 인식하지 못하고 눈속임을 당하게 된다. 누가 일을 잘하고 어떤 능력이 있는지, 법과 규정을 어기는 사람은 없는지 현장에 가서 보라. 중대장은 발로 뛰고, 눈으로 보고, 손으로 만져 보며 현장에서 지휘해야 한다. 그리고 이와 같이 현장을 확인하러 가기 전에는 미리 무엇을 확인할 것인지, 어떤 요소들을 점검할 것인지를 생각해 보고 이에 대한 준비를 해야 한다. 관련된 자료를 출력해 가든가 공문내용을 요약하여 메모해서 가라. 최근에는 여러 상황에 맞게 점검할 수 있는 체크리스트(Check List)가 부대별로 구비되어 있으니 이것을 활용하여 점검할 수 있을 것이다. 확인 점검할 때에는 꼼꼼하고 확실하게 해야만 다음에 다시 확인해야 하는 수고를 덜 수 있다. 확인해야 할 사항도 많고 할 일도 많은데 한 번의 점검으로 완벽하게 끝내지 못하면 할 일만 자꾸 쌓이게 되므로 한 번으로 확실하게 끝내는 것이 좋다.

불규칙적으로 확인하라

지휘관이 매일 같은 시간에 움직이거나 같은 장소만 확인한다면 부대의 실질적인 현상을 파악할 수 없다. 부하들이 이미 여러분의 동선을 파악하여 중대장이 나타날 시간이 되면 행동을 조심하거나 위법한 사항은 숨기려고 할 것이다. 또한 지휘관이 동일한 장소만 확인하면 지휘관이 관심을 가지고 확인하는 장소만 신경 써서 제대로 해 놓고 나머지 장소는 신경 쓰지 않게 되어 문제가 발생하게 된다. 따라서 이른 아침에도 가 보고 늦은 시간에도 돌아보라. 매일 병사들이 생활하는 장소만 확인하지 말고 창고나 건물 뒤편 등 구석진 부분에도 들어가 보라. 시간과 장소를 바꿔 순환해 가며 불규칙적으로 확인해야 부대의 현상을 제대로 알 수 있고, 부대 전반적인 부분을 최상의 상태로 유지할 수 있다.

3. 가용자산을 통합하여 효율적으로 운용하라

현대전의 특징 중 하나는 총력전이라고 한다. 현대전에서는 군인뿐 아니라 전 국민이 일치단결해야 하고, 국방자원뿐 아니라 정치, 외교, 경제, 과학 등의 모든 자산이 총동원되어야 전쟁에서 승리할 수 있다. 그러므로 군인은 평상시부터 자기에게 주어진 자산이 무엇이 있는지를 파악하고 그 자산들을 통합하여 효율적으로 운용하는 능력을 키워 나가야 한다.

중대급 부대부터는 재산이라는 것이 있어서 이를 목록화하여 재산대장도 유지한다. 이제는 당신이 혼자서만 임무수행을 하는 것이 아니라 재산관리도 해야 하고 또한 이러한 자산들을 효율적으로 활용해야만 중대의 임무수행이 가능하다는 말이기도 하다.

인적자원을 활용하라

중대가 보유한 자산은 인적자원과 물적자원으로 나누어 볼 수 있다. 아무리 기술이 발달해도 이를 운용하는 것은 항상 사람이므로 중대장으로 부임하면 먼저 인적자원을 분석해야 한다. 부대에 핵심적인 인물은 누구인지, 어떻게 하면 전 구성원이 최대의 능력을 발휘하게 할 것인지 고민해 보라. 각자의 능력과 특성, 성격은 어떠한지를 파악하여 상황에 맞게 부하들을 활용하라. 어려움에 처한 사람이 있는지도 파악하여 이를 해결해 줌으로써 전우애도 이끌어 내고 사고도 예방하라.

부대의 임무를 수행할 때는 부하들과 같이 가라. 어떤 임무를 부여받으면 중대장 혼자서 어떻게 처리할 것인지 고민하지 말고 부하들과 상의도 하고 그들을 활용도 하라. 해당 분야에 전문적인 식견을 가진 사람이 있으면 해결방안을 자문하기도 하고, 소대별로 임무를 재할당하거나 적합한 능력이 있는 부하에게 위임도 하라. 그리하면 중대장이 혼자서 직접 움직이는 것보다 훨씬 빠르고 우수하게 처리할 수 있다. 또한 그렇게 임무를 나눠 받은 부하는 소속감을 가지게 되고, 주어진 일을 달성하였을 때에는 부대의 중요한 활동에 일조를 담당하였다는 성취감과 보람을 가질 수 있어서 일석이조의 효과가 있다.

물적자원과 살림살이도 확인하라

물적자원을 확인하기 위해 중대장으로 취임하면 먼저 창고부터 사열하여 중대에 어떤 자산들이 있는지를 점검하는 것이 좋다. 내가 가진 것이 무엇이 있는지 알아야 어떤 임무가 주어졌을 때 세부적인 수행방법을 판단할 수 있다. 창고에 훈련물자들은 뭐가 있는지를 알아야 야외훈련을 나갈 때 제대로 준비할 수 있다. 추가로 준비해야 할 물건도 판단할 수 있고, 야외에서 중대가 어떤 수준까지 훈련할 수 있을지도 판단이 가능해진다. 부대 환경을 개선한다면 어떤 자재는 보유하고 있으니 어느 정도를 구매해야 하겠다는 판단이 서서 주어진 예산을 효율적으로 집행할 수 있다.

중대의 운영비는 한정되어 있는데 살림살이를 걱정하지 않고 편리한 대로 집행한다면 적자를 면할 수 없다. 시설관리에 투입되는 물건은 격별보수비를 활용하는 등 효율적으로 예산을 집행하고, 남는 예산은 병력들의 단합이나 복지향상에 투입하는 것이 현명하다. 과거에 어떤 선배는 중대장 임기를 마치고 떠나올 때 적자액 500만 원을 변상해 주고 왔다고 한다. 행정보급관에게 어떤 임무를 주면 즉각적으로 수행하여 기쁘게 생각했는데, 나중에 알고 보니 그때마다 행정보급관이 물건을 외상으로 사서 시행했던 것이다. 평소에 중대장이 살림살이에 신경을 쓰지 않고 운영비 내역도 살펴보지 않아서 빚어진 결과이다. 중대장이 훈련이나 전술적인 것에만 신경 쓴다거나 임무수행 결과만 중요시해서는 안 된다. 군수나 예산 분야에도 관심을 가져서 중대가 가진 모든 자산을 수시로 체크해 볼 줄 알아야 하고 임무수행 과정도 살펴야 한다.

4. 회의 및 결산체계를 활용하라

나폴레옹은 '적이 회의할 때 나는 기동한다.'라고 하였다. 불필요하거나 비효율적인 회의는 그만큼 치명적인 약점이 된다. 그러나 평시에는 지휘관의 지휘의도나 작전개념을 교육하고 공유하기 위해서 회의는 필수적이다. 전시에는 회의를 줄이되 평시에는 오히려 회의를 많이 하는 것이 필요할지도 모른다.

아침에는 전체회의가 효과적이다

아침조회는 부하들의 출근 여부나 건강상태를 확인하는 데 유용하다. 따라서 아침조회는 주요 간부만 모여서 하는 것보다 중대 전 간부를 소집하여 중대장이 부하들 얼굴을 직접 확인하면서 회의하는 것이 좋다. 1990년대 초반까지만 해도 연탄으로 난방을 하는 가정이 많아서 영외에 거주하는 간부들이 연탄가스에 중독되어 출근을 못 하거나 사망하는 사례가 많았다. 필자도 중위 때 두 번이나 연탄가스로 인해 정신을 잃었다가 다행히 확인하러 온 동료에 의해 목숨을 건졌다. 현대화된 요즘에도 간부들의 출근상태를 확인할 필요가 있다. 간밤에 심한 독감으로 쓰러져 있을 수도 있고 교통사고를 당하여 출근을 못 하는 경우도 있으니 매일 아침 전체회의를 통해 점검해 볼 필요가 있다. 또한 초급간부들은 사회에서부터 인터넷 게임에 물들어 밤새도록 컴퓨터를 하는 사람도 있고 술을 좋아하여 늦은 시간까지 음주하는 사람도 있는데, 아침에 전체회의를 소집하여 얼굴을 살피면 그러한 사람을 찾아낼 수 있고 그리하여 자기관리를 성실히 하도록 지도할 수 있게 된다.

다음으로 아침에 해야 할 일은, 전날 결산 때와 변동된 사항은 무엇이 있는지 확인하고 다시 한 번 세부적인 업무지시와 임무할당을 실시하는 것이다. 업무지시에는 지휘관이 원하는 요망수준이나 최종상태가 포함될 수 있고, 임무할당은 소대별 할당이나 개인별 할당으로 부여할 수 있다. 이때 임무수행 간 안전 위해요소는 어떤 것들이 있을지를 고민하여 위험예지 교육을 실시함으로써 안전사고를 예방한다. 마지막으로, 간부들에게 필요한 정신교육을 실시하고 전파사항을 전달하는 순으로 아침회의를 진행한다.

저녁결산은 주요 간부들을 대상으로 실시한다

저녁회의는 하루의 업무를 결산하고 내일 할 일을 준비하기 위해 필요하다. 아침과 달리 저녁에는 업무가 늦게까지 진행되기 때문에 하던 업무를 중도에 그만두고 전 간부를 소집하는 것이 제한된다. 따라서 저녁에는 주요 간부만 소집하여 아침에 지시한 사항이 어떻게 진행되고 있는지, 완료는 되었는지, 추진 간에 문제점은 없었는지 등을 결산한다. 만일 임무를 수행하는 데 문제점이 생겼으면 추가적인 지침을 전달하고, 병력이나 물자가 추가로 필요하면 세부 내용을 파악하여 조치해 준다.

하루 일과에 대한 결산을 마쳤으면 내일 할 일을 계획한다. 우선적으로, 상급부대 활동사항이나 주요 예정사항은 뭔지를 파악하고 중대 활동을 그것에 맞춰 줘야 할 필요가 있는지를 검토하라. 가령 상급부대에서 대대에 작전 분야 점검을 나온다면 비상대기체계나 작전 분야에 더욱 신경을 써서 대비해야 할 것이다. 다음은, 내일의 업무를 일과 시작시간과 동시에 즉시 착수할 수 있도록 필요한 사항을 사전에 준비하고 예하부대와 상급부대에 협조할 사항을 미리 조치하라. 마지막으로 저녁결산시간에 해야 할 일은, 상급부대 지시사항이나 전파사항을 전달하는 것이다. 전 간부에게 교육할 사항은 다음날 아침에 중대장이 직접 실시하면 되므로 저녁에는 긴급하거나 꼭 필요한 사항만 전파하면 된다.

내일 해야 할 일들에 대해 중대장이 내용을 이미 알고 있다고 해서 결산을 생략하는 것은 좋지 않다. 중대장이 아는 것이 전부가 아닐 수 있고, 그 사이에 상황이 바뀌었을 수도 있기 때문이다. 군인의 업무는 한 번의 실수가 대량 피해를 가져올 수 있다. 따라서 매사 꼼꼼하게 확인하고 대비하는 습관이 필요하다.

회의를 통해 공감대를 형성한다

회의를 통해 구성원들에게 업무를 전파해 줘라. 주간 및 월간 예정사항이나 각종 공문으로 전달되는 사항들을 혼자만 알고 있지 말고 전 간부들에게 전파하여, 구성원 모두가 공감대를 갖고 각자가 해야 할 일을 스스로 찾아 사전에 준비할 수 있게 해 줘야 한다. 이와 같은 방법으로 부하들이 부대운영에 공감대를 형성하고 한 방향으로 뭉친다면 무슨 일이든 달성할 수 있을 것이다. 상하 모든 사람을 한 뜻으로 뭉치게 하면 승리할 수 있음을 명심하라(上下 同慾者 勝).

회의의 또 다른 이점은 토의를 통해 보다 발전적이고 창의적인 아이디어를 도출할 수 있다는 것이다. 말단 현장에 근무하는 사람에게서 실질적이고 획기적인 의견이 나오는 법이다. 또한 이와 같이 말단 구성원의 의견까지 존중해 주고 적극적으로 업무에 참여할 수 있게 해 주면 구성원들의 조직에 대한 애착심과 일에 대한 자발성이 향상된다. 용기가 없어 회의시간에 의견발표를 잘 하지 않을 때에는 게시판이나 전자메일을 활용하여 제시할 수 있게 하는 것도 좋은 방법이다. 그리하면 부하들은 부담 없이 각자의 의견을 제시할 수 있을 것이다. 회의나 결산을 소집하지 않고 전자메일 같은 간접적인 방법으로 전파하는 것은 부하들에게 가용시간을 보장해 주기 때문에 시간적 여유가 없을 때에도 유용하다.

5. 부대를 활기차고 생기 있게 지휘하라

전투에 승리하기 위해서는 부대원들의 기(氣)가 살아 있어야 한다. 동물의 세계에서도 굳이 싸워 보지 않아도 기가 센 동물 앞에서는 꼬리를 내리고 드러누워서 배를 드러내 놓고 항복하는 자세를 취한다. 기가 살아 있는 사람은 임무가 생기면 자발적이고 즐거운 마음으로 임하게 되어 최상의 결과를 산출하게 된다. 따라서 지휘관 개인의 성향은 조용하고 내성적이더라도 중대라는 조직 자체는 활기차고 생기 있게 만들어야 한다.

기를 살리는 방법

부하들의 기를 살려 주기 위해서는 어떻게 해야 할까? 먼저, 부하들의 노고와 성과에 대해 칭찬을 하라. 업무지시만 하지 말고 고생하는 부하에게 '수고했다' 또는 '훌륭하다, 잘했다'라고 칭찬해 보라. 그러면 그 부하는 신바람이 나서 더욱 즐겁게, 더 열심히 일할 것이다. 중대 구호를 만들어 서로가 격려하게 하는 것도 좋다. 스포츠 경기에서 시합 전에 선수들이 둥그렇게 모여 파이팅을 외치듯이, 병력들이 일을 하거나 해산을 할 때 중대 구호를 외치게 하는 것도 중대를 활기차게 만들어 준다.

둘째, 밝은 표정과 경쾌한 말투를 사용하라. 남자들만 모여 생활하는 군대의 특성상 상호간에 무뚝뚝하게 대하기 쉬운데 이를 타파하기 위해 노력해 보라. 서로 스쳐 지나갈 때 상급자는 '잘 잤니?', '좋은 아침!' 하고 인사하고, 하급자는 경례와 더불어 '즐거운 하루 보내십시오!', '식사 맛있게 하십시오!', '수고하십시오!' 하는 인사말을 덧붙여 보자. 명령을 전달할 때에도 근엄하고 무거운 어투보다는 경쾌한 어투로 지시하라. 혹시 중대장이 부드러운 어투로 가볍게 지시하면 부하들이 지시에 불응하지 않을까 하는 걱정은 전혀 할 필요가 없다. 군대는 계급사회라서 이미 영(令)이 확립되어 있기 때문에 지휘관 견장을 차고 있는 당신을 우습게 볼 사람은 없다. 자신감을 가지고 담대하게 행동하라.

셋째, 체육활동을 활성화하라. 축구나 농구, 족구 같은 운동을 통해 부하들의 체력을 단련하고 부대의 단결력도 증진시킬 수 있다. 또한 승리를 통해 성취감도 맛볼 수 있다. 남자들의 세계에서는 서로 부딪히고 땀 흘리는 것을 통해 전우애가 싹트게 된다. 축구 시합 후에 마시는 음료수나 막걸리 한잔은 마음속의 어두운 그늘도 말끔히 씻어 줄 것이다.

넷째, 기(氣)를 살려 주는 회의를 진행하라. 아침조회나 저녁결산을 할 때 부하가 잘못한 것을 듣고 나서 질책하고 무안하게 하기보다는 '이렇게 해라', '이것 해라' 하는 식으로 해야 할 일만 지시하라. 아무리 듣기 좋은 말도 세 번 이상 하면 듣기 싫다고 했다. 하물며 질책성 말투는 어떻겠는가? 당신이 굳이 더 나무라지 않아도 부하도 잘못된 점을 알고 있다. 설령 모른다 해도 그것을 당신이 질책한다고 해서 한 개인이 수십 년간 지녀 온 습성을 하루아침에 쉽게 바꿀 수는 없다. 그러니 성급하게 바꾸려 하지 말고 장기적인 변화를 꾀하라.

다섯째, 부하를 믿고 위임해 줘라. 부하에게 어떤 일을 시켰으면 인내심을 가지고 지켜볼 필요가 있다. 시간이 얼마 지나지도 않았는데 조급하게 자꾸 찾아가서 일이 어떻게 진행되었는지 묻고, 부하가 창의력을 발휘할 여지가 없이 '이렇게 해라, 저렇게 해라' 하고 참견

하는 것은 부하를 피동적으로 만들게 된다. 물론 진행방향이 잘못되었으면 한 번씩 고쳐 주고 지도해 줄 필요는 있으나, 이때에도 나무라는 것보다는 토의식으로 지도해야 한다. 일방적인 지시보다 '이 방법은 해 보았니?', '이렇게 하면 어떨까?' 하고 지휘관의 의견을 제시해 보라. 어떤 사람은 부하들이 할 일을 제대로 안 한다고 생각하여 간부들에게 각자가 출근해서 퇴근 때까지 시간대별로 무엇을 했는지 기록하게 하기도 하는데, 경우에 따라서는 일시적으로 필요할 수도 있지만 장기적으로는 불만이 싹트고 부대의 단결력을 해치게 된다.

6. 상대방의 지위나 연륜을 인정해 줘라

모든 부대지휘의 성패가 지휘관에게 달려 있다는 말을 중대장이 독단적이고 제왕적으로 지휘해도 된다는 말로 오해하지 마라. 부대를 지휘관 혼자서 이끌어 갈 수는 없다. 지휘관에게 주어진 권한만 믿고 상대방을 무시하지 않도록 하라. 나이 많은 부사관이나 행정보급관을 존중해 주고, 대대 주임원사에 대해서도 언행을 조심하라. 부하들 각자의 위치에 맞는 위신을 세워 줘라. 인간이기 때문에 매사에 인간적인 요소가 중요하다. 장교는 그 부대에 갑자기 와서 잠시 머물렀다 가지만 부사관들은 오랜 시간 동안 그 부대를 지켜 왔고 발전시켜 온 사람들이다. 그들의 경험과 노고를 무시해서는 안 된다.

부하가 임무수행을 잘못했을 때에도 자존심은 지켜 주도록 노력하라. 마음에 상처가 되는 말로 혼내면 그 부하는 다음에 잘해 보려는 생각보다는 의욕을 상실하고 오히려 지휘관에게 화를 입힐 수 있다. 아무리 유능한 운동선수도 그날의 컨디션에 따라 실력이 다르게 나타나듯이 중대장이 인간적인 모습으로 부하의 컨디션을 최상으로 유지시켜 준다면 그 부하도 최상의 컨디션으로 중대장에게 보답할 것이다.

필자가 중대장을 했을 때의 일이다. 어느 날 군전투지휘검열에 대비하여 예행연습을 하기 위해 화생방상황을 발령하였다. 화생방상황에서는 방독면을 오랫동안 착용해야 하기 때문에 사전에 적응시키기 위한 목적에서 실시한 훈련이었다. 중대장도 방독면을 착용하고 각 소대를 순찰하는데, 어떤 소대를 들어갔더니 전 병력이 모두 방독면을 쓰지 않은 채 휴식을 취하고 있었다. 책임간부는 중사 계급의 소대장이었는데, 화가 난 나는 병사들이 보는 앞에서 그 소대장을 마구 야단쳤다. 그리고 "상황을 전파받지 못했나? 누가 이렇게 하라고 지시했나?" 하고 소리쳤다. 그러자 소대장은 갑자기 당당하게 자기가 지시했다며 대드는 투로 말하고 나섰다. 소대장이 비록 중사이기는 했지만 소대 병사들이 보는 앞에서 질책을 받자 자존심이 상했던 것이다. 내가 중대장으로서의 입장만 생각하고 소대장의 지위에 대한 배려는 하지 않았던 것이다. 이런 경우에는 소대장만 따로 불러내어 병사들이 보지 않는 곳에서 질책을 했어야 했다.

다음은 어느 탄약중대장의 사례이다. 탄약중대에는 검사반장이라는 직책을 맡고 있는 준사관이 한 명 있다. 탄약중대에서 검사반장은 중대장과 소대장 다음으로 높은 서열을 가지고 있으며, 업무적으로도 탄약 검사와 군사시설보호구역 관련 업무를 수행하는 중요하고도 바쁜 직책이다. 그러던 어느 날 중대장이 휴일에 그 준사관을 출근시켜 민간인 출입자를 안내하라는 단순하고도 사소한 임무를 부여하였는데 이로 인해 중대장과 검사반장 간에 불화가 생기게 되었다. 검사반장의 입장에서 보면 본인은 평소에도 업무량이 많고 휴일에도 갑작스런 사고로 인해 자주 출동하고 있는데, 그러한 사정은 고려해 주지 않고 누구나 할 수 있는 출입자 안내와 같은 단순한 임무를 자신에게 부여하니 중대장에게 서운한 감정이 생겼던 것이다. 물론 중대장이 임무를 부여하면 어떤 것이든 받아들이는 것이 부하의 도리겠지만, 지휘관이라면 부하들 각자의 업무 특성이 어떠하고 평소 누가 더 고생을 많이 하고 있는지 등 여러 가지 측면을 두루 살펴 상대방의 권위도 배려하고 업무의 형평성도 고려해 줄 수 있어야 한다.

7. 부하들에게 애정과 온 정성을 쏟아라

부모와 같은 마음으로 병사들을 돌봐라

부대의 입장에서 보면 병사들은 국방의 의무를 다하기 위해 군대에 들어온 군인이지만, 한 가정의 입장에서 보면 모두가 소중한 자식들이다. 자식에 대한 부모의 애정을 생각해 보라. 당신의 부모님을 생각해 보고, 당신이 자식들에게 향한 마음을 생각해 보라. 바로 그 부모와 같은 마음으로 병사들을 대하라. 필자는 어렵게 9년 만에 아이를 가졌다. 9년 만에 자식을 가진 부모의 마음을 경험해 보지 않은 사람은 이해하기 어려울 것이다. '어디가 아프지는 않을까? 밖에 나갔다가 잘못되지는 않을까?' 하고 늘 전전긍긍하는 것이 부모의 마음이다. 지휘관은 어머니와 같은 마음으로 병사가 아픈 곳이 있으면 정성을 다해 치료해 주고, 추운 날씨에는 어떻게 하면 따뜻하게 해 줄지 고민해야 한다. 특히 몸이 아프면 군병원은 물론 민간병원까지 활용하여 확실하게 진료하고 치료해 줘야 한다. 몸이 조금 아플 때 확실하게 치료하지 않으면 나중에 큰 병이 될 수 있고, 그로 인해 평생 문제가 될 수 있음을 명심해야 한다.

부대와 부하에게 온 정성을 다 쏟아라

사람을 다스리는 일은 주어진 권한만으로는 감당할 수 없다. 중대장은 군법과 군령, 지휘관에게 주어진 지휘권을 행사하여 중대를 지휘하지만 그와 병행하여 병사들에게 정(情)을 쏟아야만 비로소 온전한 지휘가 가능해진다. 중국 전국시대 위나라의 오기가 행했던 연저지인(吮疽之仁)을 생각하라. 등창의 종기를 빨아 주듯 병사들의 질병에 대해 헌신적으로 관리해 주고, 각개 병사들에 대해 진심어린 사랑을 쏟아라. 가끔은 부하들로부터 배신감을 느끼는 상황이 생길 수도 있겠지만, 사랑을 쏟지 않음으로써 생기는 재난보다는 낫다.

부하들에게 혼신의 애정을 쏟았는데도 때로는 중대장의 마음을 몰라주는 경우도 있다. 심지어 중대장을 비난하거나 해를 입히는 경우도 있다. 그렇다고 해서 서러워하거나 노여워하지 마라. 자식을 정성껏 키워도 부모의 마음도 몰라주고 가르침대로 안 하여 부모를 실망시키지 않는가? 그렇다고 부모가 자식을 내치는 법은 없다. 그러므로 부하들이 실망시켜도 그것이 전부라고 생각하지 말고 때를 기다리고, 오히려 당신의 가르침이나 정성이 부족했음을 탓하라. 사랑은 내리사랑이다. 보답을 바라고 사랑을 베푸는 것이 아니다. 당신이 베푼 사랑을 부하가 받으면, 그 부하는 당신에게 보답하는 것이 아니라 다른 사람이나 그 아랫사람에게 다시 물려줄 것이다. 그렇게 인간은 위로부터 사랑을 받고 다시 아래로 내려주며 사는 것이니 노여워할 필요가 없다. 내리사랑은 있어도 치사랑은 없다고 하지 않았는가? 당신은 부모로부터 받은 사랑만큼 부모님에게 갚았겠는가?

연저지인(吮疽之仁)

연저지인(吮疽之仁)이란 ≪사기≫의 <손자오기열전(孫子吳起列傳)>에 나오는 말로, 종기고름을 빨아 주는 자애(慈愛)를 말한다. 중국 전국시대 오자병법의 저자인 오기(吳起)가 위(魏)나라의 장수가 되어 진(秦)나라를 공격할 때 있었던 이야기이다. 병영을 순찰하던 오기는 악성 종기로 고생하고 있는 병사를 발견하고는 손수 입으로 냄새나는 종기의 고름을 빨아낸 다음 약을 발라 주었다. 그런데 이 소식을 전해 들은 병사의 어머니는 오히려 대성통곡을 하였다. 주위 사람들이 그 연유를 묻자 "오기 장군은 그 애 아버지의 종기도 빨아 준 적이 있는데, 그 은혜에 보답하고자 선봉에 섰다가 전사하였습니다. 이제 그 아이도 죽은 목숨과 같습니다."라고 하였다.

8. 부하의 마음을 얻는 일에는 실패하지 마라

마음을 먼저 얻어라

「상하동욕자승(上下同慾者勝)」이라는 말이 있다. '윗사람과 아랫사람 모두가 한마음 한뜻이 되어 하고자 한다면 무슨 일이든 해낼 수 있다.'는 뜻이다. 현명한 사람은 눈에 보이는 것보다 마음을 먼저 구한다.

지휘관이 임기 중에 한 번 평가받는 '전술훈련 평가'에 대비하여 일하는 스타일을 살펴보자. 먼저 A라는 중대장은 계획은 신중히, 행동은 신속하게 하는 스타일이다. 이런 유형의 지휘관은 평가준비를 한다고 해서 오래전부터 불필요하게 서두르지 않는다. 우선은 중대장이 실질적이고 실천 가능한 세부 준비계획을 수립하고, 이후에 단계적으로 여유 있게 한 과제씩 점검해 나간다. 그러면서 중대원들에게 수시로 "잘해 보자! 우린 할 수 있다!"고 정신교육을 하여 각오를 다지고, 때로는 결과에 대한 포상계획도 발표한다. 그리하여 간부와 병사 모두가 잘해 보겠다는 의지로 하나가 된다. 이러한 식으로 중대원의 마음이 하나로 된 부대는 짧게 연습을 하고도 최상의 성과를 낸다. 사전에 불필요하게 고생시키지 않았기 때문에 실제 훈련 중에는 더욱더 강한 의지로 전술적인 행동을 취하게 된다.

반면에 B라는 중대장은 저돌적인 성격이다. 세심한 계획에 의거하여 단계적으로 성과를 내기보다는 당장의 성과를 중요시하고 항상 완벽한 것을 요구한다. 그리하여 평가가 있기 몇 달 전부터 서둘러 연습을 반복한다. 연습 중에 미흡한 사항이 발견되면 호되게 질책하고 불이익을 주기도 한다. 이런 경우에는 병사들이 행동은 숙달할 수 있으나 마음속에 불만이 쌓이게 된다. 또한 연습할 때는 잘하다가도 정작 평가 당일이 되면 이미 지쳐서 연습할 때만큼의 성과가 나오지 않게 된다. 한편으로는 중대장의 질책에 병사들 간에도 내리갈굼이 생기게 되어 이를 견디지 못하고 탈영을 하는 병사가 생길 수도 있다. 이와 같이 마음을 얻지 못하면 아무리 전투력이 강하다고 해도 결정적인 순간에는 이것을 제대로 발휘해 보지도 못하고 사장될 수 있다.

변화와 혁신도 공감대 형성이 먼저다

중대장이 변화와 혁신을 추구할 때에도 장병들의 마음을 먼저 헤아려야 한다. 새로운 제도를 시행하는데 부하들의 의견을 묻거나 배경이나 목적에 대해 설명도 하지 않고 중대장 혼자서 강행해서는 안 된다. 지나치게 독단적으로 처리하면 내부에 불평론자와 반대론자가 생겨나고, 부대의 불협화음이 상급지휘관이나 외부로 퍼져 나가 결국은 실패할 확률이 높다. 먼저 분위기가 무르익어야 한다. 마음에서부터 먼저 변화와 혁신을 일으킬 수 있도록 교육하고 계몽한 뒤 실천에 옮겨라. 그리하면 처음에는 천천히 가는 것 같겠지만 종국에는 더 좋은 성과를 가져올 것이다. 전 장병이 한마음으로 뭉쳐야 하는데 간부와 병사가 서로 융합하지 못하거나 불만을 가지게 되면, 임무수행을 아무리 잘했다고 하더라도 결국은 내부의 분열 하나 때문에 조직은 붕괴될 수 있다. 불만을 품은 사람 하나가 조직 전체를 혼란에 빠뜨릴 수 있으니 한 사람의 마음이라도 소홀히 하지 말고 챙겨야 한다.

이벤트로 병사의 마음을 사로잡아라

병사의 입장에서 병사들이 특별하게 생각하는 날을 기념해 줘라. 생일을 맞은 병사를 그냥 넘기지 말고 무언가로는 축하를 해 줘라. 펜이나 과자 같은 작은 생일선물이나 축하카드도 좋다. 굳이 값비싼 것이 아니더라도 마음을 전달할 수 있으면 된다. 야외훈련을 나갔더라도 생략하지 말고, 초코파이 같은 과자를 준비하여 케이크처럼 쌓고 그 위에 성냥이나 촛불 하나를 밝혀 생일축하 노래를 불러 줘 봐라. 야외에서의 '군대표 케이크'는 두 번 다시 경험할 수 없는 추억이 된다. 어려운 상황에서, 생각지도 않은 상황에서 기념일을 챙겨 주는 것이 더욱 감동적인 법이다.

전역하는 병사도 서운하게 내보내지 마라. 필자는 초급장교 시절에 전역자를 그냥 내보낸 적이 없다. 전역자가 속한 분대원이나 소대원을 모아 반드시 회식을 시켜 주고 내보냈다. 예산이 부족할 때는 과자 몇 봉지로도 충분하다. 볼펜이나 기념주화, 기념사진 같은 전역선물을 전달하는 것도 좋다. 회식이나 선물은 못 하더라도 전역 전 면담은 반드시 실시하라. 전역하기 전날 면담을 하면서 부대에 불만사항은 없는지, 중대의 발전을 위해 건의할 것은 없는지 등을 물어보고 건의사항을 해결해 주는 것이 필요하다. 병사들은 이런 행사를 통해 소속감과 전우애가 고양되고, 마음속에 남아 있는 서운함도 털어내게 된다. 마지막까지 남아 있는 마음의 앙금을 풀어 주지 않으면 부대에 해를 가져올 수 있다.

9. 상하좌우로 의사소통하라

맨체스터 유나이티드의 박지성 선수는 멀티플레이어로 유명하다. 그라운드 구석구석을 누비고 다른 선수보다도 훨씬 많은 거리를 뛰어다니며 팀을 승리로 이끈다. 그래서 박지성 선수가 출전한 경기는 승리한다는 공식이 성립될 정도이다. 여러분도 박지성 선수와 같은 멀티플레이어가 되어 상하좌우로 부지런히 움직여 보라.

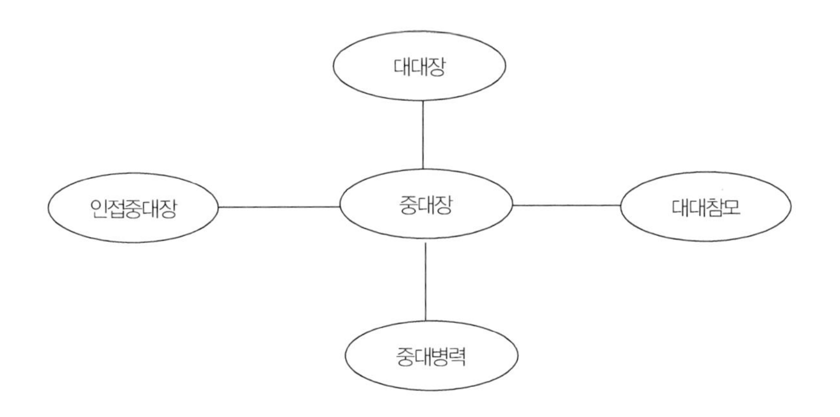

병사들이 중대장에게 바로 보고할 수 있게 하라

먼저 아래로는 병사들과 의사소통 체계를 갖추어 부대를 안정되게 유지함으로써 대대장이 중대라는 조직을 운용하는 데 제한이 없게 해 줘야 한다. 병사들과의 의사소통은 개인 면담, 계급별 또는 계층별 간담회, 건의함이나 설문조사 등의 방법을 활용할 수 있다. 또한 전자메일이나 홈페이지 게시판을 이용할 수도 있다. 계급사회라는 군대의 특성상 부하들은 지휘관이 아무리 편하게 해 주어도 중대장에게 쉽게 찾아오기 어렵다. 게다가 중간에 있는 간부가 지휘체계를 강조하기라도 하면 병사들의 애로사항이나 건의사항이 중대장에게까지 전달되기 어렵다. 그래서 필자는 '중대장 직통 건의함'을 만들어 공중전화박스 내부나 중대장실 창문 너머에 비치하여 활용하였다. 병사들이 소대장이나 행정보급관 등의 지휘라인을 거치지 않고 곧바로 중대장에게 의견을 제시하게 하는 수단이었다. 그리고 이 건의함의 열쇠는 중대장이 직접 관리하고 건의함도 항상 직접 개봉하는 모습을 보임으로써 병사들의 건의사항은 다른 간부를 거치지 않고 중대장이 직접 수렴한다는 신뢰감을 주었다. 여기서 나온 건의사항이나 애로사항은 접수됨과 동시에 즉시 처리하고 그 결과를 알려 주었다.

병사들과의 의사소통을 위한 다른 한 가지 방법은 '설문조사'를 실시하는 것이다. 이 방법은 병영생활 실태를 파악하기 위한 질문형식의 설문서를 준비하여 병사들에게 나누어 주고 작성하게 하는 것이다. 자유로운 작성을 위해 계급별로 장소를 구분하여 작성하고, 회수할 때는 건의함과 마찬가지로 중대장이 직접 회수한다. 필자는 이 설문조사를 매달 실시하여 병영생활 악폐습을 지속적으로 색출하고 척결하였다. 설문조사에서도 중요한 것은 후속조치를 성의 있고 세심하게 실시해야 한다는 것이다. 그래야만 부하들이 중대장을 믿고 진실을 밝히게 된다. 또 한 가지 유의할 점은 설문결과 그 자체로 끝내지 말고, 조금이라도 이상한 내용의 설문결과가 나오면 해당 병사를 불러 다시 세부적으로 면담하여 정확한 실상을 파악하도록 노력해야 한다는 것이다. 설문지에 기록된 내용은 작은 실마리일 뿐 모든 것을 알려 주지는 않는다.

대대장을 편하게 생각하라

위로는 대대장과 의사소통을 원활히 하여 중대의 활동사항을 대대장에게 알려도 주고, 대대장의 지휘의도를 중대원에게 심어 주어 부대가 한 방향으로 나아가도록 노력해야 한다. 그렇게 하기 위해서는 상급지휘관인 대대장과 자주 만나야 한다. 누구든 자주 보고 만나야 정이 들기 마련이다. 영외에 있는 중대장이라면 주기적으로 대대에 들어가서 대대장의 얼굴을 보라. 회의가 있어 대대에 들어갔을 때에는 회의가 끝난 후 곧장 돌아서서 영외 중대로 향하지 말고 가능한 많은 시간을 대대장과 함께하고 인상적인 이미지를 심어 주도록 노력하라. 그렇지 않아도 군대라는 특성상 상급지휘관이라면 저절로 긴장하게 되는데 가뜩이나 가끔씩 보게 되면 더욱더 어렵게 느껴지게 된다.

상급지휘관을 어렵게 생각하면 말문이 막히게 되므로, 긴장을 풀고 이웃집 아저씨나 아버지라 생각하고 대하라. 업무적인 이야기나 무거운 대화만 할 것이 아니라 일상적인 주제의 가벼운 대화로 유대관계를 쌓아라. 때로는 부대 돌아가는 상황에 대해 자연스레 언급하면서 대대장의 지휘의도를 살며시 엿볼 수 있도록 하라. 대대장과 자연스럽게 대화할 시간을 만들기 어렵거나 쉽게 말을 꺼내기 힘들 때에는 가벼운 '업무보고' 보고서를 만들고 들어가 차 한잔 하면서 대화를 나누는 것도 좋다.

인접 전우들과 협조관계를 형성하라

좌우로는 인접 중대장과 대대 참모들이 있다. 어떤 특별한 업무를 추진할 때는 독불장군처럼 혼자서만 몰래 하지 말고 인접중대장과 같이 나아가고 대대 참모들에게도 알려 줘라. 그래야 그들도 대대장으로부터 질책당하지 않게 되고 당신도 왕따당하는 일이 없게 된다. 또 한편으로는 인접 중대장이나 대대 참모들이 요즘 무슨 일을 준비하고 있는지 살펴서 당신도 미리미리 준비하는 순발력을 보여라.

주변 전우와의 협조는 임무달성을 위해서도 중요하다. 진지공사를 한다면 참모부서에 필요한 자재를 요청하고, 주임원사나 인접 중대의 지원도 받아야 한다. 혼자서만 하려고 하면 시간도 오래 걸리고 성과도 미약하다. 대대장의 입장에서 보면 주변 사람들과 어울리지 않고 단독으로 일하는 중대장은 결코 달갑지 않다.

상하좌우를 늘 생각하라

대대장으로부터 중요한 임무를 부여받았을 때에도 상하좌우를 생각하라. 임무를 부여받으면 먼저 중대 병사와 간부들에게 업무지시를 하겠지만, 그 임무가 대대 전체의 부대운영에 영향을 미치고 참모부와도 관련이 된다면 작전과장과 해당 참모, 인접 중대장에게도 알려 주어 관련된 모든 사람들이 정보를 공유하고 공동으로 대처하게 해야 한다. 당신 혼자서만 잘 보이려고 정보를 혼자만 보유하고 이기적으로 행동한다면 대대 참모나 인접 중대장이 도와주지 않게 되어 결과적으로는 당신이 추락하게 된다. 또한 아비가 미우면 자식도 밉다고 하듯이 당신에 대한 불신으로 결국 당신 중대원이 불이익을 받게 되고, 그로 인해 당신도 부하들로부터 신뢰를 얻지 못하게 된다. 세상은 항상 뿌린 대로 거두게 된다.

10. 불평이나 험담을 삼가라

지휘관은 말을 조심해야 한다

아랫사람이 불평하는 것은 그 사람 개인의 문제로 보고 '아! 저 사람은 저렇게 생각하는구나!', '불평이 많은 사람이구나!' 하고 생각하게 되지만, 지휘관이 불평을 하게 되면 '정말 잘못된 것이구나!' 하고 의심 없이 받아들이게 된다. 이것은 애리조나 주립대학 심리학과의 로버트 치알디니 석좌교수가 ≪설득의 심리학≫이라는 저서에서 말한 '권위의 법칙'에 근거한다. 즉 권위 있는 사람의 말이나 행동에 사람들은 의심 없이 절대적으로 따른다는 것이다.

지휘관 한 명의 불평은 부하 전체의 불평을 가져온다. 지휘관이 부정적으로 보는데 그 말을 들은 부하들이 긍정적으로 생각하겠는가? 게다가 만일의 경우 당신이 상급자에 대해 내뱉은 불평이나 험담이 당사자의 귀에 들어간다고 생각해 보라. 생각하기조차 싫은 끔찍한 일이 아닐 수 없다. 발 없는 말이 천 리 간다는 것을 잊지 마라. 상급지휘관은 항상 보이지 않는 수많은 의견수렴 루트가 있음을 명심하라. 모든 길은 로마로 통하듯이 모든 정보는 항상 권력의 핵심인 상급지휘관에게로 자연스럽게 모여들게 되어 있다. 지휘관은 어항 속의 금붕어와 같아서 자신의 언행이 외부에 항상 노출되어 있다. 매 순간마다 부하들이 속속들이 보고 듣고 있음을 명심하고 말 한마디라도 조심해야 한다.

상대방을 좋아하려고 노력하라

매사를 긍정적인 마음으로 받아들이면 불평불만이 나올 리 없고 결과적으로 내 마음도 편안해진다. 상관의 지시나 행동을 긍정적으로 받아들이기 위해서는 우선 역지사지(易地思之)로 판단해 보는 생각의 전환이 필요하다. 불합리한 지시를 내렸을 때 '저분은 왜 저렇게 지시하고 행동했을까?' 하고 상관의 입장에서 생각해 보라. 어쩌면 상급부대에서부터 그러한 지시가 내려와서 내게 그렇게 지시했을 수 있고, 주변에 어떤 사고가 있어서 이에 대한 예방책으로 그랬을 수도 있다. 상관도 자기 생각과는 다르게 어쩔 수 없이 행동하게 되는 경우가 있다.

억지로라도 상관을 좋아하려고 노력해 보라. 상대방을 좋아하는 마음이 없으면 임무를 수행하면서도 절대로 좋은 결과가 나올 수 없다. 논어에 이르기를 "알기만 하는 자는 좋아하는 사람만 못하고, 좋아하는 사람은 즐기는 사람만 못하다."고 하였다. 상관을 아버지나 형으로 생각하면 마주 대하기가 훨씬 쉽고, 어떤 지시를 내리더라도 보다 긍정적으로 받아들이게 될 것이다. 집안에서 아버지는 자식이 잘되라고 수시로 훈계하고 야단도 치지만 자식은 그러한 아버지에 대해서 절대로 나쁘게 생각하거나 욕하지 않는다. 그것은 바로 나를 위해서 야단치는 것이고 나의 아버지이기 때문에 그런 것이다. 상관도 아버지라 생각하고 긍정적으로 받아들여 보라. 마음속에 상대방을 싫어하는 감정이 있으면 얼굴에 알게 모르게 나타나게 된다. 절대로 마음속의 불편함을 완벽하게 속일 수는 없다. 그러기에 상관도 당신의 얼굴을 보면 당신이 상관을 좋아하는지 싫어하는지, 진심인지 아닌지를 금방 알아차리는 것이다.

일본 전국시대에 오다 노부나가의 뒤를 이어 일본을 통일한 히데요시가 오다 노부나가 장군의 휘하에서 신발담당으로 일하고 있었을 때의 일이다. 히데요시는 추운 겨울날에는 장군의 짚신을 품 안에 품어 따뜻하게 데웠다고 한다. 장군이 추운 날씨에 꽁꽁 얼어붙은 짚신을 신는 것이 안타까웠던 것이다. 이런 진심어린 정성과 충성심으로 히데요시는 즉각 부장으로 승진하였고, 이후 최고 우두머리 자리까지 올라갈 수 있었다.

11. 통찰력과 직관력을 길러라

한 가지 현상을 보면 열 가지를 생각해 내라

지휘관은 나타난 현상만 보고 판단해서는 안 된다. 한 가지 현상을 보고 열 가지 연관된 상황을 유추해 낼 수 있어야 한다. 어떤 사물이나 현상을 접했을 때 무엇이 문제인지를 신속하고 정확하게 찾아낼 수 있어야 한다. 이러한 능력은 타고나는 것이 아니라 다양한 경험과 사례 연구를 통해 길러지는 것이다. 다시 말해 직관력이 저절로 갖추어지는 것이 아니라 꾸준한 노력과 사색의 결과로 생긴다는 것이다.

쌀쌀한 기운이 감도는 어느 초겨울에 소대장 한 명이 핫패드를 지니고 있는 것을 목격하였다. 이 경우 '나약하게 이 정도 날씨에 핫패드를 가지고 다니나?' 하고 생각할 수도 있다. 그러나 내게는 순간적으로 여러 가지 상황이 뇌리를 스쳤다. 그 소대장은 지난겨울에 독신자숙소에서 안전성이 확보되지 않은 전열기구를 사용하다가 적발되어 회수당한 일이 있었다. 그만큼 보일러 상태가 안 좋아 방을 따뜻하게 덥히지 못하고 있었던 것이다. 순간 소대장이 숙소가 추워서 핫패드를 사용하고 있는지도 모른다는 생각이 들었다. 나는 소대장에게 핫패드를 왜 샀는지 물어보았다. 아니나 다를까 소대장은 숙소가 추워서 샀다는 것이다. 아직 추운 날씨는 아니지만 숙소에 외풍이 심하고, 게다가 보일러를 틀면 어디선가 누전이 되어 누전차단기가 내려가 보일러 가동이 안 된다는 것이다. 나는 즉시 기술자를 불러 보일러를 고쳐서 정상적인 난방이 되도록 조치해 주었다. 만약 내가 핫패드에 대해 무심히 넘기고 통찰력을 발휘하지 못했다면 그 소대장은 고장 난 보일러와 함께 겨울 내내 추위에 떨어야 했을지도 모른다. 이와 같이 한 가지 현상을 있는 그대로만 보지 말고 그 내막을 보려고 노력하고 아울러 그러한 감각을 꾸준히 발달시켜야 한다. 부하들은 사건의 원인과 내막을 지휘관에게 속속들이 설명하려고 하지 않는 습성이 있다. 따라서 지휘관이 스스로 그것들을 찾아내려고 노력해야 한다. 그래야만 근본적인 문제를 해결하게 되고, 그렇게 함으로써 성공적인 지휘관이 될 수 있다.

사물의 내면을 들여다보라

지휘관은 나타난 겉모습만 보지 말고 보이지 않는 내면까지 들여다볼 수 있어야 한다. 나타난 문제점이 전부인 줄 알고 그것만 해결하려고 하지 말고 근본적인 문제점을 찾아 조치하라. 가령 병사가 자신의 전투복이 아닌 다른 사람의 이름표가 붙은 전투복을 입고 있는 것을 보았다면 그 자체만 보고 병사를 나무랄 것이 아니라, 옷이 없어서 그런 것인지 아니면 진급을 해서 계급장을 교체하려고 그런 것인지 생각해 보아야 한다. 계급장을 교체하는 과정에서 그랬다면 병사들이 진급을 하여 계급장을 교체하는 데 며칠이 소요되고 그에 따른 애로사항은 뭐가 있는지를 찾아 해결해 주려고 노력해야 한다.

머리가 긴 병사를 발견했다면 이발하라고 강조만 할 것이 아니라 근본적인 이유가 무엇인지를 살펴라. 필자가 한 중대를 순찰하다가 머리가 긴 병사들이 많아 그 사유를 확인해 보니, 이발병들이 평일에는 이발을 안 하고 주말에만 한다는 것이었다. 그러니 한 병사가 이발을 하려면 한참을 기다려야 하고, 개인정비나 다른 볼일이 있어 한 주를 건너뛰면 두발상태가 불량해지는 것이다. 그리하여 이후로는 평일에도 이발을 실시하도록 지시하고, 이발병들에게는 평일 자유시간을 박탈당하는 만큼 그에 합당한 포상조치를 해 주었다.

클라우제비츠는 "전쟁은 불확실성의 영역이다. …… (중략) …… 무엇보다도 섬세하고 직관력 있는 이성이 요구된다. 전쟁은 우연의 영역이다. 예기치 않은 사실과의 영속적인 투쟁에서 정신적으로 이를 극복하기 위해서는 두 가지 속성을 반드시 필요로 한다. 그 하나는 짙어져 가는 어둠 속에서 이성을 진실로 인도할 수 있는 희미한 불빛 흔적이며, 두 번째는 바로 이 약한 불빛을 따라가는 용기이다. 첫 번째 것을 프랑스어의 비유적 표현으로 직관력이라고 하고, 두 번째 것은 결단력이라고 한다."라고 하였다. 이와 같이 평상시에 업무를 잘하기 위해서 또한 전시에는 전투에서 승리하기 위해서 직관력은 꼭 필요한 중요한 요소인 것이다.

장교에 임명되는 중요한 조건은 평시에 있어서는 교육과 전문적 지식이며, 전시에 있어서는 탁월한 통찰력과 용기이다.

– 1808년 프러시아 칙령 –

내가 어떤 위기에 있더라도 대처할 수 있었던 것은 오랫동안 위기에 대한 가능성을 생각했기 때문이다. 위기에 처해 무엇을 할 것인가를 말해 주는 것은 갑작스럽게 떠오른 영감이 아니라 끊임없는 연구와 사고의 결과이다.

– 나폴레옹 –

12. 자신만의 지휘기법을 개발하라

자신의 개성과 장점을 살려라

모든 사람은 자기만의 개성이 있다. 군생활을 하면서 여러 사람의 장점을 두루 배워야 하겠지만 어떤 것은 나에게 맞지 않아 따라 하기가 어려운 것도 있다. 그러한 것은 굳이 남을 모방하려고 고민할 필요 없다. 당신에게도 당신만의 장점과 개성이 있으니 그 점을 부각시키고 그 부분에서 역량을 더 발휘해 보라.

필자가 중대장 시절에 어느 인접 중대장은 목소리가 항상 우렁차고 성격도 활달하며 붙임성도 좋았다. 반면에 필자는 조용하고 차분하며 일을 진행하는 속도도 다소 느린 편이었다. 그래서 인접 중대장처럼 성격이나 지휘요령을 바꿔 보려고 노력했지만 워낙 성격차이가 커서인지 생각처럼 잘되지 않았다. 그러던 어느 날 그 중대장과 같이 식사를 하며 대화를 나누었는데, 그는 오히려 내 스타일을 닮고 싶어 했다는 것이다. 다혈질인 자신보다 차분하고 깊게 생각하며 내실 있게 업무를 추진하는 내 성격이 더 좋아 보였다는 것이다. 연예인을 보면 사람들은 잘생겼다고 하는데 본인은 정작 어느 부분이 마음에 안 든다고 스트레스를 받고 있듯이 업무 스타일에 대해서도 그런 것 같다. 자신이 마음에 안 들어 하는 그것을 남들은 더 선호할 수도 있다. 자신감을 가지고 나아가라.

희귀성의 법칙을 활용하라

지휘관은 부하들이 자신을 믿고 따를 수 있게 지휘해야 한다. 따라서 부하들에게 신뢰를 줄 수 있는 지휘기법을 사용해야 한다. 이를 위해 먼저 로버트 치알디니 교수가 ≪설득의 심리학≫에서 말한 '희귀성의 법칙'을 활용하는 방법이 있다.

부대 병력들이 행군할 때 중대장이 사탕을 준비하여 병사들에게 나누어 준다고 생각해 보자. 만일 여러분이 준비한 사탕을 모든 병사들에게 하나씩 똑같이 나누어 준다면 병사들은 다소 고마운 마음을 갖기는 하겠지만 공평하게 똑같은 수량을 나누어 주었기 때문에 각 개인이 느끼는 고마움은 그다지 크지 않을 것이다. 혹시라도 사탕을 받지 못한 병사가 있다면 오히려 못 받은 것에 대해 불평을 할 것이다. 반면에 기본적으로는 전 병사들에게 사탕을 하나씩만 주고, 평소 모범적이었던 병사나 정(情)을 필요로 하는 병사에게는 "특별히 너만 사탕 하나 더 주는 거야. 힘내!"라고 하면서 사탕 하나를 더 준다면 그 병사는 자신만 선택받았다는 기분에 훨씬 더 기쁘고 고맙게 생각할 것이다. 게다가 사탕에 의미를 부여하여 "이 사탕은 제과점에서 제일 맛있는 것으로 특별히 사온 거야!"라고 한다거나, "친척이 외국에서 사온 거야!"라고 하면 고마움은 배가(倍加)될 것이다.

이 방법은 병력을 관리할 때에도 적용된다. 부대에 사랑과 도움이 필요한 병사가 있어서 돌봐줄 때 다른 병사들과 동일한 수준으로 정성을 쏟는다면 그 병사는 별로 고마워하지 않고 당신에게 전적으로 의지하려고 하지도 않을 것이다. 따라서 사랑과 도움이 필요한 병사가 진심으로 당신을 믿고 따르게 하기 위해서는 그 병사에게 다른 병사들보다 몇 배 더 많은 정성과 애정을 쏟아야 한다.

의도적으로 칭찬하라

병사들 중에는 가끔 군복무에 적응하지 못하고 힘들어하는 사람이 있는데 이는 학창시절에 왕따를 당했거나 교우관계가 좋지 못했던 경우에 발생하기 쉽다. 이런 병사는 대개 자신감도 떨어지고 자신의 존재가치를 제대로 인식하지 못한다. 이럴 때 지휘관이 그 병사가 활동하고 있는 장소로 자연스럽게 찾아가 우연히 지나치는 척하면서 그 병사의 이름을 불러 주고 말을 건네며 농담도 주고받아 보라. 또한 그 병사의 행동에서 사소한 것이라도 뭔가 잘된 것을 찾아서 칭찬해 줘라. 경례자세가 멋있다든가 두발 정리상태가 양호하다고 칭찬해 보라. 또는 그 인원이 야간 경계근무를 서는 시간이 언제인지 알아보고 "그 시간에 순찰을 갈 것이니 근무 잘 서라!" 하고 말해 주고는 예정대로 순찰을 가서 경계근무를 잘한다고 칭찬하고 표창을 수여해 보라. 그리하면 그 병사는 점점 자신감을 가지고 군생활에 적응하게 될 것이다. 관심과 마음 씀씀이만으로는 사랑과 도움이 필요한 병사를 지도할 수 없다. 정을 주고 자신감을 배양할 수 있는 효과적인 지휘기법을 개발하여 활용하라. 마음이 아니라 행동으로 실천하라.

때로는 파격적인 지휘조치를 보여라

부하들이 지휘관을 믿고 따르게 하기 위해서 때로는 파격적인 지휘조치도 필요하다. 며칠 후에 어떤 병사가 휴가를 가도록 계획되어 있는데 갑자기 부대의 훈련 일정이 조정되어 휴가를 못 가게 될까 봐 걱정하고 있다면 "걱정마라. 내가 대대장님께 건의해서 너만큼은 책임지고 보내 줄게!" 하고 안심시켜 준 후 실제로 그와 같이 조치해 줘 보라. 오히려 평소 모범적이었던 생활태도를 칭찬하며 휴가를 하루 더 주는 파격적인 조치도 취해 보라. 또 다른 예로 부대가

KCTC와 같은 큰 훈련을 한다면 “이번 임무를 성공적으로 완수하면 전원에게 포상휴가를 조치해 주겠다!” 하고 공표하여 부하들의 사기를 북돋아 보라. 이와 같은 방식으로 부하들로 하여금 ‘우리 중대장은 못 하는 것이 없구나!’ 하고 신뢰할 수 있게 하라.

13. 위기는 기회다

사람은 기본적으로 안락하고 편안한 것을 추구한다. 그러나 편안함 속에서는 더 큰 발전이 없다. 난세에 영웅이 나오듯 어려움에 처했을 때 진정으로 당신의 능력을 보여 줄 수 있다. 전임자가 지휘를 잘못했거나 사고가 많은 부대에 취임하여 여건이 어렵다고 비관할 것 없다. 오히려 적은 투자로 더 큰 성과를 거둘 수 있으니 운이 좋은 것이다. 까다로운 상관을 만났다고 서글퍼하지도 말고 그런 상관을 만나지 않으려고 피해 다니지도 마라. 오히려 그러한 상관에게서 제대로 배운다면 차후 더 큰 발전을 거둘 수 있다. 남들이 하기 싫어하는 브리핑이나 시범을 맡아도 재수 없다고 생각하지 마라. 준비과정이 힘들기는 하겠지만 분명 당신의 가치를 드높일 수 있는 좋은 기회이다.

시련은 사람을 쓰러뜨리기도 하지만 더욱더 강하게 만드는 계기가 되기도 한다. 두드림이 없는 쇠는 무르다. 그 두드림을 흡수하여 받아 낸 쇠는 단단해지지만 견디지 못한다면 부러지거나 끊어질 것이다. 따라서 근무하는 도중에 성격이 까다로운 유형의 사람을 만나거나 어떤 어려운 상황에 닥쳐도 운수를 탓하거나 회피하려 하지 말고, 겸허하게 묵묵히 받아들이고 현명하고 신중하게 이겨 내라.

임진왜란 당시 이순신 장군과 합류하기 위해 명나라의 진린이라는 장수가 파견되었다. 진린은 성격이 포악하고 남과 어울리지 못하는 사람이어서 모두가 그를 꺼렸다. 조정의 대신들은 이제 이순신 장군이 해전에서 패할 것이라고 말하였다. 그러나 이순신 장군은 아랑곳하지 않고 진린이 내려온다는 소식에 병사들을 동원하여 사냥을 한 다음 큰 잔치를 준비하고, 진린의 배가 들어오자 군사를 배치한 다음 친히 멀리까지 나가 맞이하였다. 그리고 며칠 후 적선이 섬을 공격하자 이순신이 나가 적을 물리치고 전공은 오히려 진린에게 돌렸다. 이때부터 진린은 무슨 일이든 이순신과 협의하여 처리하였고 함부로 대하지 않았다고 한다. 이와 같이 어떠한 상황, 어떠한 상관이든지 결과는 본인이 하기에 따라 다른 것이다.

중대장을 할 때 군사령관님을 모시고 현장근접정비에 대한 시범식 교육을 하게 되었다. 처음엔 걱정도 되고 힘들었지만 한 달여간을 준비해 가면서 점차 윤곽이 잡히고 자신감도 생겼다. 결과는 성공적이었고 그 노고로 군사령관 표창도 받았다. 또한 준비과정을 통해 업무도 배울 수 있었으니 나에게는 행운이었다.

대대장을 할 때 동계 혹한기훈련을 앞두고 1주일 전에 탄약 전환 보급소에 대해 보고하라는 임무를 통보받았다. 마음 한편으로는 '왜 나에게 그런 임무가 주어지나?' 하고 원망스럽기도 했지만 이내 마음을 고쳐먹고 그 과제에 대한 문제점과 발전방향을 분석하여 보고함으로써 군지사령관으로부터 칭찬도 받았고 이후 보고했던 내용을 정리하여 전투발전 요구와 군 간행물에도 기고할 수 있었으니 사실은 절호의 기회를 얻은 것이었다. 이와 같이 여러분 앞에 고난이 주어지지 않으면 발전의 기회도 없다. 힘든 임무가 주어졌을 때 오히려 감사하게 생각하라.

14. 자기관리에 신중하라

술, 여자, 돈을 조심하라

중대장 시절부터 시작해서 지휘관이 되었을 때 특히 주의해야 할 점은 자기관리를 잘해야 한다는 것이다. 지휘관이 되면 책임뿐만 아니라 권한도 많이 주어지고, 시켜서 해야 하는 부분보다 자율적으로 움직여야 하는 경우가 더 많다. 그런데 이러한 권한을 용도와 목적에 맞게 사용하지 않고 부하 위에 군림하거나, 자율이 방탕이나 방종으로 변질되어 결국 중도에 보직해임을 당하게 되는 사람도 있다.

공직자들이 특히 경계해야 할 것으로는 술, 여자관계, 금전문제 등을 들 수 있다. 모두가 한마디로 자신을 통제하지 못하고 스스로 자신을 돌아보지 못함으로써 생기는 문제들이다. 당신이 독립부대의 지휘관 직위에 근무할 때는 다른 사람의 통제나 감시를 받지 않기 때문에 더욱 신중해야 한다. 항상 자신이 규정에 맞게 행동하고 있는지 체크해 보아야 한다.

과음하지 말고, 음주운전을 금지하라

술을 마실 때는 절대로 이성을 잃을 만큼 과음하지 말아야 한다. 과음하게 되면 목소리도 높아지고 남을 배려하는 마음이 사라져 주변 사람과 다툼이 일어나기 쉽다. 한번은 전역하는 간부가 부대원과 식사를 하고 호프집에 가서 맥주 한잔을 하는데 옆자리에 남녀 한 쌍이 들어와 앉았다. 전역하는 간부는 취기가 올라 시끄럽게 떠들며 옆자리를 한 번씩 쳐다보았는데, 옆자리에 있던 남자가 왜 자꾸 쳐다보고 시끄럽게 구느냐며 다가왔다. 이에 전역하는 간부가 일어서서 그 남자를 자리로 돌려보내는 와중에 머리와 입이 부딪쳐 그 남자의 입술에서 피가 약간 났다. 그러고는 자리를 벗어나 부대로 복귀하였는데, 다음 날 그 간부는 폭행으로 고소가 되었다.

어느 병사는 모범병사로 선정되어 휴가를 나갔다가 과음을 하여 사고를 당하였다. 기분이 좋아 친구들과 새벽까지 술을 마신 후 택시를 타고 복귀하였는데, 술이 너무 취해 택시에서 내린 후에도 정신을 차리지 못하고 인도가 아닌 차도에 쪼그리고 앉아 있다가 지나가는 차에 치어 사망하였다. 이와 같이 정신을 잃을 정도의 과음은 본인의 의지와 무관하게 사고로 이어지기 쉽다.

운전하는 사람은 술을 마시러 가게 되면 처음부터 아예 차를 가져가지 않는 것이 좋다. 과음하게 되면 자신도 모르게 운전대를 잡게 된다. 책임감이 강한 사람은 다음 날 아침에 일찍 출근하려는 마음에 차를 집 앞에 갖다 두려고 음주운전을 하기도 한다. 어떤 사람은 대리운전을 불러 놓고 차 안에서 기다리며 깜빡 잠이 들었다가 한참 후에 깨어나서는, 시간이 많이 지났으니 괜찮을 것이라 생각하고 운전대를 잡았다가 사고를 내어 구속되기도 한다. 상황이 이와 같으니 대리운전을 할 생각으로 차를 가져가지 말고 차라리 처음부터 택시를 타고 가라.

음주운전은 패가망신의 지름길임을 명심하라. 일단 음주운전을 하다가 접촉사고가 나면 기본적으로 돈 5,000만 원이 날아갔다고 생각해야 한다. 벌금과 합의금, 부대 징계와 진급누락으로 인한 손해 등을 감안하면 그 정도 손실이 나오게 된다. 당장 눈에 보이지 않는 손해까지 감안하면 그 이상이 될 수도 있다. 금전적인 것뿐만 아니라 동시에 진급의 기회도 한 번 날아간다는 것을 명심해야 한다. 이번 한 번이 아니라 다음번에도 동기들보다 항상 뒤처지게 됨을 명심하라. 과거에 같이 근무했던 선배 한 분은 중령 때 음주운전을 하여 진급이 안 될 것을 미리 알고 그 즉시 전역을 하고는 이민을 가는 경우를 보았다. 무엇보다 중요한 것은 음주운전은 나만의 문제가 아니라 다른 사람의 목숨을 앗아 갈 수도 있는 살인행위, 살인미수행위라는 인식을 가져야 한다. 음주운전으로 상대방 차량과 정면충돌하거나 인도나 횡단보도로 돌진하여 사망사고를 낼 수 있음을 경계해야 한다.

내 여자가 아니면 돌같이 보라

작은 실수로 성희롱에 엮이지 않도록 주의하라. 직장에서 남녀가 같이 생활하다 보면 성희롱 문제가 자주 대두되는데, 남녀 간에는 절대로 오해받을 행동을 해서는 안 된다. 손을 잡거나 어깨에 손을 얹는 등의 신체적 접촉은 무조건 회피하는 것이 상책이다. 자의든 타의든 남녀가 단둘이 식사나 맥주를 하는 것도 피해야 한다. 부하 여군이 지휘관실에 보고하러 들어올 때에는 문을 조금 열어 두거나 제삼자를 같이 불러들여 오해의 소지가 없게 하는 것이 좋다.

외모에 대해 성적인 비유를 한다거나, 여자가 있는 상황에서 음담패설을 하거나 외설적인 사진을 보는 것도 안 된다. 성희롱의 판단 기준은 가해자가 좋은 의도로 저지른 행동이라 하더라도 피해자의 주관적 입장, 즉 피해자가 어떻게 느꼈느냐가 더 우선시된다는 것을 명심해야 한다. 장난 또는 친밀감의 표시였다거나 도와주려고 그랬다는 것은 받아들여지지 않는다.

이성교제를 깨끗하고 건전하게 하라. 가끔 뉴스를 통해 보도되듯이 부적절한 연인관계를 유지하다가 살인까지 저지르는 경우도 있다.

현대사회에서는 어떤 것도 감출 수 없다는 것을 명심하라. 결국 언젠가는 모두 드러나게 된다. 전국에 깔려 있는 CCTV만 해도 몇 개인가? 나이트나 찜질방에서 성추행을 하거나 ATM 기기 위에 놓인 지갑을 가져갔다가 CCTV에 찍혀 망신을 당하기도 하지 않는가? 항상 맑고 투명하게 처신하라.

근검절약과 청렴결백을 습관화하라

금전문제는 효율적인 자산관리의 실패에서 주로 기인한다. 경마나 인터넷 도박 등에서 손실을 입거나, 술과 여자에 빠져 낭비하다가 공금을 횡령하는 사람이 가끔 있다. 사정이 절박한 상태에서 돈을 보면 견물생심(見物生心)이라 자신도 모르게 유혹에 넘어가게 된다. 따라서 금전적으로 떳떳하려면 초급간부 시절부터 근검절약하여 꾸준한 저축으로 자산관리를 잘해야 한다. 일부 초급간부들은 사회생활을 하면서 그동안 써 보지 못한 것, 해 보지 못한 것을 마음껏 해 보기 위해 좋은 옷을 사고 명품을 사기도 하는데 이러한 습관이 지속되어서는 안 된다. 근검절약하여 종잣돈을 빨리 만들어야 한다. 2,000~3,000만 원 정도의 종잣돈만 먼저 모으면 돈 모으는 즐거움을 알게 되어 저축하는 것이 습관이 되고, 다양한 투자로 재산증식이 더 빠르게 이루어진다.

공무원으로서 봉급 외의 불법적인 돈에는 항상 청렴결백한 자세를 견지해야 한다. 정상적인 방법으로 돈을 모으려고 하지 않고 불법적인 돈으로 일확천금을 노린다면 신세를 망치게 된다. 작은 돈을 챙기려다가 몇십 배를 잃게 된다. 누군가 당신에게 뇌물을 준다면 얼마나 줄 것이고, 받는다면 얼마를 받겠는가? 그 돈이 당신 직장생활동안 평생 받을 수 있는 금액보다 클 것인지를 계산해 보라. 설령 크다고 하더라도 사건이 발각되면 그 이상을 반환해야 하는데 무슨 소용이 있겠는가? 진실은 세월이 지나서라도 언젠가는 밝혀지게 된다. 진실이 밝혀지기 전까지는 풍요로울지 몰라도 그 이후에는 몇 배 더 고통스러운 시간이 될 것이다. 눈앞의 이익만 좇지 말고 긴 안목으로 넓게 보고 판단하라.

자기관리에 성공하기 위한 대책

자기관리에 성공하기 위해서는 첫 번째로, 사고 날 상황을 만들지 말아야 한다. 처음부터 유혹에 빠질 상황에 처하지 않게 하는 것이 가장 현명하다. 술을 많이 마시게 되면 싸울 수도 있고, 음주운전을 할 수도 있으며, 성추행을 할 수도 있다. 처음부터 술을 안 마셨든가 과음하지 않았다면 그런 일은 생기지 않았을 것이다. 또한 술을 마시다가 주변에 성격이 예민한 사람이 있어 시비를 걸어온다면 같이 말대꾸하며 자존심을 내세울 것이 아니라 신속하게 그 자리를 이탈하는 것이 가장 현명한 방법이다. 싸우게 될 상황이 안 생기게 미리 예방하라는 것이다. 휴일에 승인 없이 멀리 놀러가다가 교통사고를 당하여 얼떨결에 위수지역을 이탈한 것이 들통 나서 처벌받을 것이 아니라, 처음부터 위수지역을 이탈하지 말거나 규정대로 사전에 보고하여 승인받은 후에 위수지역을 이탈해야 한다는 것이다.

두 번째는, 마음을 굳게 먹는 것이다. 항상 마음속으로 이런 상황이 되면 어떻게 행동하겠다는 것을 생각해 둬라. 또한 각종 사고사례가 전파되면 '남의 일이 아닌 내 일이다. 나도 그럴 수 있다.' 하는 생각으로 마음속에 깊이 새겨 둬라. 그러면 실제 위험한 상황이 발생하더라도 차분히 대처할 수 있을 것이다. 마음속으로 예행연습을 수없이 반복해서 유사시 이성을 잃게 되는 상황이 생기더라도 예행 연습한 대로 몸이 저절로 움직이도록 숙달시켜라.

마음속에 깊이 새기기 위해서는 자신이 하지 말아야 할 행동이나 준수사항을 메모하여 지갑에 넣고 다니거나 책상 앞이나 벽면에 붙여 두어 수시로 그것을 보면서 마음속으로 굳게 다짐을 해야 한다. 지갑은 하루에도 여러 번 꺼내어 보기 때문에 그때마다 '과음하지 말자!'라고 적은 준수사항이나 '자격증을 취득하자!'라고 쓴 목표를 보면서 수시로 다짐을 굳게 하는 것이다.

이러한 자기관리 문제는 사실 중대장 때보다 대대장 시절에 더 빈번히 발생하고 유혹에 빠지기 쉽다. 그 이유는 대대가 독립되어 있고 대대장의 권한이 더 크기 때문이다. 따라서 사실은 대대장이 되었을 때 더욱더 조심해야 한다. 그런데도 중대장 부분에 언급한 것은 중대장 시절에도 독립중대를 맡을 수 있고 그로 인해 대위나 소령 지휘관 때에도 자기관리를 잘못해서 군복을 벗거나 보직해임을 당하는 경우가 많기 때문이다. 따라서 중대장 때부터 정신을 똑바로 차리고 마음이 흐트러지지 않도록 경계하라.

직장 내 성희롱 예방법 10가지

① 이성 직장동료를 인격과 존엄성을 가진 존재, 함께 일하는 동료로 인정하고 평소 예의를 갖춘다.

② 공적 업무와 사적인 일을 명확히 구분한다.

③ 이성 동료에게 음담패설을 삼간다.

④ 성희롱 때문에 불쾌하면 분명히 표현한다. 불분명한 대응은 상대의 오해를 불러올 수 있다.

⑤ 상대가 자신의 성적 언동에 적극 찬동하지 않거나 불쾌한 표정을 짓거나 자리를 피하는 등의 행동을 하면 이를 거부의사로 받아들이고 즉각 행동을 중지한다.

⑥ 상대가 의사표현을 하지 않는다고 해서 그것을 긍정적인 의사로 판단해서는 안 된다.

⑦ 동료의 신체에 대해 성적인 평가나 비유를 하지 않는다.

⑧ 불필요한 신체접촉을 삼간다.

⑨ 회식 때 술시중이나 춤을 강요하지 않는다. 또 술을 억지로 권하지 않는다.

⑩ 직장에서 인터넷 음란사이트를 보지 않는다.

\- 이성주의 건강편지 -

15. 자기계발 정도를 중간 체크해 보라

동료들과 자신의 수준을 비교해 보라

당신이 중대장 직책을 수행하는 시점은 대위 계급으로 임관한 지 3~5년 정도 지난 시기일 것이다. 이때쯤이면 주변 동료들을 한 번씩 살펴보고 자신의 위치를 중간 점검해 볼 필요가 있다. 인접부대 중대장이나 대대의 타 중대장들과도 접촉하여 그들은 어떻게 생활하는지, 어떤 방식으로 임무를 수행하는지 살펴보라. 동기생들은 그동안 어떤 성과를 거두었는지도 살펴보라. 자격증은 무엇을 취득했는지, 위탁교육을 받거나 영어반에 입교한 인원은 얼마나 되는지 등을 알아보라. 중대장을 마치고 나면 여러 가지 위탁교육에 응시할 수 있는 요건이 된다. 따라서 국내나 해외의 석사과정에 응시하거나 해외 군사교육에도 관심을 가져 보라. 자세한 사항은 인사사령부 홈페이지의 위탁교육안내에서 확인할 수 있다.

당신의 현재 수준은 동기생들에 비해 어떠한지 체크해 보고 앞으로의 목표를 재설정할 필요가 있다. 주변정세에 대한 정보수집을 게을리한다면 어느 순간 당신이 최하위로 떨어지게 될 수도 있다. 임관할 때에는 성적도 좋고 유능했던 사람도 5년 동안 방심하여 허송세월을 보냈으면 수준이 떨어져 있을 것이고, 다소 능력이 떨어졌던 사람일지라도 꾸준히 노력했다면 괄목상대하게 발전해 있을 것이다. 주변 상황을 살펴보고 당신은 어떻게 생활해야 하는지 한번 점검해 볼 필요가 있는 것이다.

뛰는 자 위에 나는 자 있다. 필자는 임관 후 밤 12시 이전에는 잠자리에 들지 않았다. 리더십이나 군대에 관련된 책을 읽기도 하고,

영어나 컴퓨터 공부를 하는 등 뭔가를 찾아서 공부하였다. 그러던 어느 날 같은 지역에 근무하는 동기생을 만나 이야기를 나누었는데, 그 동기생은 하루 4시간 이상 잠을 자지 않는다고 하였다. 컴퓨터와 관련된 공부를 해서 본인의 홈페이지도 개설하여 운영하고 있다는 것이었다. 또 어떤 동기생은 스포츠를 배우기 위해 아침에 일찍 일어나 테니스 레슨을 받는 사람도 있었고 골프를 배우는 사람도 있었다. 이와 같이 당신 혼자만 열심히 미래를 준비하고 있다고 착각하고 현재의 수준에서 안주해서는 안 될 것이다.

자기계발의 성과를 올려라

다른 사람이 어떤 성과를 올리고 어떤 자기계발을 하고 있는지 확인하는 방법은 사람을 직접 만나 대화를 통해서도 알 수 있지만 인트라넷을 통해서도 알 수 있다. 육군본부 홈페이지에 가서 인사명령이 발행되는 것을 살펴보면 동기생들이 어떤 직책과 경험을 쌓고 있는지 또한 어떤 자격증을 기변보고 했는지 등을 알 수 있다. 그것들을 보고 당신과 비교해 보라.

또 다른 방법으로는 군에 정기적으로 발간되는 간행물을 통해서도 알 수 있다. ≪전투발전≫ 간행물을 보면 누가 어떤 내용으로 전투발전 소요를 제기해서 어떤 상을 수여받았는지 확인할 수 있다. 그 제목들을 유심히 살펴보고 고민하면 당신도 전투발전 소요를 제안할 만한 아이디어를 얻을 수 있다. 간행물을 직접 수령할 수 없는 상황이면 교육사령부 홈페이지를 방문하여 그 내용을 확인할 수 있다. 중대장 정도 되었으면 이제 자격증을 뛰어넘어 '전투발전' 요구나 '국방 · 군사 제안', '예산절감' 제안에도 관심을 갖고 실적을 쌓아야 한다. 예산절감 제안은 '육군정보포탈 → 참모부/실 홈페이지 → 전력기획참모부 → 육군예산절감' 홈페이지를 활용하면 된다.

근무실적이 최우선이다

자격증이나 전투발전 요구 등의 자기계발 성과도 필요하지만 무엇보다 중요한 것은 일하는 자세다. 자격증을 따기 위해 일을 하지 않는다거나 업무를 소홀히 하여 평정을 제대로 받지 못하면 아무리 자격증이 많고 자기계발 실적이 좋아도 진급할 수 없다. 반대로 자격증이 없어도 근무실적이 우수하면 진급이 가능하다. 따라서 먼저 평상시 근무태도를 항상 성실하게 하고, 그러고도 시간적 여유가 있으면 자기계발을 위해 노력하라. 일과 중에는 업무에 매진하고, 자기계발은 퇴근 후나 주말의 여가시간을 활용하라. 역으로 업무시간에 자기 공부를 하고 야간이나 주말은 자신을 위해 즐기려고 해서는 결코 성공할 수 없다.

종교활동에 있어서도 마찬가지이다. 일부 간부들을 보면 신앙생활에는 열정적이면서 업무를 하는 데에는 소홀한 사람이 있다. 업무를 통해 인정받으려 하기보다는 신앙을 통해 인정받고 대인관계를 유지하려고 하는데 이는 주객이 전도된 것이다. 업무를 열심히 하면서 신앙으로 보완하면 금상첨화가 되겠지만 절대로 종교만으로 관계가 좋아질 수는 없다. 윗사람과 종교가 같다고 해서 상관이 자신을 보호해 주고 도와줄 것이라는 착각에서 벗어나라.

중대장 직책을 수행할 때는 이상에서 언급한 사항과 더불어 뒤에 나오는 대대장의 지휘기법도 참고하기 바란다. 중대장 시절에는 맞지 않는 사항도 있겠지만 같은 지휘관으로서 일맥상통하는 부분이 있을 것이다.

제4장 보좌관의 업무방법

중대장을 마치고 나면 여러분은 대대 참모나 그보다 상위 제대의 참모를 경험하게 된다. 이때의 업무요령은 앞에서 언급한 참모의 업무방법을 참고하면 된다. 좀 더 시간이 지나면 보병대대의 작전과장이나 정비대대의 운영과장 또는 통신대대의 전자과장 등과 같이 대대 참모들 중에서 최고 선임자인 보좌관이라는 직책을 수행하게 된다. 보좌관의 임무는 비서의 역할일 수도 있고, 옛날 전쟁터에서 왕을 보좌하는 책사와 같은 존재라고도 할 수 있다. 중국 삼국시대의 유비현덕에게는 제갈공명이 있었고, 우리나라 후삼국시대의 견훤에게는 파진찬이라는 사람이 있었듯이 명지휘관 밑에는 항상 명참모(보좌관)가 존재해 왔다. 여러분은 이 보좌관 직책을 통해 예하부대의 움직임을 전체적으로 파악할 수 있게 되고 대대급 부대를 지휘하는 감각을 익히게 될 것이다. 따라서 대대장 직책을 수행하기 위해서는 반드시 보좌관 직책을 경험해 보는 것이 좋다.

1. 보좌관의 역할

보좌관의 역할은 크게 세 가지로 나누어 생각할 수 있다. 대외적인 것과 대내적인 것 그리고 비서의 역할이 그것이다.

대외적인 업무를 관장하라

보좌관으로서 가장 중요한 첫 번째 임무는 대외적인 업무에 착오를 범하지 않는 것이다. 대내적인 업무의 착오는 내부적으로 해결이 가능하고 남들과 비교되는 것이 아니라서 문제가 없지만, 대외적인 업무는 인접부대와 비교가 되고 대대 차원에서 해결이 불가하여 부대와 지휘관에게 피해를 주게 된다. 대외적인 업무라 함은 상급부대에서 실시하는 각종 검열이나 점검, 부대 활동이 외부로 표출되어 타 부대와 비교되는 업무, 지휘관의 외부활동(대외적인 보고 및 회의, 외부행사 참석) 등을 말한다. 보좌관은 이러한 대외적인 업무에 최우선적으로 신경을 쓰고, 지휘관의 대외활동에 차질이 생기지 않도록 사전에 정보를 수집하고 필요한 사항들을 철저히 준비해야 한다.

필자가 보좌관 시절에 대대장이 상급부대로 국지도발훈련에 관한 회의를 하러 가게 되었다. 나름대로 회의 자료를 작성하여 주었는데 회의 복귀 후 대대장의 안색이 좋지 않았다. 나중에 알고 보니 다른 부대는 회의록뿐만 아니라 상황판도 멋지게 만들어 와서 상관으로부터 칭찬을 받았는데, 우리는 회의록만 준비해 가서 상대적으로 비교가 되어 대대장이 창피스러웠다는 것이다.

대대의 보좌관이 연대장이나 사단장과 같은 상급지휘관의 시간계획을 확인하는 것도 대외적 업무를 수행하는 데 필수적이다. 그 내용 중에는 상급부대 지휘관의 부대방문이나 대대장이 참석해야 하는 회의 등의 일정이 있기 때문이다. 상급부대 지휘관과 직결되는 업무에 착오를 일으킨다면 그 피해가 막대하다. 따라서 지휘관의 대외활동과 관련된 시간계획(회의 시간, 장소, 참석대상 등)은 남이 확인했어도 보좌관이 직접 다시 한 번 확인하고 재확인해야 한다. 또한 회의 준비물(복장, 지참물 등)이 무엇인지도 최종 순간까지 철저히 확인해야 한다. 때로는 우발상황에 대한 대비책을 보좌관 나름대로 판단하여 조언해 주는 것도 필요하다.

2인자로서 부대운영을 조정 통제하라

보좌관이 수행해야 할 두 번째 임무는 부대의 전반적인 운영 및 통제이다. 보좌관은 자신에게 주어진 고유의 참모업무만 수행하는 것이 아니라 각 참모부서와 예하 중대의 전반적인 활동사항까지 모니터링하고 상호 협조시키며 통제해야 한다. 부대운영에 대해 최종적으로는 대대장이 결정하겠지만 일차적으로 보좌관이 종합하고 걸러 주는 역할을 해야 한다. 보좌관은 이러한 경험을 통해 향후 대대장의 임무도 충분히 수행할 수 있는 역량을 갖추게 되는 것이니 이 소중한 경험을 즐거운 마음으로 받아들여야 할 것이다.

결산을 하면서 다음 날 차량운행 소요를 검토하여 서로 방향이 같으면 통합하여 배차를 내주어라. 교육훈련을 하는데 2개 중대가 같은 훈련장을 사용하는 것으로 계획을 잡았다면 장소를 조정하거나 훈련과목 또는 일정을 조정해 주고, 그렇게 조치하였다는 것을 대대장에게 보고해 줘라. 상급부대에서 내일 인사 분야에 대한 점검을 나온다면 각 중대의 병력관리 실태나 점호실태를 사전에 점검하고,

군수 분야 점검을 나온다면 총기·탄약관리를 규정대로 하고 있는지 직접 점검하여 미흡한 사항을 조치하라. 그렇게 하고 나서 점검한 결과와 조치한 사항을 대대장에게 보고하라. 그래야 대대장도 부대가 어떻게 움직이고 있고 어떤 준비를 했는지를 알고 점검관이 오면 대화를 나눌 수 있다. 보좌관이 이러한 조치를 취하지 않는다면 결국 대대장이 직접 나서게 되어 중대장들도 더 큰 질책을 당할 것이고, 당신에 대한 대대장의 신뢰도 추락하게 될 것이다.

부대의 단합을 위한 조정활동도 필요하다. 어느 한 중대가 야외훈련을 나간다면 나머지 중대장들로 하여금 훈련하러 가는 중대에 격려금을 주게 하거나 훈련에서 복귀한 후 식사를 대접해 주도록 유도하여 서로 위해 주는 분위기를 형성하라. 또한 훈련 중에 공적을 세운 사람을 선발하여 표창을 수여하도록 대대장에게 건의하여 중대의 사기도 올려 줘라. 중대장들과 대대장과의 만남이 뜸해지면 적당한 구실을 만들어 회식자리를 주선하게 하는 것도 필요하다. 현재 같이 근무하는 사람들을 나중에 언젠가는 또 만나게 된다. 따라서 업무만 할 것이 아니라 서로 유대관계도 형성할 수 있도록 보좌관이 분위기를 조장하는 것이 필요하다.

비서처럼 하라

보좌관의 세 번째 역할은 부가적인 활동으로 비서의 역할을 수행하는 것이다. 대대급 제대에는 비서실이 따로 없으므로 보좌관이 비서의 역할도 겸해야 한다. 상급부대의 스케줄이나 주요 활동사항을 파악하여 보고하고, 대대장의 하루 스케줄도 계획하라. 부속실의 위생상태도 수시로 점검하여 찻잔이나 냉장고는 청결한지, 물통은 주기적으로 교체하여 식중독의 우려는 없는지 등을 확인하라. 지휘관실의 청소는 제대로 했는지, 먼지는 구석구석 꼼꼼하게 제거했는지도 확인하라. 여름이나 겨울에는 대대장실의 냉난방 상태에 이상이 없는지도 확인하여 조치하라.

또한 지휘관도 인간인지라 희로애락이 있다. 인지상정(人之常情)의 심정으로 지휘관의 마음을 헤아리는 것도 소홀히 하지 말아야 한다. 예를 들면 생일이나 취임 기념일을 그냥 넘기지 말고 축하의 말을 전하거나 케이크를 준비하여 축하해 줘라. 지휘관이 체력단련을 할 때는 같이 동참하여 외롭지 않게 하라. 해야 할 업무가 남았으면 그것은 운동을 하고 나서 야간에 해도 된다. 당신의 건강을 위해서라도 운동을 같이하는 것이 좋다. 지휘관이 노하였거나 고민 중일 때는 잠시 기다렸다가 찾아 들어가 무슨 일인지 물어보고 필요한 후속조치를 취함으로써 지휘관의 기분을 풀어 줘라. 지휘관이 마음의 평정을 유지해야 올바른 판단으로 부대를 안정적으로 지휘할 수 있을 것이다. 비서는 업무만 하는 것이 아니라 상관의 마음까지도 치료해 줄 수 있어야 한다. 그리고 이러한 업무 외적인 인간적 교감이 상하관계를 더욱 끈끈하게 유지시켜 주므로 보좌관은 업무에만 신경 쓸 것이 아니라 인간적인 면도 관리해야 한다.

나는 말하는 자동응답기, 워드프로세서였으며 심부름꾼, 상담자, 친구, 잔소리꾼, 오타확인자였고, 소리 나는 칠판, 수선공, 치어리더였다.

– 잭 웰치의 전설적인 여비서, 로잔 배더우스키 –

2. 경중완급(輕重緩急)을 가려라

직장에서 업무를 할 때 해야 할 일이 하루에 한 가지씩 차례로 주어지지는 않는다. 하루에 10가지가 주어진 후 며칠 동안은 하나도 없을 수도 있다. 또한 지휘관은 당신이 하고 있는 일이 끝날 때까지 기다렸다가 차례로 하나씩 임무를 주는 것이 아니라 그때그때 생각나는 대로 임무를 부여하게 된다. 이때 부여된 모든 일을 동시에 처리할 수는 없다. 이제 어떤 임무부터 시작할 것인지는 당신이 판단할 문제이다. 그날의 업무 우선순위가 어떻게 되는지를 판단해 보고 중요한 일부터 처리해야 한다.

상급자와 부대의 입장에서 판단하라

일의 경중완급을 가릴 때에는 상급자의 입장과 부대 전체적인 입장에서 우선순위를 판단해야지 내 입장만 생각하여 내게 필요한 일을 우선시하면 안 된다. 인간인지라 긴장하지 않거나 지휘주목을 하지 않으면 남의 입장보다 자기 이익을 우선시하기 쉬우므로 이를 경계해야 한다.

우선순위 판단의 기준은 크게 두 가지로 분류할 수 있다. 첫째는 시간이고, 둘째는 중요도이다. 시간 기준에서는 해당 업무별로 요망되는 종료시점이 언제인지를 보고 그 시기가 임박한 것부터 처리하는 것이다. 반면 중요도 기준에서는 종료시점이 급하지 않은 업무들 중에서 중요한 일, 제때에 처리되지 않았을 때 문제가 큰 업무부터 처리하는 것이다. 물론 시간적으로 촉박하고 중요도도 큰 업무가 있다면 그 업무를 가장 먼저 처리해야 할 것이다.

검열준비와 지휘관 지시사항 구현이 우선이다

대부분의 경우 우선적으로 해야 할 일이란 주로 상급부대 검열이나 지휘관 지시사항이 될 것이다. 자신의 일은 그 이후에도 얼마든지 시간을 내어 할 수가 있다. 상급부대에서 오늘 당장 검열을 나온다고 하는데도 다른 공문처리에만 신경을 쓰고 있다가 정작 검열에 필요한 대비를 해 놓지 않아 낭패를 보게 되는 경우가 있다. 또는 지휘관이나 상급자가 어떤 일을 아침에 지시했는데도 자신의 급한 과제에만 골몰하고 있다가 업무종료시간이 다 되어서야 생각나 결국 아무런 조치도 못 하고 야단을 맞는 경우가 종종 있다. 따라서 아침회의가 끝나고 나면 그날의 업무 우선순위를 재조정하고, 중요한 지시사항은 책상 앞에 적어 두어 잊어버리지 않도록 노력해야 한다.

아침회의시간에 대대장이 지시한 사항을 열심히 수첩에 기록하고 나서 마음 놓고 있으면, 수첩에는 여러 가지 내용이 혼재되어 있기 때문에 어떤 지시를 행동으로 옮겨야 하는 것인지 또는 어떤 것이 오늘 당장 급하게 해야 하는 일인지 구분이 안 되고 생각도 나지 않는다. 따라서 수첩에 적힌 내용들을 다시 한 번 훑어보고 내게 필요한 사항들은 다시 옮겨 적어야 한다. 또는 한눈에 알아볼 수 있게 체크를 하거나 형광펜으로 표시해 두는 것이 좋다.

지휘관 지시사항과 상급부대의 검열이 겹치는 경우에는 상급부대 검열이 우선이다. 상급부대 검열에 대비하느라 지휘관 지시사항을 이행하지 못한 것은 충분히 이해된다. 그런데 반대로 지휘관의 지시사항을 이행하는 데 정신이 팔려 있다가 검열준비를 소홀히 하게 되면 부대와 지휘관에게 망신을 주거나 큰 화를 당하게 된다. 따라서 이러한 시행착오를 겪지 않으려면 지휘관의 지시사항이라도 급한지 아닌지를 먼저 판단해 보아야 하고, 만일 분간이 어렵다면 언제까지 완료해야 하는 일인지 지휘관에게 직접 물어본 후 시행하는 것이 좋다. 또는 '오늘은 상급부대 검열이 있으니 내일까지 하면 안 되겠습니까?' 하고 질문해 보라.

상급지휘관 순시에는 올인하라

사단장과 같은 상급지휘관이 부대를 순시한다면 그것은 가장 시급하고 중대한 일이다. 이런 경우에는 순시 계획을 계속해서 머릿속으로 되새기며 잊지 않도록 해야 한다. 그와 동시에 준비해야 할 사항을 지속적으로 고민하고 찾아보라. 사전에 환경정리도 하고, 위병소 근무자의 복장과 경례자세도 확인하며, 순시 간에 무엇을 보고할 것인지도 고민하여 보고서를 준비하라.

필자가 보좌관을 하던 어느 날 사단장이 대대를 순시하기로 계획이 되었다. 순시 시간이 오후라서 준비하는 데 여유가 있다고 판단하고, 필자는 계획된 시간이 임박하기까지는 그날까지 사단에 보고해야 하는 문서를 작성하는 데 정신을 쏟고 있었다. 그런데 계획된 시간보다 빨리, 사단장님이 다른 곳에 들렀다 지나는 길에 갑자기 부대에 들어오셨다. 결국 위병소 근무자에게 미리 전파도 못 하고 부대 환경정리도 마무리가 안 된 상태에서 사단장님을 맞이하게 되어 대대장으로부터 나중에 크게 질책을 당한 적이 있다. 따라서 중요한 일이 있을 때에는 다른 업무를 펼쳐 놓고 같이하려고 하지 말고 한 가지에만 전념하는 것이 좋다. 사전에 준비할 것이 있으면 도착시간에 임박해서 하려고 하지 말고 미리 완료되도록 보좌관이 사전에 점검하라. 계획된 시간보다 늦거나 빨리 도착할 수 있으니 상급지휘관의 이동경로나 중간 상황도 수시로 체크해야 한다.

3. 중간결재(보고) 체계를 확립하라

보좌관이 부대운영을 조정 통제하기 위해서는 대대장이 갖는 정보를 같이 공유해야 한다. 오히려 실무적이고 세부적인 사항에 대해서는 대대장보다 더 많은 정보를 가지고 있어야 한다. 보좌관이 정보를 획득하고 정보의 흐름을 통제하는 방법은 다음과 같다.

반드시 보좌관의 중간결재를 받게 하라

예하 참모가 대대장에게 결재를 들어갈 때에는 사전에 반드시 보좌관의 중간결재를 받도록 통제해야 한다. 그렇게 해야만 보좌관이 부대의 전반적인 흐름을 알 수 있다. 보좌관이 중간결재를 하지 않으면 부대의 흐름을 알지 못해 대대장과 대화가 통하지 않는다. 보좌관은 중간결재를 할 때 단순히 서명만 하는 것이 아니라 그 사안이 지휘관에게 보고해야 할 사항인지 아닌지, 보좌관이 먼저 지휘관에게 사전 첩보제공을 하여 그에 대한 지침을 받는 것이 나을지 아니면 실무자가 바로 보고하는 것이 나을지 등을 판단한다.

실무자가 지휘관에게 보고를 하고 나왔을 때에도 그 결과를 보좌관에게 반드시 보고하게 하라. 보고하는 과정에서 수정된 내용이 있는지, 지휘관이 추가로 지침 준 것이 있는지 등을 알아야 한다. 그래야만 보좌관이 지휘관과 코드를 맞춰 나갈 수 있다.

결재문서는 꼼꼼하게 검토하라

보좌관이 중간결재를 할 때는 문서를 대충 읽고 서명만 하는 것이 아니라 꼼꼼하게 검토해야 한다. 보좌관이 다른 일로 바쁘거나 보고서를 상세히 읽어 볼 시간이 없으면 형식적으로 서명만 할 것이 아니라 차후로 시간을 미뤄 내용을 철저히 확인한 후 결재하라. 결재한다는 것은 그 보고서에 대해 자신도 책임을 진다는 뜻이므로 절대로 대충 해서는 안 된다. 업무를 할 때는 항상 꼼꼼해야 한다. 만약 정 바빠서 자세히 읽어 볼 시간은 없고 지휘관에게는 빨리 보고를 들어가야 한다면 '후열'로 하라. 그것이 내용을 보지도 않고 서명하는 것보다 낫다. 시간이 없어 제대로 읽어 보지도 않고 서명만 해서 나중에 지휘관이 그 문서에 대해 물었을 때 내용을 제대로 몰라 답변을 못 하면 지휘관은 보좌관을 신뢰할 수 없게 된다. 한편 '후열'로 하면 자칫 보좌관은 책임을 회피하겠다는 식이 되어 오해를 받을 수 있으므로 보고서의 성격을 잘 보고 판단해야 한다.

불필요한 보고는 없애라

불필요한 보고는 보좌관 선에서 잘라라. 중간결재를 하는 도중 그 사안이 지휘관에게 보고할 필요가 없거나 중대장이 알아서 조치하면 되는 일을 지휘관에게 보고하여 괜히 부대에 분란을 일으킬 만한 것은 보좌관 선에서 차단하는 것이 좋다. 지휘관은 항상 부대 전체를 관장하면서 수많은 일들로 근심이 끊이질 않는다. 따라서 중간계층에 있는 사람들이 자신이 처리할 수 있고 처리해야 할 일을 책임회피 차원에서 또는 자기 PR 차원에서 무분별하게 보고하려고 한다면 보좌관이 이를 적절히 통제할 필요가 있다.

하지만 무엇을 보고하게 하고 무엇을 통제할 것인지에 대한 선택은 신중하게 해야 한다. 보고를 안 해서 조금이라도 문제가 될 것 같으면 차라리 보고하는 것이 현명하다. 또 다른 방법으로는, 실무자가 보고하는 것은 차단하되 보좌관이 지휘관과 대화하는 자리에서 "이러한 일이 있었는데 제가 이렇게 처리하도록 지시했습니다." 하고 첩보제공 형식으로 보고할 수도 있다.

보좌관에게 전결권은 없다

대대의 참모인 보좌관에게는 전결권이 없다는 것을 명심하라. 따라서 실무자가 보고서를 결재 상신한 것에 대해서는 사소한 것이라도 보좌관이 전결로 끝내서는 안 된다. 이것은 위의 내용과는 위배되는 이중적인 잣대이기도 하다. 그러나 위의 내용은 주로 부대 내에서 일어나는 자체적인 문제에 대한 것이고, 여기서 말하는 것은 상급부대로부터 접수되었거나 상급부대에 올리는 공문처리에 관한 것이다. 전자결재로 결재하는 과정에서 의견이 있으면 첨가는 할 수 있어도 보좌관 선에서 '전결' 처리해서는 안 된다. 결재에는 법적 책임이 있음을 명심하여 책임감을 가지고 결재해야 한다.

때로는 부대 내적인 일에 대해서도 반드시 지휘관에게까지 보고해야 하는 일이 있다. 사고와 관련이 있는 병력관리나 차량운행 등에 대한 사항이 그렇다. 휴일에 환자가 생겼거나 차량을 운행해야 하는 소요가 생기면 그러한 사항은 지휘관에게까지 반드시 보고가 되어야 한다.

보좌관이 개입하지 말아야 할 분야도 있다

보좌관이 중간에 개입하는 과정에 있어서 한 가지 주의할 점은, 업무적인 사항은 철저히 보고를 받고 통제를 하되 지휘관의 사적인 용무나 금전문제에는 가급적이면 관여하지 않는 것이 좋다는 것이다. 설령 알게 되더라도 표시를 내지 않는 것이 좋다. 지휘관이 인사권을 행사할 때에도 지나친 관여는 삼가라. 인사권은 지휘관 고유의 권한이다. 따라서 지휘관이 당신에게 어떤 사람의 특성에 대해 질문을 한다면 나름대로의 의견을 피력하는 것은 가능하나 일단 결정된 일에 대해서는 불만을 품거나 비판하려 해서는 안 된다. 지휘관은 보좌관이 사정기관처럼 지휘관을 견제하는 것보다 충성스런 부하가 되기를 원한다.

4. 세부적이고 실질적인 지침을 줘라

보좌관은 예하 참모들을 지도해야 한다

대대의 보좌관은 대위나 소령이라서 어느 정도 경험을 갖추었으나, 나머지 참모들은 주로 중위나 이제 막 대위로 진급한 자들이라서 경험이 짧아 일처리가 미숙할 수밖에 없다. 따라서 보좌관이 세부적으로 방향을 제시해 주어 예하 참모들은 보좌관이 시키는 대로 움직이기만 하면 될 정도가 되어야 한다. 해당 직책에 있는 실무자가 스스로 알아서 일을 잘 처리할 것이라 생각하지 마라. 실무자 혼자서 알아서 하도록 방치하지도 마라. 보좌관은 자신의 업무만 하는 것이 아니고 예하 참모들의 업무도 회의나 결산을 통해 점검하고 지시하는 등 관심을 가져야 한다. 보좌관이 안 한다면 대대장이 직접 할 수밖에 없다. 누군가는 해야 할 일이라면 의당 보좌관이 해야 하지 않겠는가? 해당 참모가 알아서 할 일이라며 신경 끄고 있을 것이 아니라 일의 중간 중간에 진행상태를 체크해 보고 결과를 가져오라 하여 직접 확인해 보라. 모든 결과의 성패를 보좌관이 책임지려는 자세를 견지하라.

보좌관 중에 어떤 사람은 예하 참모가 보고서를 작성하거나 일을 하다가 어떻게 해야 할지 몰라 보좌관에게 물어보면 "나도 몰라. 네 일이니까 네가 알아서 해!"라고 하거나 "대대장님께 가서 여쭤 봐." 라고 하며 조언해 주기를 회피하는 경우가 있다. 다른 참모들을 돌봐 주려고 하지 않고 자기 일만 하니 신경 쓸 일도 많지 않아서 퇴근도 언제나 정시에 할 수 있었다. 얼굴 표정도 언제나 밝고 하루하루를 즐겁게 보내는 듯 보였다. 그러나 주변 참모들과 대대장의 마음은 답답할 뿐이었고, 결국 그 보좌관은 진급이 안 되었다.

필자가 보좌관을 할 때 대대장이 분리수거장을 어디에 만들지 판단해 보라고 지시하였다. 그래서 참모 중에 한 명을 불러 위치를 지정해 주고 정해진 크기로 경시를 해 놓으라고 지시하였다. 그런데 잠시 후 다시 가 보니 아무런 조치도 하지 않았다. 왜 그런지 물으니 '경시'가 무슨 뜻인지 몰라 아무것도 안 했다는 것이다. 이와 같이 초급간부들은 군생활에 대한 경험이 짧아 난생 처음 들어 보는 군대용어들도 많다. 그래서 보좌관의 도움이 절대적으로 필요하다.

세부적이고 실질적으로 적용할 수 있는 지침을 줘라

위의 사례에서 보았듯이 예하 참모들은 경험이 많지 않기 때문에 보좌관이 지침을 줄 때는 세부적이고 실천 가능하게 줘야 한다. 초급간부에게 개념적으로 설명해 주면 실제 무엇을 어떻게 해야 하는지 이해하지 못한다. 시간이 지나 트레이닝이 된 후라면 개념적으로 설명해도 이해하겠지만 처음부터 그렇게 해서는 안 된다. 일의 진행 순서는 단계적으로 어떻게 이루어지는지, 문제 해결방법은 어떤 것들이 있고 어떻게 처리해야 하는지를 실질적이고 구체적으로 설명해 주도록 하라.

보좌관이 가르쳐 준 방법대로 준비해서 참모가 대대장에게 결재 들어갔는데, 그것이 잘못되었다고 질책을 받거나 보고서가 다시 수정되어 나오더라도 보좌관은 이를 창피해할 필요가 없다. 능력이 안 된다고 조언하기를 포기하지도 마라. 보좌관이라고 해서 항상 옳을 수는 없는 일이다. 또한 그런 일로 예하 참모가 당신을 업신여기지도 않는다. 부대의 전반적인 일을 보좌관이 책임지고 이끌어 가려는 자세를 견지하라. 그러한 마음을 가진 보좌관이라면 일하는 과정에서 다소 실수가 있더라도 대대장은 절대 당신을 미워하지 않을 것이다.

필자가 보좌관을 할 때는 대대장이 참모나 중대장에게 지시하는 사항은 그것이 내 일이 아니더라도 일단은 모두 받아 적었다. 그리고 내 업무를 하다가 중간 중간에 그 일이 어떻게 진행되고 있는지, 완료는 되었는지를 점검하였다. 그러다 보니 아침에 지시한 사항이 누락되는 것 없이 제때에 마무리가 되어 대대장도 흡족해하였고, 예하 참모나 중대장도 업무를 잘한다고 인정받게 되어 대대 분위기가 밝고 화기애애하였다. 만약에 보좌관이 자신의 일에만 신경 쓰고 중대장이나 다른 참모가 해야 할 일은 알아서 하도록 방치하여 그들이 임무완수를 못 하게 되면, 대대장 입장에서는 불안하게 되고 결국 큰 소리를 치게 되며 부하들을 신뢰하지 못하게 된다. 그러면 결국 보좌관도 인정받지 못하게 될 것이다. 크고 넓게 생각하라.

일의 결과를 확인하라

예하 참모에게 지시한 것으로 보좌관이 해야 할 일을 다 했다고 생각하지 마라. 지시한 사항이 최종적으로 어떻게 수행되었는지 현장과 실물을 두 눈으로 직접 확인한 후 이상이 없으면 그때 끝내라. 말이라는 것은 전달되는 과정에서 받아들이는 사람의 경험과 능력에 따라 변형되어 전파된다. 당신 생각에는 세부적으로 지시해서 그 말대로 결과가 나올 것이라 생각할지 모르지만 현실은 다를 수 있다. 그러므로 지시한 사항은 반드시 현장에 가서 철저히 확인하고 지도해야만 매사가 완벽하게 처리된다. 지휘관은 지시하고, 보좌관은 이를 확인 점검하는 시스템을 갖춰라.

점차적으로 예하 참모의 업무능력을 키워라

예하 참모에게 일을 어떻게 처리해야 하는지에 대한 방법을 매번 세부적으로 가르쳐 주면 때로는 해당 참모가 더 이상 깊은 고민을 하지 않아 능력개발이 안 되는 경우가 있다. 따라서 참모가 업무에 어느 정도 숙달이 되었고 시간적 여유가 있을 때에는 처음부터 일하는 방법을 세부적으로 알려 주지 말고, 우선은 일의 큰 줄기나 방향만 제시함으로써 해당 실무자가 창의적으로 생각해서 처리할 수 있도록 훈련시킬 필요가 있다. 일단 해당 참모가 자기 주관대로 시도해 보게 하고, 그 결과를 놓고 미흡한 부분을 추가로 지도하여 참모의 업무능력을 점진적으로 향상시키도록 하라.

5. 지휘관의 대외적 업무는 치밀하게 준비하라

지휘관이 상급지휘관에게 보고를 하러 가거나 상급지휘관 주관하에 여러 부대가 모여 회의를 하는 경우가 많은데 이런 경우에는 각별한 주의가 필요하다. 그 이유는 지휘관의 대외활동을 통해 부대의 저력이 어떠한지 또한 예하 간부들의 수준이나 단결력은 어떠한지 등을 알 수 있고, 그 결과가 대대장과 부하들의 능력을 가늠하는 기준이 되기 때문이다. 그러므로 대대장을 위해서나 보좌관 자신을 위해서 대외적 업무에는 심혈을 기울여 준비해야 한다.

대외적 회의에 참석할 때는 세부적으로 파악하라

지휘관이 대외적인 회의에 참석할 때 파악해야 할 사항은 첫째, 회의나 보고계획이 전파되면 그 배경과 목적에 대해 파악해야 한다. 그에 따라 준비해야 할 사항이 달라진다. 회의의 배경이 경계태세를 강화하고자 실시하는 것이라면 우리 부대 경계현황에 대해 파악하여 참석해야 한다. 회의의 목적이 지휘관들을 대상으로 단순히 교육시키기 위한 것이면 참석만 하면 되지만, 문제해결을 위한 토의식 회의라면 토의과제에 대한 보고서를 작성해서 참석해야 할 것이다.

둘째, 회의의 주관자와 참석자는 누구인지를 파악하라. 회의를 주관하는 사람이 상급부대 참모일 수도 있고 상급지휘관일 수도 있다. 참모가 주관하는 회의라면 대대에 중요한 일이 있거나 다른 일정과 중복될 경우 그 참모에게 양해를 구하고 대대장 대신 다른 인원을 회의에 참석시킬 수도 있다. 즉 회의 주관자가 누구냐에 따라서 대대장 시간계획이 달라질 수 있다. 또한 회의 주관자가 누구인지가 보고서의 양이나 질을 어떤 수준으로 할 것인지 판단하는 기준이 되기도 한다. 핵심적인 사항만 간단히 한두 페이지로 작성하고 세부적인 것은 구두로 설명해도 될 일인데도, 회의의 성격을 파악하지 못하면 불필요한 보고서를 작성하느라 시간과 노력을 낭비할 수 있다.

셋째, 회의시간 및 순서, 복장 및 준비물 등을 세부적으로 파악하라. 회의 시간은 몇 시인지, 이동시간은 얼마나 걸리고 그에 따라 출발은 몇 시에 해야 하는지, 대대장이 발표해야 할 순서는 언제인지 등을 파악하라. 복장은 전투복인지 단독군장인지, 총기는 휴대하는지 아닌지 등을 파악하여 준비하라. 지휘관이 아니라 내가 회의에 참석한다면 무엇이 궁금하고 어떻게 해야 할지 입장을 바꿔 생각해 보고 필요한 사항을 파악하여 준비해 줘라.

대외적인 보고서는 치밀하게 준비하라

회의의 성격을 파악하였으면 이제 그에 맞게 보고서를 준비하라. 먼저 상급부대에서 작성한 회의록이 있으면 사전에 확보하여 검토해 보라. 회의록 내용 중에 우리 부대와 관련된 것이 있다면 그 원인과 현상에 대해 세부적으로 답변자료를 작성하라. 또한 우리 부대가 아닌 다른 부대의 사례라 하더라도 그와 관련된 우리 부대 현실은 어떠하고, 우리는 어떻게 조치하고 있는지를 파악하여 보고서를 준비하라. 왜냐하면 회의 도중에 우발적으로 다른 부대의 현상에 대해서도 질문할 수 있기 때문이다. 따라서 경계에 관한 토의를 한다면 우리 부대 울타리 길이는 얼마이고, 초소 수는 몇 개이며, 어떤 형태의 근무를 하고 있는지 등에 대한 보고서를 작성해야 한다.

보고서 내용의 작성이 끝나면 보고서의 외형적인 측면에도 신경을 써라. 회의 주관자의 권위에 맞게 보고서의 양(페이지 수)과 디자인을 다듬어야 한다. 사진이나 도표를 첨부하여 신뢰성을 향상시키거나, 중요한 부분에 음영 또는 컬러를 넣어 강조되게 한다. 결재란에는 누구를 포함하고 최종 결재권자는 누구로 할 것인지를 판단한다. 참석자들을 고려하여 보고서를 몇 부 준비해야 하는지도 판단한다. 통상적으로 주요 직위자들에게는 한 면에 한 페이지씩 컬러로 출력하여 배부하고, 기타 인원에게는 한 면에 두 쪽씩 흑백으로 '모아 찍기' 하여 배부한다.

논리를 뒷받침할 참고자료를 준비하라

필요한 보고서 작성이 완료되었으면 마지막으로 그와 관련된 참고자료나 증빙자료를 준비하라. 별도의 문서로 요약하여 정리한 보고서만으로는 설득력을 갖기가 어렵다. 따라서 전술토의를 한다면 관련되는 교범을 가지고 가서 토의 중에 관련 근거를 제시해야 자신의 주장에 권위가 생긴다. 요즘은 대부분의 자료처리가 전산으로 이루어지므로 전산상의 데이터를 인용했다면 전산출력물을 가져가는 것도 좋다. 지휘관이 어떤 모습, 어떻게 준비된 자세로 오느냐 하는 것은 지휘관 자신의 역량에 대한 평가이기도 하지만 지휘관 바로 밑에 있는 보좌관을 평가하는 잣대가 되기도 한다는 것을 명심해야 한다. 따라서 지휘관의 일을 자신의 일처럼 생각하는 열정과 충성심이 필요하다.

6. 후속조치는 알아서 챙겨라

모든 일은 처음이 있으면 끝도 있는 법이다. 무슨 일을 시작했으면 끝맺음까지 확실하게 처리해야 한 사이클(Cycle)이 완성되는 것이다. 따라서 매사 시작과 끝을 한 사이클씩 묶어서 처리하는 습관이 필요하다. 지휘관이 매번 어떤 일에 대한 후속조치를 어떻게 하라고 지시할 수는 없다. 후속조치를 해야 할 사항이 있으면 해당 참모는 당연히 알아서 스스로 해야 한다. 보좌관은 해당 실무자가 후속조치 사항을 염출하여 제대로 시행하는지 확인 감독할 책임이 있다.

대대 자체적인 일도 보고서로 남겨라

병영생활 개선 토론회나 전술훈련평가 준비회의 등과 같이 대대장 주관하에 대대 자체적인 회의나 토의를 하였으면, 회의 때 거론되었던 안건이 어떤 것들이 있었고 향후 실제로 조치해야 할 것은 무엇인지 등을 보고서로 작성하여 대대장에게 보고한 후 실천에 옮겨라. 경우에 따라서는 당장 실천에 옮기지 않더라도 부대운영의 지침이나 부대내규의 일부로 전달해야 하는 경우도 있다. 애써 여러 사람이 모여 회의하고 토의했는데 그 자체만으로 끝내서는 의미가 없지 않겠는가? 또한 회의한 내용이나 후속조치 결과 보고서를 작성해 두는 것이 향후 어떤 검열이 있을 때 관련 근거를 제시할 수 있어 유용하다.

지휘관이 중대 생활관이나 훈련장에 현장지도를 하면서 지시한 사항에 대해서도 후속조치를 잊지 마라. 지시사항에 대해 현장에서 바로 답변하고 간단히 끝낼 경우도 있지만, 조치해야 할 사항이 많거나 시간이 걸리는 것은 별도로 후속조치 계획을 만들어 보고해야 한다. 보고 과정에서 지휘관의 마음이 바뀌거나 새로운 지침이 전달되기도 한다. 어떤 일이든 가능하면 보고서의 형태를 갖추어 결재받도록 습성화하는 것이 자신의 업무능력도 향상시키고 상급자한테도 인정받는 비결이다.

대외업무에 대해서는 끝까지 후속조치를 하라

대대장이 외부 회의에 참석하는 경우의 후속조치에는 좀 더 주의할 필요가 있다. 지휘관이 회의에 갈 때 보고서와 준비물을 챙겨 준 것으로 모든 일이 끝났다고 방심하여 가만히 있지 말고 끝마무리까지 추적 확인해야 한다. 지휘관이 회의를 마치고 언제 부대로 오는지 시간을 확인하여 마중하고 대대장 부재중에 특이사항은 없었는지를 보고한다. 그리고 회의 간에 특이사항은 없었는지, 준비해 준 보고서에 문제는 없었는지, 회의 결과 추가로 지침을 받았거나 후속조치 해야 할 사항은 없는지 등을 확인하라.

필자가 보좌관을 하던 초기에는 이러한 요령을 몰라서 실수를 하기도 했다. 한번은 대대장이 멀리 외부에 회의를 하러 갔는데 20시가 되어도 복귀를 하지 않아 아무 생각 없이 그냥 퇴근을 해 버렸다. 그리고 바로 다음에 대대장이 복귀하였는데, 그동안 부대에 어떤 일이 있었고 내일 특별한 예정사항은 무엇인지 등을 보고해 주는 사람이 아무도 없어서 야단을 맞은 적이 있다. 만일 퇴근해도 될 상황이었다면 대대장이 중간에 전화하여 퇴근하라고 지시했을 것인데 미처 그것까지는 생각하지 못했다.

참모가 대외적인 회의에 다녀왔을 때에도 후속조치가 필요하다. 그것이 무엇에 대한 회의였고, 참석자나 주관자는 누구였으며, 우리 부대에서 향후 후속조치 해야 할 사항은 무엇이 있는지 등을 요약하여 보고하라. 보고서를 작성하기가 귀찮아서 또는 보고를 함으로써 일거리 하나를 더 얻게 될까 봐 두려워서 지휘관에게 보고하기를 회피해서는 안 된다. 어차피 지휘관은 언젠가는 다 알게 된다. 무서워하지 말고 담대하게 행동하라. 피할 수 없는 일이라면 적극적으로 선수를 치고 즐겨라.

7. 문제해결에 직면하라

야단맞는 것을 마음에 두지 마라

다른 사람으로부터 혼이 나고 지적을 받았을 때 기분 좋은 사람은 없을 것이다. 지휘관으로부터 한두 번 야단을 맞게 되면 작은 일에도 긴장하게 되고 지휘관 얼굴 보기가 두려워 자꾸 회피하게 된다. 그리하여 보고해야 할 사항이 있는데도 제때에 보고를 못 하게 되는 경우도 있다. 결국은 보고를 하지 않은 것으로 인해 또다시 질책을 받게 되고, 이로 인해 실무자는 더욱 위축되어 말도 제대로 하지 못하고 또 야단맞는 악순환이 되풀이된다. 차라리 혼나는 것에 마음을 비우고 담대해져라. '혼나면 어떠냐? 설마 같은 사람인데 잡아먹기야 하겠냐?' 하는 생각으로 용기를 내라. 잘못한 것이 있으면 화끈하게 혼나고 다음에 다시 실수하지 않으면 된다. 어차피 그 상황을 피해갈 수는 없다. 문제를 회피할수록 피해만 눈덩이처럼 불어날 뿐이다.

필자가 보좌관을 할 때 군수 분야 발전을 위해 군수준비태세 검열이라는 것을 별도로 실시한 적이 있었다. 검열 내용 중에는 군수부대 시설재배치라는 과제가 있었는데, 이는 시설 물자와 부대를 얼마나 신속하고 효율적으로 이동시키는지를 점검하는 훈련이었다. 드디어 하루 전날 각 처부별로 불필요한 물자들을 정리하게 한 후 잠시 저녁을 먹으러 집으로 퇴근을 하였는데 부대에서 급하게 연락이 왔다. 부하들이 부대이동을 빨리 하려고 물자를 사전에 적재하였는데, 대대장이 들어와서 그것을 보고는 "보좌관은 통제도 안 하고 어디 갔어?" 하고 소리치며 난리가 났다는 것이다. 순간 부하들 통제를 잘못했다는 죄책감과 함께 대대장의 화난 모습을 생각하니 겁이 덜컥 났다. '내일 아침까지 들어가지 말까?' 하는 생각까지 들기도 하였다. 그러나 이내 마음을 고쳐먹고 당당하게 위기에 직면하기로 하고 부대로 향했다. 그런데 결과는 오히려 싱거웠다. 대대장은 그냥 물건들을 원위치하고 정상적인 훈련준비를 하라고 지시하고는 퇴근해 버렸다. 이와 같이 위기에 직면하여 대처하면 오히려 위기가 사라진다.

혼이 나도 표정을 밝게 하라

상관의 입장에서는 야단맞았다고 인상 쓰고 있는 사람보다 다시 살갑게 다가오는 부하가 더 사랑스럽다. 이러한 부하에 대해서는 지휘관도 부담을 느끼지 않고 믿고 의지할 수 있다. 혼났다고 해서 인상 쓰는 부하는 부담을 느끼게 된다. 따라서 어쩌다가 지휘관과 서로 감정이 생기고 사이가 나빠지게 되더라도 그 감정의 골을 오래 두지 말고, 대화를 하거나 술자리를 같이하면서 빠른 시일 내에 감정을 풀어라.

상관이 혼을 낼 때 부하라는 사람 자체가 미워서 야단치는 것은 아니다. 단지 업무추진을 위해 노력하다 보니 다소 흥분해서 그런 것뿐이다. 사실 야단치고 나서 상급자는 그 사실을 마음에 두고 있지도 않다. 물론 야단맞은 부하의 심정은 정반대로 그 상황이 가슴에 오래 남을 것이다. 이럴 때 가정에서의 현상을 연상해 보면 마음이 한결 가벼워지고 상관을 이해하기가 훨씬 수월해질 것이다. 가정에서 아버지가 자식에게 야단을 친다고 해서 그 자식이 정말 미워서 그러는 것은 아니다. 순간적으로 화는 났겠지만 모든 것이 자식 잘 되라고 야단치는 것 아니겠는가? 그리고 자식의 입장에서 보면 한 번 야단맞았다고 해서 부모를 평생 모른 척하거나 안 보고 살 수는 없는 일이다. 따라서 지적을 받아도 의기소침해하지 말고 박차고 나가라. 때로는 능글맞게 대처하는 요령도 필요하다. 싫은 소리를 한 번도 안 듣는 사람은 없다. 대대장이 되고 연대장이 되어도 싫은 소리는 듣게 된다.

같이 근무했던 중대장 중에 성격이 아주 쾌활한 사람이 있었다. 말주변도 좋아서 회식자리에서는 언제나 웃음을 가져다주는 사람이었다. 어느 날 대대장이 그 중대를 순시하면서 환경정리와 사고예방 측면에서 여러 가지 지적을 하고 며칠 후 전체회의에서 그 사항을 이야기하였다. 이런 경우 통상적으로는 미안한 마음에 표정이 굳어지기 마련인데 그 중대장은 평소와 같이 당당하고 우렁찬 목소리로 "죄송합니다. 미흡한 사항은 바로 시정하겠습니다." 하고는 밝은 표정을 그대로 유지하였다. 이에 대대장도 더 이상 얼굴을 붉히지 않고 분위기 좋게 넘어갔다. 그 모습을 보고 '사소한 것은 너무 심각하게 생각하지 말아야 하겠다.'는 생각을 하였다. 훗날 대대장이 되어 여러 중대장을 겪어 보니 대대장이 지적했다고 해서 바로 표정이 굳어지거나 부동자세로 경직되는 중대장보다는 그것을 자연스럽게 받아들이면서 후속조치를 제대로 하는 중대장이 훨씬 더 정이 가는 것을 느낀다.

실패해도 회피하지 말고 직면하라

지휘관과 보좌관의 생각이 항상 같을 수는 없다. 그래서 업무를 하다 보면 누구나 칭찬도 듣고 꾸지람도 듣게 된다. 그러니 지적이나 야단맞는 것에 너무 마음 두지 말고 사소한 것에 연연해하지 마라. 초급간부와는 달리 보좌관처럼 어느 정도 경험도 쌓았고 나이와 계급이 있는 사람이 상관으로부터 야단을 맞으면 마음이 많이 상하겠지만 그럴수록 자신을 낮춰라. 기대가 크면 실망도 큰 법이니 좋은 대접 받기를 기대하지 말고 오직 자신의 책무에 최선을 다하라.

보좌관이 주관하여 추진했던 업무가 잘못되었다거나 대대장에게 혼이 났다고 하여 거기서 포기하면 안 된다. 포기하면 더 이상 업무능력이 발전하지 않는다. 실패해도 문제에 직면하여 계속해서 시도해야만 대대장의 의도를 알게 되고 다음에 두 번 다시 같은 실수를 반복하지 않게 된다. 또한 그러한 과정을 통해 당신이 차후 대대장이 되었을 때 어떻게 해야 하는지에 대한 업무요령을 터득하게 된다. 그러므로 계속해서 부딪히고 문제해결에 직면하라.

8. 지휘관 지시사항에 당위성을 부여하라

부하들의 불만을 잠재워라

지휘관이 업무를 지시할 때에는 그 업무를 해야 하는 목적과 배경, 필요성 등을 설명하고 시키겠지만 매번 그것들을 자세히 설명하면서 지시할 수는 없다. 이 경우 경험이 많은 간부라면 자세한 설명이 없어도 이해하고 받아들이겠지만 초급간부나 비판적인 성향의 간부는 왜 그런 일을 해야 하는지에 대해 불평을 할 수도 있다. 이럴 때에는 보좌관이 나서서 지휘관의 지시사항에 대한 당위성을 설명해 주고 설득시켜야 한다. 보좌관마저 대대장의 지시사항에 불만을 품고 부하들의 비판에 같이 동조해서는 안 된다. 모든 일은 마음이 같이 움직여야 최상의 성과를 낼 수 있다. "위에서 시킨 것이니까 그냥 해!"라고 지시하면 받아들이는 사람도 하기 싫어진다. 게다가 보좌관이 반대론자에 동조하여 부정적으로 전달하면 겉으로는 어떨지 몰라도 속으로는 당신에 대해 절대로 존경의 마음을 가지지 않는다. 따라서 군대에서 흔히 하는 말로 '까라면 까!' 하는 식의 말은 삼가야 한다. 부하들이 "이 일을 왜 해야 하는지 모르겠다."라고 말한다면 "지휘관 의도가 이렇고, 내가 생각해도 이것은 이렇게 하는 것이 맞다."라고 말하면서 대대장의 지시사항에 정당성을 부여하여 부하들이 긍정적으로 받아들이도록 유도하라.

지휘관을 미화시키는 노력도 필요하다

지휘관이 화가 나서 격하게 표현한 지시사항은 평상적인 수준으로 고쳐서 전파하라. 지휘관도 사람인지라 그날의 컨디션에 따라서 또는 어떤 사정에 따라서 보고를 받다가 화를 낼 수 있고, 그러면서 격한 표현을 사용할 수도 있다. 그런데 그러한 표현을 중간에서 걸러 내지 않고 그대로 전파한다면 부하와 지휘관 간에 감정이 생기게 되고 지휘관의 지시사항도 부정적으로 받아들이게 된다. 결국은 보좌관이 지휘관과 부하들 사이를 이간질하는 형태가 될 수 있다. 그러므로 보좌관은 처신을 신중히 하고 부하들과 지휘관 간의 관계가 원만해지도록 조정 통제를 잘해야 한다.

보좌관이 악역을 자처하라

원만한 부대운영을 위해서 때로는 보좌관이 악역을 자처해야 하는 경우도 있다. 애매한 지시사항, 즉 지휘관이 직접 지시하면 부하들이 불평할 수 있지만 그렇다고 그 일을 안 할 수도 없는 업무에 대해서는 보좌관이 직접 그 일을 지시하여 보좌관이 욕을 먹도록 해야 한다. 대대장이 직접 지시하여 대대장이 욕을 먹게 되면 부대운영이 더 어려워진다.

예를 들어 업무시간 외에 추가적인 근무를 해야 하는 경우를 생각해 보자. 월요일부터 야외 전술훈련을 나가는데 훈련준비가 덜 되어 주말에 일부 간부가 출근해서 마무리를 해야 하는 경우 또는 내일이 검열인데 검열준비가 안 되어 오늘 늦게까지 해야 하는 경우에는 보좌관이 나서서 추가 근무를 하도록 지시하는 악역을 자처해야 한다.

보좌관이 보신(保身) 위주로 근무해서는 안 된다. 부대의 임무나 상황은 고려하지 않고 자신만 무사하게 지내려고 해서는 안 된다. 내가 악역을 한다고 하여 손해 보는 것이 아니다. 나중에는 그 공(功)이 내게 다시 돌아온다. 지휘관이 악역을 하면 불평이 나오고 부대가 흔들린다. 그러나 보좌관이 욕을 먹는 것은 대대장이 나서서 이해시켜 주고 도와줄 수 있다. 따라서 보좌관이 인기를 얻으려 하지 말고 지휘관이 인기를 얻게 도와줘라. 악역하기를 자처하여 인기 없는 지시사항은 보좌관 명(命)으로 전달하라.

9. 지휘관과 자주 대화하여 지휘의도를 파악하라

지휘관과 대화를 많이 나눠라

보좌관은 지휘관과 자주 접촉하고 대화를 많이 나누어야 한다. 그 첫 번째 이유는, 지휘관의 의도를 제대로 알기 위해서이다. 보좌관이 아무리 훌륭해도 지휘관의 생각을 따라가기는 어렵다. 따라서 어떤 일을 올바로 추진하거나 보고서를 제대로 작성하기 위해서는 지휘관의 머릿속에 있는 아이디어를 빼내야 하는데, 그렇게 하기 위해서는 결국 지휘관과의 대화를 통해 알아낼 수밖에 없다. 주어진 임무에 대해서 지휘관은 나름대로의 복안을 갖는다. 그런데 당신이 그 핵심내용을 보고서에 포함시키지 않는다면 수십 번을 수정하여 제출해도 통과될 수 없는 것이다.

두 번째는, 보좌관 자신의 권위를 찾기 위해서이다. 예하 참모들은 보고서를 작성하면서 보좌관에게 많이 의존하게 된다. 이때 보좌관이 지침을 줘서 작성한 보고서가 지휘관에게 단번에 통과되면 예하 참모들은 보좌관을 믿고 더욱 의지하게 됨으로써 보좌관의 권위가 서게 된다. 반면에 보좌관이 지침을 준 방식대로 했는데 오히려 대대장에게 혼나고 내용이 잘못되었다고 수정되어 나오면 보좌관의 권위가 떨어진다. 따라서 이를 방지하려면 보좌관이 지휘관과 평상시 대화를 많이 주고받아 지휘관의 의도를 탐지하여 이를 반영하거나 사전에 개략적인 지침을 받아 보고서를 작성해야 한다. 또한 이러한 활동은 한 번으로 끝내는 것이 아니라 일이 진행되는 과정을 수시로 보고하여 추진방향이 맞는지도 점검하고 지휘관으로부터 추가적인 지침도 지속적으로 받아야 한다.

세 번째 이유는, 부대의 업무를 조정 통제하는 데 필요하다. 한 주 또는 한 달간의 부대운영 중점을 어디에 둘 것인지 판단한다든가, 훈련 파견을 보내는데 누구를 보낼 것인지, 잘못을 저지른 부하가 있을 경우 어떤 처벌을 내릴 것인지 등에 대해서 먼저 지휘관의 의도를 알아보려고 노력해야 한다. 그래야만 보좌관의 판단과 지휘관의 판단이 일치하여 부대운영에 혼선이 없게 된다. 규정과 원칙을 찾고 자신의 판단력을 더한 후 지휘관 의도를 가미시켜 종합적으로 판단한다면 모든 일이 순조롭게 진행될 것이다.

지휘관실에 찾아 들어가라

호랑이를 잡으려면 호랑이 굴에 들어가야 하듯이 지휘관과 대화하기 위해서는 먼저 지휘관실에 찾아가야 한다. 자주 지휘관실에 들어가서 부대 돌아가는 이야기, 부대의 주요 행사나 업무에 관한 이야기 등을 나누어라. 이런저런 이야기를 나누다 보면 지휘관의 의도를 자연스레 감지할 수 있을 것이다. 대화를 통해 의중을 떠보고 수시로 지침을 전달받아야 일을 유연하게 처리할 수 있다. 그냥 들어가기가 어색하다면 간단한 보고서를 일부러 만들어서 결재받으러 온 것처럼 들어가서 대화를 나누어라. 많은 대화를 통해 지휘관과 교감을 형성해야 한다.

지휘관을 어려워하지 마라

생각보다 대부분의 지휘관은 외롭다. 부하들이 지휘관을 어렵고 무서워하여 가까이 접근하지 않기 때문이다. 긴장하거나 무서워하지 말고 편하고 쉽게 다가가 보라. 이심전심(以心傳心)이라서 당신이 지휘관을 어렵게 생각하면 지휘관도 당신을 어렵게 느낀다. 반면에 친하고 편하게 생각하면 지휘관도 그렇게 느낀다. 식사시간에 조용히 있지 말고 뭔가 대화거리를 꺼내 보라. 복잡하고 무거운 이야기는 피하고, 가볍게 보고하여 쉽게 지침을 받을 수 있는 이야기를 해보라. 생활의 지혜나 뉴스거리 등을 이야기하는 것도 좋다. 가능하면 자신의 이야기보다는 지휘관이 관심을 가질 수 있는 대화거리를 찾아라. 지휘관의 자녀는 중학생인데 초등학생과 관련되는 이야기를 꺼낸다면 무의미할 것이다. 자신의 자랑보다는 지휘관의 우수한 점이나 자랑거리를 찾아 칭찬해 보라.

10. 월권행위를 경계하라

최종결정은 지휘관이 하는 것이다

보좌관은 부대의 2인자로서 전반적인 부대운영을 조정 통제하는데, 그러다 보면 자칫 본인이 지휘관인 것처럼 전권을 휘두르는 경우가 발생할 수 있다. 보좌관으로서 주의해야 할 점은 바로 지휘관인 양 행동하지 말아야 한다는 것이다. 보좌관이란 말 그대로 지휘관을 보좌하는 자리이다. 지휘관이 올바른 결정을 내리도록 관련된 정보를 제공하는 것이지 부대운영을 결정하는 사람은 아니다. 부대에서 지휘관은 두 명이 될 수 없다. 따라서 보좌관이 생각했을 때 사소한 일이다 싶어서 지휘관에게 보고하지 않고 혼자서 결정하여 부대를 운용하는 일이 없도록 해야 한다. 보좌관 선에서 최종결정을 하여 부대를 움직이는 등의 월권행위를 삼가고, 철저한 보고를 통해 지휘관과 보좌관이 일체가 되도록 하라.

의심나면 보고하라

지휘관이 휴가 중에 어떤 검열이 있었으면 검열 내용이나 결과를 휴가 중이더라도 간략하게 보고하여 최소한 지휘관이 그 내용을 알고 있게 하라. 다른 상급지휘관이 검열 결과에 대해 대대장에게 갑자기 질문할 수 있고, 잘못된 내용이 있으면 대대장이 검열관에게 전화하여 수정하는 등의 조치를 취할 수도 있으며, 부하들이 세부내용을 몰라 설명을 충분히 하지 못한 것을 대변해 줄 수도 있기 때문이다. 지휘관의 수준은 보좌관과는 다르다는 것을 명심하고 항상 대대장에게 보고한 후 시행하는 것을 잊지 말아야 한다.

필자가 대대의 보좌관 임무를 수행했을 때의 일이다. 대대에는 교회가 없어서 병력들이 영외에 있는 사단사령부 교회에 예배를 보러 갔다. 종교행사를 위한 병력수송은 사단에 있는 버스를 활용하였는데, 병력들이 복귀를 하려고 하는 순간 버스가 고장이 나서 복귀를 못 하고 있었다. 때마침 나는 부대에 순찰하러 들어와 있었는데, 그 내용을 듣고는 대대의 차량을 내보내서 병력들을 수송해 왔다. 대대장께 보고를 해야 할지 잠시 고민했으나 휴일에 모처럼 쉬고 계신데 걱정 끼칠 필요도 없고, 전화하기도 두렵고, 어차피 당연히 우리 부대 차량으로 데리고 들어와야 할 상황이라서 보고하지 않고 차량을 운행시켰다. 그러나 예상과 달리 다음 날 대대장으로부터 크게 꾸지람을 들었다. 휴일에 차량을 운행시킬 권한이 내게는 없는 것이고 또 그런 상황을 지휘관이 알지도 못하고 있는 상태에서 부하들이 마음대로 일을 처리하여 화가 난 것이었다. 보좌관은 단순히 차량을 운행하라고 지시하지만 지휘관은 어떤 차량이 안전할지, 어느 운전병으로 보내야 이상이 없을지 등 여러 가지를 고려하여 판단한다.

보좌관은 아직 그 정도 수준까지는 생각할 수 없었던 것이다. 돌이켜보면 보고를 해야 할지 고민되었을 때 아예 두 번 생각할 필요 없이 대대장에게 보고하는 것이 옳았다. 이와 같이 조금이라도 의심이 가면 사소한 것을 보고했다고 꾸지람을 듣더라도 보고하는 것이 현명한 처신이다.

주말이나 야간에도 결심사항이 필요하면 부담 없이 전화하라. 늦은 시간이나 휴일이라고 해서 지휘관을 위해 준다는 명목하에 보고하지 않으면 오히려 차후에 큰 낭패를 볼 수 있다. 여러분이 생각하는 것과는 다르게 지휘관은 오히려 아무 때든 보고해 주기를 원한다. 전화하기가 어렵게 느껴진다면 핸드폰 문자라도 보내라. 보좌관 선에서 충분히 판단하고 조치할 수 있는 일이라 하더라도 지휘관의 생각은 다를 수 있음을 명심해야 한다.

11. 지휘관의 언질(言質)에 즉각적인 반응을 보여라

지휘관의 언질에는 배경이 있다

지휘관들은 대부분 자신의 심중(心中)을 노골적으로 표현하지 않는다. 지휘관이 싫고 좋음을 표현하면 부하들이 그것에 초점을 맞추게 되고, 그러다 보면 정상적인 부대지휘가 어렵게 되기 때문이다. 한비자(韓非子)는 말하기를 “군주가 무엇을 싫어하는지 알려져 버리면 신하는 군주가 싫어할 만한 것을 감추어 버린다. 군주가 무엇을 좋아하는지 알려져 버리면 신하들은 군주가 좋아하는 것을 할 수 있는 체한다.”라고 하였다. 그래서인지 지휘관은 지적을 할 때도 직설적으로 표현하지 않고 우회적으로 표현하는 경우가 많다. 예를 들어 아침에 누군가 출근을 늦게 하는 것을 목격하더라도 곧바로 그 간부를 불러서 야단치기보다는 일차적으로 경각심을 주기 위해 "요즘 간부들 출근시간이 늦는 것 같다."라고 회의시간에 한마디 던지고 나간다. 이때 지휘관의 이러한 언질을 보좌관은 가볍게 넘기면 안 된다. 지휘관의 말 한마디에는 내면에 어떤 사연이나 의도가 있다는 것을 항상 명심하여 그 말에 감(感)을 잡고 무언가 액션(Action)을 취해야 한다. 이런 경우 보좌관은 다음 날 즉각 출근시간을 체크하여 지휘관에게 보고하거나 늦게 출근한 간부들을 소집하여 교육을 하는 등 가시적인 조치를 취하는 민첩성을 보여야 한다. 대대장이 "요즘 군기본자세가 불량하다."라고 하면 병력들의 두발상태나 경례자세 등을 점검해 보고, 이러이러한 조치를 취했다고 보고하라. "경계근무 상태가 해이해진 것 같다."라고 하면 초병들을 소집하여 근무요령을 교육하거나 불시에 현장을 순찰하여 근무를 제대로 서고 있는지 점검하라. 그리고 "어제 점검을 해 보니 이런 부분이 미흡하여 시정하였습니다. 혹시 추가로 보완해야 할 부분이 있습니까?"라고 조치한 결과를 보고하여 지휘관의 마음을 풀어 줘라.

한번은 대대장이 참모들과 병사식당에서 식사를 하면서 "스파게티에 소스가 적게 들어간 것 같다."라고 하였다. 그런데 참모들 모두 그 말을 듣고도 뭔가를 확인하거나 조치하려고 하지는 않고 가만히 있는 것이었다. 결국 대대장이 급양관을 불러 질문하자 소스가 기준량보다 적게 보급되어 어쩔 수 없었다고 하였다. 이와 같이 지휘관의 언질이나 돌발적 언행에는 대부분 어떤 사유가 있으므로 그 내막을 파악하여 근본적인 해결방안에 접근해야 한다.

모르면 물어서 조치하라

지휘관의 언질이 무엇 때문인지 파악이 안 될 때에는 대대장에게 찾아가 직접 물어보라. 대대장에게 질문하는 것을 두려워하지 마라. 대대장이 어떤 느낌이나 언질을 주었는데 아랫사람이 알아차리지도 못하고 묻지도 않는다면 대대장의 마음은 더 서운해지고 부하들에게 신뢰가 가지 않을 것이다. 모르면서도 가만히 있는 사람보다는 적극적으로 질문하는 사람에게 오히려 더 애정이 간다. 단지 주의할 것은 질문하는 분위기나 타이밍을 잘 선택해야 한다는 것이다. 딱딱한 분위기에서 질문하는 것보다는 가급적 부드러운 분위기에서 질문하고, 화가 나 있는 상태보다는 다소 누그러진 후에 찾아가서 질문하는 것이 좋다. 때로는 분위기 전환을 위해 식사를 제안하여 회식자리에서 자연스럽게 이야기를 꺼내어 질문할 수도 있다. 그리하면 일의 내막도 알게 되고 서로의 불편한 감정도 풀 수 있어 효과적이다.

대대장이 부대나 부하들에 대해서 못마땅하게 생각하는 것이 있는 것 같은 느낌이 든다면 왜 그런지 물어보라. 지휘관의 언질을 파악은 하였으나 일을 어떻게 처리해야 하는지 그 방법을 모르겠으면 관련되는 규정을 찾아보거나 주변 사람에게 물어서 스스로 해결하려고 노력해 보라. 그렇게 하고도 잘 모르겠으면 최종적으로는 대대장에게 찾아가서 물어라. 보좌관이 잘하고 있는지, 이렇게 하는 것이 맞는 것인지 궁금한 생각이 든다면 물어보라.

12. 대대 2인자로서의 면모를 보여라

희생정신을 발휘하라

보좌관이 업무를 잘하는 것도 중요하지만 군 선배나 부대 2인자로서의 품위를 보여 주는 것도 필요하다. 업무적으로는 엄하고 권위 있는 모습이 필요하지만 때로는 부하들이 믿고 의지할 수 있는 친형 같은 모습도 보여야 한다. 경우에 따라서는 부하를 위해 희생할 줄도 알아야 한다. 예를 들어 보좌관이 예하 참모에게 지침을 잘못 줘서 일이 잘못되고 그로 인해 대대장에게 야단을 맞는다면 책임을 회피하거나 숨기지 말고 보좌관이 잘못 지시해서 그렇다고 담대하게 보고하라. 그렇지 않고 순간의 위기를 모면하려고 가만히 있거나 거짓말을 하면 하급자는 심한 마음의 상처를 받게 되고 더 이상 당신에게 의지하려 하지 않을 것이다.

어려운 보고는 대신 보고해 줘라

중대에 어떤 사건이 발생하였으나 대대장이 어려워서 보고하지 못하고 있으면 보좌관이 대신 보고해 줘라. 중대의 애로사항을 건의하고 싶은데 혹시 대대장이 나쁜 방향으로 생각할까 봐 고민하고 망설일 때에도 대신 건의해 줘라. 중대장들은 대대장과 나이 차이도 많이 나고 직속 지휘관계에 있기 때문에 애로사항을 대대장에게 피력하는 데 어려움을 느끼게 된다. 어느 한 중대에만 임무가 집중되어 그 중대가 부대운영에 힘들어하고, 중대병력이 뭔가를 잘못하여 처벌하라고 지시했지만 평소 착실한 인원이라 정상참작을 건의하고 싶어도 중대장은 말을 못 할 때가 많다. 이와 같이 중대장이 부담을 갖고 말을 못 할 때 과감히 보좌관이 나서서 대대장에게 대신 건의해 주면 당신의 위치가 더욱 빛날 것이다.

인간적인 모습도 보여라

혹시나 보좌관이 대대장으로부터 야단을 맞아도 부하에게 화풀이하지 마라. 예하 참모나 중대장 때문에 보좌관이 질책을 받게 되더라도 그 스트레스를 부하들에게 그대로 전달하지 말고 최소한 그 강도를 반감시켜라. 스스로 화를 다스리고 말하는 방법을 바꾸어 전달할 필요가 있다. 중대장들이 힘들어할 때는 위로를 해 주고, 반대로 중대장들이 제대로 못해서 보좌관이 혼나고 힘들 때는 인간적으로 하소연도 하고 설득도 해 보라. 항상 상급자의 모습으로만 대하는 것보다 때로는 인간적으로 호소하는 것이 더 효과적인 경우도 있다.

무조건적인 예스맨은 피하라

지휘관도 화가 나면 순간적인 감정으로 잘못된 지시를 할 수 있다. 이럴 때에는 무조건 즉각적으로 따르지 말고 시간을 두고 현명하게 대처하라. 일단 자리에서 물러서 지휘관의 기분이 수그러들 때까지 기다렸다가 조심스럽게 다시 건의해 보라. 그 순간에는 보좌관이 혼날 수도 있겠지만 시간이 지나면 모두가 존경할 것이다.

일본 도쿠가와 막부시대에 도쿠가와 이에미쓰 밑에는 아배다 다아키라는 보좌관이 있었다. 어느 날 이에미쓰가 사냥을 하고 돌아와 목욕을 하는데, 욕조물을 담당하던 다카기라는 자가 목욕물의 온도를 잘못 조절하여 이에미쓰의 등에 화상을 입혔다. 순간 화가 난 이에미쓰는 보좌관을 불러 당장 그자를 처형하라고 지시하였다. 보좌관은 조용히 물러난 후 저녁 무렵 이에미쓰가 반주를 들며 거나하게 취했을 때 조용히 다가가 말하였다. "아까 욕실에서는 지시사항을 제대로 못 들었는데, 그자를 어떻게 하라고 하셨습니까?" 이에미쓰는 이제 화가 누그러들었고 지금 생각하니 사형에 처할 만한 사항도 아니고 해서 섬에 유배 보내라고 지시하였다. 이렇게 해서 보좌관의 현명한 처신으로 아까운 목숨 하나를 건지게 되었다. 이와 같이 보좌관은 무조건적으로 예스맨이 되어서는 안 될 것이다.

13. 지휘관에 대한 예의와 충성심을 보여라

초급장교도 아닌 보좌관에게 갑자기 예의와 충성심을 강조하는 것은 무슨 이유일까? 보통 초급장교는 임관한 지 얼마 안 되었기 때문에 별도로 강조하지 않아도 지휘관에 대한 충성심이 높다. 그런데 대위 고참이나 소령이 되어 보좌관을 할 때쯤이면 자신도 고참이라는 생각에서 아랫사람에게 충성을 받을 생각만 하고 윗사람에 대한 예의와 충성은 망각하는 경우가 종종 있다. 이러한 이유로 보좌관이 평정 1/1의 직책에서 좋은 평가를 받을 수 있음에도 불구하고 상위 등급의 근무평정을 받지 못하는 경우가 상당히 많다.

지휘관에게 지켜야 할 예의

부하가 지휘관에게 지켜야 할 예의로는 다음과 같은 것들이 있다. 첫째, 지휘관에 대한 군기본자세를 견지하라. 항상 군인다운 절도를 보여야 한다. 지휘관과 대면하게 되는 각종 신고 시에는 제식동작에 맞는 경례자세와 단정한 용모, 패기 있는 행동이 발휘되도록 사전에 점검하라. 초급간부들이나 신병들은 경험이 짧아 군대예절에 아직 익숙하지 못하니 수시로 교육하고 점검할 필요가 있다. 특히 국기게양식과 같이 대대장이 주관하고 전 병력이 집합하여 치르는 행사는 의식 절차에 더욱 신경 쓰고 행사 진행과정도 검토하여 실수가 없게 하라. 대대장이 주관하는 행사에서 실수가 있으면 이는 임석상관을 모욕하는 것과 같다.

둘째, 부대의 출입을 관장하는 위병근무자의 근무상태 및 경례자세를 수시로 체크하라. 위병소는 부대의 얼굴이므로 이곳의 근무자세가 허술하면 이 또한 대대장의 얼굴에 먹칠을 하는 것과 같다. 사실 위병소 근무라는 것이 쉬운 것 같으면서도 어려운 일이다. 수시로 지휘관이 드나드는데 위병근무자 두 명이 경례구호도 제대로 통일시키지 못하는 경우가 많다. 대대장이 아침에 출근할 때 처음 맞이하는 것이 위병소인데, 초병이 군기가 흐트러진 모습을 보이고 경례자세도 허술하면 지휘관의 하루 심기에 먹구름이 끼게 된다.

셋째, 지휘관이 멀리 회의하러 갔을 때에는 지휘관이 복귀할 때까지 퇴근하지 말고 기다려라. 사실 지휘관이 부대를 멀리 이탈하게 되면 보좌관을 대리근무자로 인사명령을 내려야 한다. 설령 명령을 미처 발행하지 못했어도 보좌관이 부대를 지키며 대대장 대리로 부대를 지휘하다가 대대장이 복귀함과 동시에 부재중 업무보고를 해야 한다. 오늘 부대에 어떤 일들이 있었고, 내일 예정업무는 무엇이며, 어떠한 조치들을 취하였는지 등에 대해 업무결산 결과를 보고하라.

넷째, 보좌관이 참모나 중대장들을 소집하여 보좌관 주관으로 회식자리를 마련하는 것은 지양하라. 보좌관은 2인자로서 그늘에 있는 것이지 부하들을 모아 지휘관 역할을 하는 것은 도리가 아니다. 전승을 위한 필수적인 조건이 지휘의 통일이고, 그러므로 부대에 지휘관은 두 명이 있을 수 없다. 보좌관은 항상 지휘관을 보좌해야지 별도의 자기 세력을 만들려고 해서는 안 된다. 그러한 관점에서 보좌관이 대대장을 제외하고 중대장들을 자주 불러 회식을 하거나 어울리면 오해를 받을 수 있음을 경계해야 한다. 중대장들이 보좌관과 회식하자고 하면 보좌관은 오히려 대대장을 모시고 같이하자고 하고, 중대가 회식을 할 때에도 대대장을 임석상관으로 초빙하도록 코치해 주는 것이 좋다. 그래도 인간관계상 회식을 하겠다고 하면 대대장에게 보고하여 승낙을 받고 하는 것이 좋다. 그러나 굳이 대대장만 빼고 보좌관이 주관이 되어 모일 필요는 없을 것 같다.

다섯째, 겸손하라. 업무를 잘한다거나, 학력이 좋고 똑똑하다거나, 운동을 잘한다고 하여 너무 뽐내지 마라. 재인박덕(才人薄德), 미인박명(美人薄命)이라는 말이 있듯이 재능을 뽐내다가 일찍 사라져 버리는 사람이 많다. 자신이 테니스나 축구를 잘하더라도 상대방의 수준에 맞춰 비슷하게 맞춰 줄 수 있어야 한다. 지휘관을 상대로 해서 이기더라도 지나치게 좋아하는 모습을 보여서는 안 된다. 지휘관보다 학력이 좋다면 학교이야기는 아예 꺼내지도 마라. 지휘관의 역린(逆鱗)은 건드리지 말아야 한다.

업무능력보다 충성심이 중요하다

충성심은 왜 필요한 것인가? 사회에서 사장의 측근이 배신하여 회사가 하루아침에 몰락하기도 하는데 이는 군대에서도 마찬가지다. 일제시대 청산리 전투에서 대승을 거둔 김좌진 장군도 부하의 배신으로 한순간에 사라져 버리지 않았는가? 그래서 회사에서나 군대에서나 충성스런 부하를 요구한다. 조직의 일원이 되기 위해서는 업무능력과 더불어 충성심은 필수적인 요소이다. 어느 때에는 업무능력보다 충성심을 더 요구하는 경우도 있다.

그러면 군대에서 충성심을 어떻게 나타낼 것인가? 충성심은 뇌물과는 다르다. 물질적인 것보다는 정신적인 것, 즉 마음을 얻는 것이 중요하다. 항상 지휘관을 먼저 생각하고 위하는 마음을 가져라. 가랑비에 옷 젖듯이 사탕 하나, 야식 한 조각에 지휘관의 마음은 감동하게 된다. 어떻게 하면 지휘관 마음을 편안하게 하고 즐겁게 해 줄 수 있을지를 고민해 보라. 어떤 상황이든 지휘관을 믿고 지휘관의 지휘방향에 따르라. 힘든 일, 불필요한 일을 시켜도 불평하지 말고 따라가 보라.

우수한 기업은 자원이 풍부하고 생기가 넘치는 숲과 같다. 하지만 제아무리 훌륭한 숲도 충성심이 없는 한 식구의 배신을 감당하지는 못한다. 바로 이 점이 충성심이 부족한 사람이 우수한 기업에 입사할 수 없는 가장 큰 이유다. 능력이 있다고 다 되는 것은 아니다. '충성도'야말로 최고의 능력이기 때문이다.

– 구경검(邱慶劍), ≪충성의 힘≫ –

14. 회식도 짜임새 있게 준비하라

회식여건을 적절히 조성하라

조직생활을 하는 데 있어 회식은 필수 불가결한 요소이다. 회식은 서로 간의 유대관계나 전우애를 더욱 돈독하게 해 주고, 그리하여 부대의 단합과 발전에 긍정적인 영향을 미치게 된다. 특히 군대에서는 힘든 훈련을 마치거나 땀 흘려 목표를 성취한 후에는 회식을 통해 전과확대를 도모할 필요가 있다. 물론 음주나 회식이 지나치면 사생활이 문란해지고 음주운전 등의 사고를 유발할 수 있으므로 적절한 수준을 유지해야 한다.

보좌관은 대대장이 지시하기 이전에 회식을 언제 하는 것이 좋을지 스스로 판단하여 지휘관에게 건의해야 한다. 대대장이 지시할 때만 회식하려 하는 것은 소극적인 자세이다. 또한 대대장이 먼저 회식을 하자고 하면 부하들을 괴롭히는 것 같은 생각이 들어 제안하기가 어렵고, 그러다 보면 모이는 기회가 줄어들어 서로 간의 관계가 멀어질 수 있다. 통상적으로는 훈련 전후에 부대의 단합을 도모하기 위해서 또는 부대가 어떤 좋은 성과를 달성하였을 때 회식을 하게 된다. 또한 서로 간에 만남의 시간을 가진 지가 오래되었다고 판단되면 특별한 일이 없어도 모임을 갖기도 한다. 보좌관은 이와 같이 회식의 기회를 적절히 조정 통제해야 한다.

필자는 임관하면서 가장 두려웠던 것 중의 하나가 음주문제였다. 임관 당시 들리는 말로는 야전에 나가면 전투화에 술을 마신다거나 대접에 마신다는 말이 있었는데 주량이 약한 나로서는 여간 부담스러운 일이 아니었다. 하지만 막상 나가 보니 비위생적이거나 지나친 음주강요는 없었다. 요즘은 오히려 군대의 음주문화가 민간 직장이나 대학가보다 신사적이고 자율적인 것 같다. 그런데 직장생활을 하기 위해서는 음주를 적당히 할 줄 아는 것이 여러 가지로 유리하다. 주량이 약하면 회식을 하다가도 남들보다 먼저 정신을 잃고 대화의 장(場)에서 이탈하게 되어 대인관계를 넓히는 데 어려움이 따른다.

또한 남들과 같은 수준으로 마셔도 더 많이 취하게 되어 회식 중에 실수를 하거나 무의식중에 사고를 칠 수 있으므로 더욱더 조심해야 한다. 필자가 모셨던 상관 중의 한 분은 임관 당시에는 소주 3잔밖에 못 마셨는데, 주량을 늘리려고 전방부대 소대장으로 근무하는 동안 매일 잠자기 전에 소주 한두 잔씩 마셨더니 얼마 후에는 남들과 비슷한 수준이 되었다고 한다. 술 마시는 일에도 그러한 각오와 노력을 했다는 것이 존경스러웠다.

회식에 의미를 부여하라

부대가 회식을 할 때에는 무의미하게 해서는 안 된다. 회식의 목적에 맞게 부대의 단합에 기여할 수 있어야지 단순히 음식을 먹는 것으로 끝나서는 안 된다. 그렇게 하기 위해서는 보좌관이 회식에 의미를 부여하려는 숨은 노력이 필요하다. 먼저 회식을 계획하게 되면 이번 회식의 사유가 무엇이고 무엇을 축하하는 자리인지를 생각해 보고 그 내용을 지휘관에게 보고하라. 이와 같이 보좌관이 회식의 목적과 사유를 파악하여 지휘관에게 인지시켜 주면 대대장이 식사에 앞서 이번 회식의 목적을 참석자들에게 설명하면서 건배 제의를 할 수 있다. 왜 회식을 하는지에 대한 목적이 없으면 건배 멘트를 구상하기도 어렵고 회식의 의미를 찾기도 어려워진다. 분위기를 고조시키기 위해 중간에 보좌관이 회식의 주인공에 대한 약력이나 업무성과를 소개해 주는 것도 좋다. 연말 부대회식이라면 한 해 동안 부대가 이룬 성과들을 발표할 수도 있다.

회식의 전 과정을 통제하라

회식을 준비할 때는 회식 장소의 타당성에 대해서도 고민해 보고 메뉴도 고민하여 대대장에게 건의해야 한다. 회식에 참석하기 위한 차량편성과 복귀할 때의 차편도 구상하여 지휘관에게 사전에 보고하라. 회식이 끝난 후에는 참석자들이 이상 없이 출발하는지 확인한 후 맨 마지막에 자리를 이탈하고, 각자가 숙소에 이상 없이 복귀했는지도 체크하는 등 뒷정리까지 책임져라. 기분 좋게 회식하고 나서 혹시라도 음주운전이나 폭행 같은 불미스러운 일이 생기지 않도록 통제해야 한다.

회식자리에서는 보좌관이 이벤트 진행자로서의 역할을 해야 한다. 중간에 대화가 끊기거나 지휘주목이 안 되고 분위기가 산만해질 때에는 주요 직위자들에게 순서대로 건배 제의를 시켜라. 그럼으로써 이것이 부대의 행사이고 부대단합을 위한 회식임을 상기시켜 줘라. 또한 수시로 주변을 살펴서 과음하여 정신을 차리지 못하는 인원이 있으면 통제도 하고, 대대장 주변에 사람이 없이 자리가 비어 있을 때에는 다른 사람을 채워 넣는 역할도 해야 한다. 보좌관이 어떻게 노력하느냐에 따라서 회식이 부대단합에 도움을 줄 수도 있고, 아니면 단순한 식사로 끝나거나 술주정하는 자리로 끝날 수도 있는 것이다. 이러한 이유로 회식을 한다는 것이 보좌관에게는 사실 즐거운 일만은 아닐 것이다. 그러나 누군가는 이러한 역할을 해야 하고, 지금 당신의 직책이 그 역할을 수행해야 하는 자리이다. 따라서 회식 진행에 대해 보좌관으로서의 책임감과 사명감을 가지고 최선을 다하기 바란다.

15. 보좌관도 홍보가 필요하다

보좌관의 활동사항을 적극적으로 알려라

보좌관을 하면서 느꼈던 딜레마 중의 하나는, 중간결재도 하고 부대업무를 조정 통제도 하는 등 뭔가 열심히 하는 것 같기는 하지만 보좌관만의 특별한 산물이 없다는 것이다. 최종 산물을 놓고 따져 보면 하는 일도 없이 입으로만 떠들고 다니는 것이 아닌가 하는 생각이 들기도 하였다. 때로는 대대장도 그렇게 느끼지는 않는지, 보좌관이 없어도 되거나 필요가 없는 사람으로 느끼지는 않을지 걱정이 되기도 하였다. 그러므로 어떻게든 보좌관의 필요성을 느끼도록 하는 요령이 필요할 것 같다.

보좌관이 조용히 소극적으로 있어서는 안 된다. 지휘관이 스스로 당신의 하는 일을 알아차릴 것이라는 착각은 하지 마라. 당신이 적극적으로 알리지 않는 이상 세부적으로 알 수는 없다. 일 안 하는 보좌관, 있어도 도움이 안 되는 보좌관이라는 인식이 들지 않도록 적극적이고 능동적으로 움직여라. 대대장이 따로 일을 주지 않아도 스스로 할 일을 찾아 움직여서 제 위치를 찾아야 한다. 대대장은 보좌관을 부대의 2인자로 인정하면서도 제 역할을 제대로 하고 있는지에 대해 의심하게 된다. 그 의심을 풀어 주려면 당신이 활동하는 사항을 대대장이 알게 해 주어야 한다.

보좌관의 활동을 홍보하는 요령

첫째, 주요 사안에 대해서는 대대장이 묻거나 다른 사람이 대대장에게 보고하기 전에 보좌관이 먼저 들어가서 보고하라. 보고의 주도권을 빼앗기면 소용이 없다. 대대장이 질문했을 때에만 답변하는 것은 피동적이고 게으른 것이다. 보좌관보다 다른 참모가 먼저 보고하면 보좌관이 제 역할을 하지 않는다고 오해할 수 있다. 따라서 언제 어떤 업무가 있는데 어떠한 사항들을 언제까지 준비하겠다고 먼저 보고하라.

둘째, 특별히 보고할 만한 큰 업무가 없다면 작은 업무들이라도 여러 가지를 모아서 보고할 기회를 만들어라. 핵심적인 업무가 없다고 하여 마냥 주저앉아 있을 수만은 없다. 부대업무를 조정 통제하면서 수집한 정보들을 메모해 두었다가 수시로 대대장을 찾아가 보고하라. 언제 어떤 업무가 있고 어떻게 하도록 조치했다든지, 부대의 간부나 병사에게 어떤 일이 있었다든지 하는 참고사항들을 대화하듯이 보고한다. 작은 일이라도 시기를 놓치면 아무 소용이 없으니 적절한 타이밍을 맞춰서 보고하라. 때로는 대대의 간부나 병사가 어떤 선행을 해서 상급지휘관이 이에 대해 칭찬하고 질문하는데 정작 대대장은 그 내용을 몰라 당황해하는 경우가 있다. 따라서 이러한 상황을 예측하여 대대장이 알아야 할 정보를 적시에 제공해 주어야 한다.

셋째, 보좌관이 중간결재를 한 것이라도 그것이 중요한 업무이고 대대장의 지침을 보좌관이 직접 들어야 하거나 토의가 필요한 사안 같으면 실무자가 대대장에게 결재하러 들어갈 때 같이 따라 들어가서 거들어라. 실무자가 보고할 때 보좌관이 부연설명도 하고 보좌관 의견도 이야기해서 해결방안을 모색하도록 하라. 중요한 사안을 실무자에게만 맡기고 보좌관은 뒤로 빠져 있으면 지휘관 입장에서는 서운해할 수 있다. 중간결재를 한 것으로 할 일을 다 했다 생각하고 방심하지 마라.

넷째, 어떤 사안에 대해 대대장이 질문하였을 때 보좌관도 그 내용을 알고 있어야 한다. 그렇게 하기 위해서는 예하 참모들이 보좌관에게 보고를 철저히 하게 하고, 각종 공문도 꼼꼼히 살펴야 하며, 결산도 세심하게 해야 할 것이다. 또한 단순히 알고 있다고 답하는 것이 아니라 "그 사안은 이런 이유로 이렇게 조치하도록 통제하였습니다."라고 보좌관이 지침을 준 내용까지 보고해야 한다. 그래야 보좌관도 뭔가 했다는 것이 드러난다.

다섯째, 보좌관이 부대를 순찰하여 지도한 것이 있으면 숨기거나 그렇다고 너무 표시 내지도 말고 자연스럽게 PR이 되게 하라. "어제 가족과 드라이브를 하다가 영외 중대를 지나면서 잠시 들렀는데, 병사들이 축구를 하면서 활동적으로 지내고 있었고 당직사관도 근무를 잘 서고 있었습니다."라고 말해 보라. 이 외에도 보좌관의 존재성을 부각시킬 수 있는 방법은 많이 있다. 수시로 상황에 맞게 처신하여 인정받는 보좌관이 되기를 바란다.

도움을 청하는 것도 홍보이다

보좌관 임무를 수행하면서 모르거나 어려운 점이 있으면 대대장에게 도움을 청하라. 군대라는 분위기의 특성상 아랫사람은 애로사항이 있어도 윗사람에게 그것을 이야기하거나 도움을 청하는 것이 어렵고 무례하게 느껴진다. 그러나 이러한 마음은 문제해결에 도움이 되지 않는다. 오히려 보좌관이 풀기 어려운 문제를 대대장에게 질문함으로써 문제를 쉽게 풀 수 있고, 더불어 보좌관이 그러한 고민을 하고 있다는 것을 홍보하는 결과를 낳기도 한다.

사실 윗사람은 부하들이 찾아오는 것을 싫어하거나 괘씸해하지 않는다. 입장을 바꾸어 생각해 보라. 소대장이나 중대장이 어려운 일이 있어서 당신에게 찾아와 조언을 청했을 때 당신 기분은 어떠하였는가? 찾아온 사람이 괘씸하였는가 아니면 고맙게 느껴지고 오히려 조언해 주는 것이 즐거웠는가? 도와주는 사람은 가르침의 즐거움을 느낄 뿐만 아니라, 조언해 주는 자신이 누군가에게 도움이 되고 쓸모가 있다는 사실 때문에 존재의 가치를 느끼기도 한다. 명심하라, 지휘관은 늘 외롭다는 것을…….

제5장 대대장의 지휘기법

대대장은 지휘관의 꽃이라고 한다. 지휘권을 마음껏 행사하며 가장 지휘다운 지휘를 할 수 있기 때문일 것이다. 대대장까지는 부하들과 같이 활동하며 직접적인 지휘가 가능하나 연대장부터는 간접적으로 지휘가 이루어지기 때문이기도 하다. 통상 대대는 독립적으로 위치하여 부대운영도 개별적으로 이루어지기 때문에 대대장의 작전개념과 지휘의도대로 부대를 운영할 수 있다. 그래서 대대장의 지휘통솔 능력에 의해 부대의 성패가 좌우된다. 따라서 초급장교 때부터 선배 장교들의 지휘요령을 폭넓게 배우고 익혀서 그릇을 키우고, 대대장이 되면 혼신의 노력을 다해 맡은 바 소임을 성공적으로 완수하기 바란다.

1. 부대운영의 원칙과 철학을 가져라

지휘관이 부대를 지휘할 때는 나름대로의 철학과 주관을 가지고 시종 일관성 있게 추진하는 것이 필요하다. 필자는 대대장을 역임하면서 역동적인 부대운영, 적절한 긴장, 신상필벌을 늘 염두에 두었다.

부대를 역동적으로 운영하라

부대가 정적이고 나태하거나 게으르면 안 된다. 역동적으로 움직여야 생기가 솟고 발전이 있다. 그렇게 하기 위해서 대대장은 부대에 목표와 비전을 제시하여 부대운영의 구심점을 형성해야 한다. 목표와 비전은 대대장 재임기간이나 1년 단위의 장기적인 것을 먼저 수립하고, 이에 기초하여 한 달이나 주간 단위의 세부적인 것을 수립한다. '상하동욕자승(上下同欲者勝)'이라고 했듯이 대대의 목표와 비전을 향해 전 대대원이 한 방향으로 나아갈 수 있게 해야 한다. 시기별로 상황에 맞는 목표를 세워 부대원과 공유하도록 하라. 만일 상급부대 일정이나 부대의 연간훈련 예정표상에 특별한 업무가 없다면 대대장 스스로 부대운영의 이슈(Issue)를 만들어 주어야 한다. 예를 들면 체육대회나 환경개선, 장기자랑 같은 것을 들 수 있다.

병력을 운영할 때에도 정적으로 하지 말고 전 병력이 동적인 활동을 할 수 있도록 방안을 고민하라. 교육훈련을 할 때에는 강의식 교육보다는 상황을 부여해서 행동으로 체득하게 하라. 일단 행동으로 움직여 보고 미흡한 부분이 있으면 그 부분을 자세히 설명한 후에 다시 반복하여 훈련한다. 말이나 설명을 최대한 줄이고 동적으로 움직여라. 전술훈련을 할 때에도 한 장소에서 조용히 머물러 있는 훈련을 지양하고, 전체적인 상황구성을 잘해서 전 병력이 각자의 위치에서 뭔가 행동을 취하면서 움직이게 하는 훈련방법을 연구하라. 체육활동을 할 때에도 운동하기 좋아하는 사람들만 활동하고 나머지는 뿔뿔이 흩어져 개별적으로 행동하게 하지 말고, 전 병력이 운동할 수 있게 여러 종목을 선정한 후 종목별로 인원수를 통제해서 전원이 참여하도록 지휘하라. 부대 전원이 이리저리 움직이는 활동적이고 역동적인 모습을 보이는 것이 좋다. 강한 육체에서 강인한 정신력이 나오듯이 몸을 움직여야 우울증이 있는 사람도 개선이 된다. 스스로 알아서 활동하게 내버려 두면 사각지역에 소외되는 병사가 생겨 사고가 날 수도 있다.

조직원들을 적절히 긴장시켜라

긴장(Stress)은 생산성을 향상시키고 사고를 예방해 준다. 아무리 유능한 사람이라도 통제해 주는 사람이 없으면 게을러지고 느슨해져서 업무에 실수를 가져올 수 있다. 적절한 긴장은 에너지를 가져다주고 집중력을 향상시켜 업무가 보다 효율적으로 처리되게 해 준다. 따라서 대대장은 항상 적절한 통제와 주기적인 자극을 줘서 부하들이 적절히 긴장하게 만들어야 한다.

부하가 작은 실수를 했을 때 매번 그냥 넘어가는 것은 현명한 방법이 아니다. 몰라서 그런 것은 용서하되 정신자세가 해이해져서 그런 것은 한마디 훈계를 하는 것이 좋다. 큰 실수는 용서하되 작은 실수는 오히려 짚고 넘어가는 것이 필요하다. 큰 실수는 대대장이 말하지 않아도 당사자가 느끼고 반성하나, 작은 실수는 짚어 주지 않으면 잘못을 인지하지 못하고 더 큰 과오를 야기할 수 있기 때문이다. 작은 잘못이라 하여 아무 소리도 안 하고 내버려 두면 '깨진 유리창 법칙'처럼 만성이 되어 결국은 더 큰 사고로 이어진다. 군에서는 장비와 탄약을 다루기 때문에 군기가 해이해지면 결국 인명사고로도 이어질 수 있음을 잊지 말아야 한다.

설령 부하들이 열심히 잘하고 있더라도 정신이 해이해지는 기미가 보이면 바로 그 시점에서 뭔가 트집을 잡아 야단을 쳐서라도 적절한 긴장을 유지시킬 필요가 있다. 뭐든지 타이밍이 중요하다. 소 잃고 외양간 고치는 격이 되어서는 안 된다. 기왕에 부하들의 군기를 잡으려면 대대장 부임 후 초반에는 엄하게 하고 시간이 흐르면서 조금씩 풀어 주는 것이 좋다. 사람은 망각의 동물이라 오래된 것은 쉽게 잊고 최근 것은 더 강렬하게 기억한다. 임기 처음에 강하게 하는 것은 대부분의 지휘관들이 그렇게 행동하고 처음이라는 생각에 부하들도 충분히 이해해 주지만 임기 말에 강하게 하는 것은 반감을 사기 쉽다.

신상필벌을 공명정대하게 하라

신상필벌은 군기를 유지하기 위해 필수적인 요소이다. 공을 세웠는데도 상을 주지 않으면 나서는 자가 없을 것이고, 잘못을 했는데도 처벌이 없다면 영(令)이 서지 않을 것이다. 따라서 공을 세우고 부대의 명예를 드높인 사람이 있다면 그에 맞는 포상을 실시해서 타의 모범이 되게 해야 한다. ≪삼국지≫ 무제기(武帝記)에서 이르기를 "훈노(勳勞)에 상을 줘야 할 때는 천금도 아끼지 않으며, 공이 없는데 상을 바라면 분호(分毫)도 주지 않는다."라고 하였다. 따라서 전술훈련을 다녀오면 그것으로 끝내지 말고 공적 있는 사람을 찾아 포상하고, 병사들이 사단 집체교육에 가서 좋은 성적을 내어 부대의 위상을 높였으면 반드시 포상을 하라.

한편으로는 잘못을 찾아 이를 벌하는 노력도 게을리하지 말아야 한다. 주기적으로 병사들의 내무부조리를 찾아 척결하고, 병영생활 행동강령을 위반한 자를 색출하여 처벌하라. 간부들이 욕설하고 보안규정을 어기면 말로만 훈계하지 말고 대대장 경고장을 발행하거나 심한 것은 과감히 징계를 하라.

깨진 유리창 법칙(Broken Window Theory)

1982년 미국의 범죄학자인 제임스 윌슨(James Wilson)과 조지 켈링(George Kelling)이 공동으로 발표한 사회 무질서에 관한 이론이다. 이는 깨진 유리창 하나를 방치해 두면 다른 사람이 또 돌을 던져 나머지 부분도 깨뜨리고, 결국은 그 건물에서 범죄가 일어날 확률까지 높아진다는 것이다.
루돌프 줄리아니는 뉴욕시장으로 재직하던 시절 이 이론을 정책의 토대로 사용하였다. 뉴욕의 범죄율을 줄이기 위해 지하철의 낙서를 지우고 보행자의 신호무시나 쓰레기 투기 등의 경범죄를 단속하자 뉴욕의 범죄가 크게 감소하였다.

2. 사람을 관리하라

대대장은 일만 하는 것이 아니라 조직의 책임자로서 조직원을 관리해야 할 책무도 있다. 사람은 조직을 구성하는 가장 중요한 요소이다. 장비가 아무리 좋다 하더라도 그것을 운용하는 사람이 바로 서지 않으면 최상의 전투력을 발휘할 수 없다. 최첨단 미사일이라도 마지막에 발사버튼을 누르는 것은 결국 사람이다. 따라서 어느 조직에서나 사람관리는 가장 중요한 사안이다. 모든 부하들이 대대장 소망처럼 항상 착하고 이상이 없는 것이 아니다. 그래서 대대장이 되면 때로는 수사관이 되어야 하고, 심판관이나 조정관이 되어 솔로몬의 지혜를 발휘해야 할 때도 있다. 부하들의 행동에서 작은 실마리를 찾아 부하들의 잘못을 확인하고 지도해야 한다.

돈 관리를 못하면 사고로 이어진다

부하들 중에는 생활습관이 건전하지 못해 빚을 지고, 정상적으로 해결하지 못하게 되어 제2금융권이나 사채까지 사용하는 경우도 있다. 결국은 이자를 감당하지 못하고 스스로 삶을 포기하는 사람이 생기기도 한다. 필자가 지휘관을 할 때 간부 한 사람도 씀씀이가 헤퍼서 특별히 관리하던 인원이 있었는데, 애인을 사귀면서 허세를 부리기 위해 추가로 자동차까지 구입했다가 빚이 커지자 탈영까지 저지른 사례가 있었다. 따라서 대대장은 부하들의 씀씀이나 저축현황에 대해서도 파악해 봄으로써 부하들이 효율적으로 돈을 관리하고 분수에 맞는 삶을 영위하도록 지도해야 한다.

이성관계도 경계하라

부하들의 이성관계도 주의 깊게 살펴야 한다. 가끔 뉴스를 통해 알 수 있듯이 남녀가 치정에 얽혀 범죄를 저지르는 사례가 많이 있다. 따라서 부하들이 일과 후에 사생활은 깨끗한지, 퇴근 후 집으로 바로 복귀하는지의 여부도 살펴볼 필요가 있다. 어느 간부는 밤늦은 시간에 집 밖에서 자주 핸드폰으로 통화를 했는데 알고 보니 다른 여자와 바람이 난 것이었다. 취미생활을 하는 클럽에서 자주 만나는 여자와 몰래 사귀다가 결국은 그 사실을 부인에게 들켜서 군생활도 끝까지 못 하고 조기에 전역하게 되었다. 부대에서도 핸드폰 통화를 길게 자주 하거나 숨어서 하는 사람은 유심히 살펴볼 필요가 있다.

아침에 얼굴표정을 살펴라

아침에 출근해서 술 냄새를 풍기거나 눈이 빨갛고 세수도 제대로 못한 것 같은 얼굴이라면 간밤에 제대로 수면을 못한 것이다. 이런 간부들에 대해서는 퇴근 후에 시간을 어떻게 활용하고 있는지 체크해 보는 것이 좋다. 이런 경우 대부분은 밤늦게까지 인터넷 또는 컴퓨터 게임을 하였거나 간밤에 과음을 하였을 확률이 높다. 아침에 출근을 늦게 하거나, 아침밥을 거른다거나, 출근을 해서도 어디론가 사라져 낮잠을 취하는 사람이 있는지도 파악해 보라. 대대장은 부하들이 건전한 취미생활을 유지하도록 지도해야 할 책무도 있다.

초급간부들은 처음으로 부모 슬하를 떠나 생활하는 경우가 많기 때문에 자신의 생활을 스스로 통제하지 못하는 경우가 많다. 고등학교나 대학시절에 집을 떠나 유학생활을 겪은 사람들은 나름대로 적응이 되어 자신을 어느 정도 통제할 수 있지만 그렇지 않은 사람들은 방황하기 쉽다. 따라서 이 시기에 경험 많은 선배들의 자상한 지도가 필요하다. 성인이니까 자신의 일은 자신이 알아서 하라고 방치하지 말고 그들이 올바른 궤도에 정착할 때까지 관심을 갖고 지도해 줘라. 불혹의 나이를 넘긴 사람들도 실수하는 경우가 있는데 혈기

왕성한 20대 초반의 젊은이들을 그냥 내버려 두어서야 되겠는가? 대대의 주임원사나 행정보급관, 보좌관이나 중대장에게 임무를 나눠주어 같이 지도하라.

부하들의 성격을 파악하여 운용하라

유능한 장수란 혼자서 모든 능력을 갖추고 있는 사람이 아니라 능력을 갖춘 여러 사람들을 다스릴 줄 아는 사람이다. 철강왕으로 불리는 미국의 앤드류 카네기의 묘비에는 "자기보다 현명한 인물을 주변에 모으는 방법을 터득한 사나이, 여기에 잠들다"라고 새겨져 있다고 한다. 사람은 누구나 장점과 단점이 있다. 지휘관은 부하들 개개인의 장단점을 정확하게 파악하여 그 특성에 맞게 운용할 줄 알아야 한다.

오래전 어느 부대에서는 같이 근무하던 두 사람이 사이가 나빠져 사소한 시비로 급기야 칼부림까지 하며 크게 싸운 사례가 있었다. 따라서 사람들 간의 관계를 흘러가는 대로 내버려 두어서는 안 된다. 필자가 지휘했던 부대에 나이가 비슷한 간부 두 명이 있었는데, 이들은 성격이 서로 달라서 매사에 의견차이가 심했고 만나면 항상 다투기 일쑤였다. 한 사람은 성격이 꼼꼼하고 부지런해서 일처리가 완벽해야만 직성이 풀리며 잠시도 쉬지 않으려는 성격이었고, 다른 한 명은 일을 열심히는 하되 때로는 대충 넘어가기도 하고 일을 하다가 힘들면 쉬었다가 하는 스타일이었다. 그러니 두 사람이 같이 일을 하다가 한 명이 쉬고 있으면 다른 한 명은 그 모습이 거슬려 티격태격하였다. 지휘관 입장에서 보면 둘 다 문제가 있는 것도 아니고 서로 다투었다고 해서 처벌을 줘야 하는 수준도 아니어서 다른 방법으로 해결책을 강구하기로 하였다. 일단 두 사람에게 항상 별도의 임무를 부여해서 같이 모여 있는 일이 없게 하였다. 그리고 회의 때마다 꾸준히 서로 다른 성격의 사람을 이해하도록 교육하였다. 그 결과 부대가 조용하게 흘러갔다. 이와 같이 대대장이 병력을 어떻게 운용하느냐에 따라서 없었던 문제를 야기할 수도 있고, 문제가 있었던 사람들이라도 무난히 각자의 역량을 발휘하게 할 수도 있다.

3. 창의력을 발휘하라

전승불복(戰勝不復)

창의력은 전승의 필수요건이다. 승리하기 위해서는 적보다 더 나은 무기를 개발해야 하고 싸우는 방법도 지금까지와는 다르게 새롭고 창의적인 방법을 개발해야 한다. 손자(孫子)는 '전승불복(戰勝不復)'이라 했다. '전쟁에서 한번 거둔 승리는 반복되지 않는다.'는 뜻이다. 그러므로 다음 전쟁에서 승리하기 위해서는 적이 생각하지 못한 새로운 방법을 다시 찾아내야 한다. 이순신 장군이 거북선을 개발한 것이며 임진왜란 중에 여러 전투에서 승리할 수 있었던 이유는 바로 상황에 맞게 창의적인 전투를 수행했기 때문이다.

더 나은 방법을 고민하라

일상적인 업무를 하면서도 창의력을 발휘해 보라. 보고서를 작성할 때는 더 쉽게 이해할 수 있는 방법이나 더 나은 디자인을 모색해 보라. 문제해결을 위한 대안을 만들어 낼 때에도 지금까지와는 차별화되면서도 보다 효과적인 방법을 도출해 보라. 그러한 능력을 발휘함으로써 당신의 존재가치를 더욱 돋보이게 할 수 있다. 사격술을 향상시키기 위해 새로운 교보재나 교육 프로그램을 개발해 보고, 부대관리나 병력관리 면에서도 현 시대감각에 맞게 새로운 방안을 모색해 보라. 환경개선을 함에 있어서도 지금까지 해 오던 방식에서 벗어나 민간사회에서는 어떻게 하는지, 아파트 모델하우스는 어떻게 꾸미고 있는지 등을 견학하고 비교하여 이를 모방해 보라. 대대장 정도의 경험을 쌓았으면 과거의 방식을 있는 그대로 답습만 하지 말고 변화가 필요한지의 여부를 한 번쯤은 고민해 볼 줄 알아야 한다.

현상이나 사물을 보이는 것만 보지 말고 내면의 모습을 보려고 노력하라. 또한 이에 대처하는 눈을 항상 새롭게 하려고 노력함으로써 창의력을 지속적으로 계발하라. 좀 더 고민하고 다른 사람이나 다른 분야와 비교해 보는 습관은 창의력을 향상시킨다. 또한 창의력은 기본과 기초를 철저히 익히는 것에서부터 출발한다. 본질을 철저히 파헤친 후 그 본질에서부터 의문을 품고 기존보다 진취적인 방법을 모색할 때 창의적인 대안이 나오게 된다.

한국화장실협회 회장을 역임했던 정숭렬 장군(예비역 육군중장, 육사 15기)은 1989년 전역을 한 후, 1998년 6월부터 3년간 한국도로공사 사장으로 재직하였다. 이때 그는 과감한 구조조정을 통해 경영의 혁신을 시도함은 물론 전국 고속도로휴게소 화장실의 환경을 개선하여 새로운 화장실 문화를 선도하였다. 지금은 그러한 화장실 문화가 보편화되어 있지만, 그때 당시만 해도 화장실을 휴게실 수준으로 깔끔하게 꾸미는 것은 다른 사람은 상상도 하지 못했던 일이었다. 군인이라고 해서 창의력이 불필요한 것은 아니다. 또한 군대에서 기른 창의력이 사회에서 통하지 않는 것도 아니다. 현상을 제대로 분석할 줄 알고 창의력을 발휘할 줄 안다면 그 능력은 어디에서든 쓰일 수 있다.

어느 날 국내의 모 회사에서 전역하는 장교를 신입사원으로 선발하기 위해 대대장에게 그 장교의 평소 업무태도를 알아보려고 찾아왔다. 회사의 인재개발 담당자는 그 장교가 평소에 책임감은 어떠했는지, 업무를 하면서 창의적으로 개선시킨 사항은 무엇인지, 다른 동료들과의 관계는 어떠했는지 등을 질문하였다. 여러 가지 질문에 답해 준 후 그 회사에서는 어떤 사람을 원하는지 되물어 보았다. 그들은 신입사원을 선발할 때 군인다운 기질, 대인관계 그리고 창의력을 중시한다고 하였다.

4. 수시로 스파크 체크하라

지휘관심이 성패를 좌우한다

지휘관은 부대의 모든 성패를 책임진다고 한다. 그것은 아마도 성패의 원인이 지휘관심 정도에 달려 있기 때문일 것이다. 지휘관심은 부대가 다방면에 걸쳐 올바르게 나아가도록 하는 데 있어 감초와 같은 역할을 한다. 지휘관이 관심을 가지는 분야는 잘되고 관심을 두지 않는 분야는 쇠퇴하게 되어 있다. 지휘관이 살펴보고 관심 가지는 분야는 실무자도 안 할 수가 없기 때문에 우선적으로 달라붙어 일을 하게 되어 있다. 그러나 지휘관이 가 보지 않고 관심 갖지 않는 분야는 어차피 해도 생색도 나지 않고, 표시가 안 나니 혼날 일도 없어서 손을 대지 않게 된다. 결국 고인 물은 저절로 썩듯이 그 분야는 퇴보하는 것이다. 따라서 지휘관은 지휘의 사각지역이 생기지 않도록 부대의 구석구석과 업무의 이모저모를 주기적으로 점검해 주어야 한다.

중요한 분야부터 꼼꼼히 점검해라

지휘관이 부대에 관심을 쏟는다고 해서 혼자서 매번 전 분야를 다 둘러볼 수는 없다. 그러기에는 점검해야 할 분야가 너무 광범위하여 며칠을 봐도 다 볼 수가 없다. 따라서 일단은 당면한 업무, 중요한 분야부터 한 가지씩 점검해 나가라. 당장 상급부대에서 어느 분야에 대한 점검이 있다면 그 분야부터 점검하여 보완하라. 그러나 그런 계획이 없다면 총기관리, 탄약관리, 비문관리, 금전관리, 취사장, 창고정리 등의 순서로 우선순위가 높은 분야부터 하나씩 체크해 나가라. 그리고 각 분야를 점검할 때에는 대충 점검하지 말고 세부적인 부분까지 꼼꼼히 점검하라. 그래서 한번 점검했을 때 그 분야는 확실하게 마무리가 되게 하라. 대충 점검하면 업무에 발전도 없고 상급부대 점검 시 지적사항이 그대로 남아 있기 때문에 별 소용이 없다. 또한 이번에 점검한 것이 완전한 수준이 아니라서 언젠가는 다시 점검해야 하기 때문에 시간상으로도 낭비이다. 한번 점검할 때 하나씩 완전하게 정리해 나가면 얼마 지나지 않아 부대의 전 분야가 내실 있게 발전해 있을 것이다. 또한 대대장이 꼼꼼하게 점검해 주면 실무자는 그것을 보고 업무능력이 한 단계 향상되어 그 수준을 지속적으로 유지할 수 있게 될 것이다. 대대장이 대충 점검하면 실무자는 그것이 전부인 줄 알고 더 이상 업무수준이 향상되지 않는다.

지속적으로 스파크 체크하라

전 분야에 걸쳐 한 사이클을 다 보완한 다음에는 지속적으로 그 수준을 유지하도록 임의의 분야를 돌아가면서 스파크 체크하라. 총기관리는 규정대로 이루어지고 있는지, 창고관리나 재산관리는 이상이 없는지, 병사들에 대한 면담기록은 주기적으로 이루어지고 있는지 등을 체크해 보라. 지휘관이 이런 식으로 각 분야를 수시로 체크하면 실무자들은 지휘관의 눈길이 갑자기 어디로 갈지 모르기 때문에 스스로 자기 역할에 더욱 충실하게 된다.

지휘관은 기본적으로 해야 할 업무를 스파크 체크하는 것뿐만 아니라, 어떤 업무를 지시했을 때에도 그것이 지시한 대로 수행되었는지를 반드시 확인해야 한다. 지휘관이 지시만 하고 결과를 확인하지 않으면, 안 해도 되는 것으로 인식하고 제대로 이행하지 않게 된다. 결과적으로는 대대장의 지시사항이 권위를 잃게 되어 지시를 해도 부하들이 대답만 하고는 실천으로 옮기지 않게 된다. 따라서 지시한 것에 대해서는 지금 당장은 아니더라도 언젠가는 반드시 확인하는 습관을 가져야 한다. 그리하면 부하들이 절대로 거짓을 고하거나 대충 처리하는 일이 없게 된다.

부하들이 어떤 업무에 대해서 이런 방향으로 추진하겠다고 할 때 '해당 실무자가 충분히 검토해서 보고하는 것이니 괜찮겠지!'라고 안일하게 생각하여 바로 승인하지 말고, 의심나는 사항은 직접 체크하여 확인한 후 신중하게 판단하라. 사안이 중대하고 일의 결과가 부대에 미치는 영향이 클수록 그 자리에서 결정하지 말고 다시 한 번 파악하라고 지시하거나 지휘관이 한 번 더 체크해 본 후 결정해야 한다. 시간적인 여유가 있다면 하룻밤을 더 기다려 보고 결정하라. 돌다리도 두드려 보고 건너라고 했듯이 누구라도 한 번 더 체크하고 한 번 더 고민하면 그만큼 더 위험요소를 걸러 낼 수 있게 된다. 지휘관이 이렇게 철저히 확인하는 습관을 가지면 부하들도 절대로 대충 하지 않게 되어 부대의 업무수준이 저절로 향상된다. 지휘관이 보고만 받고 확인하지 않으면 큰 화를 당할 수 있다. 부하를 못 믿어서가 아니라 서로의 관점이 다르거나 참모의 시야가 지휘관에게 미칠 수 없기 때문에 이를 경계해야 하는 것이다.

5. 시스템을 확립하라

주어진 시스템을 활용하라

대대라는 조직은 대대장 혼자서 관리할 수 있는 조직이 아니다. 모든 조직은 그 조직이 움직일 수 있도록 이미 시스템이 갖춰져 있다. 따라서 주어진 시스템을 제대로 활용할 줄 아는 것도 지휘관이 갖춰야 할 조건이다. 참모조직을 유기적으로 운용하고, 중간계층이나 중간지휘관을 능력에 맞게 활용하며, 부사관단과 같은 신분별 조직을 적절히 이용하는 등 각 집단과 시스템이 제 역할을 하도록 격려하고 기름칠을 해 줘야 한다. 때로는 어떤 문제에 직면했을 때 대대장이 그 해결책을 이미 알고 있고 대대장이 직접 처리할 수 있는 사안이더라도, 중간계층이 해야 할 소임이고 그 사람이 더 전문가라면 대대장이 알고 있는 것을 표현하지 말고 그 전문가가 해결하도록 지시하거나 기다려 줄 수 있는 마음의 여유가 필요하다. 가령 겨울철에 월동준비를 실시한 후 그 조치상태와 화재예방 이상유무를 점검해야 할 때 대대장이 직접 점검할 수 있는 능력이 있다 하더라도 주임원사나 행정보급관들을 통해 1차적으로 점검하게 한 후 결과를 보고하도록 지시하면 대대장이 생각하지 못했던 부분까지 발견하게 되고 보다 더 세부적이고 기술적인 부분까지 보완이 이루어지게 된다. 행여나 대대장이 최고이고 자신이 항상 직접 나서야만 한다는 착각에 젖어 있으면 안 될 것이다.

문제해결은 시스템적으로 접근하라

문제를 해결할 때에는 나타난 현상뿐만 아니라 근본적인 원인도 치유하라. 상급부대 점검이나 평가에서 문제점이 드러났을 때 대대장이 기분 내키는 대로 화를 내고 야단치는 것만으로는 문제가 해결되지 않는다. 큰 소리로 호통만 치는 것은 가장 하급(下級)의 대응이다. 각성시키는 차원에서 호통이 필요할 때도 있으나 우선은 문제해결이 중요하고, 다음으로는 그 문제가 일어나게 된 원인이 무엇인지, 시스템상에 문제는 없는지, 이를 보완하기 위한 방법은 무엇인지를 연구하는 것이 중요하다. 눈에 보이는 현상만 치유하려 하지 말고 구조나 제도, 임무수행 방법 면에서 근본적인 보완책을 강구해야 차후 동일한 문제가 발생하지 않는다.

문제를 해결할 때 일부 상급자들은 정확한 방향을 제시하기보다는 기존의 시스템은 그대로 둔 채 '좀 더 철저히 해라', '좀 더 신경 써라', '똑바로 해라' 하고 윽박지르기만 한다. 그러나 근본적인 문제해결을 위해서는 '더 열심히, 더 철저히'가 아니라 시스템을 바꾸어야 한다. 항상 시스템적으로, 방법론적으로 접근해 보라. 일하는 방법이나 시스템, 체질을 개선해 보라. 시스템과 방법을 개선한다는 것이 어떤 것인지는 아래의 사례를 통해 알 수 있다.

대대장을 할 때 아침에 예하 중대로 순찰을 나가려고 하는데 지프차가 보이지 않았다. 확인 결과 차량에 기름이 떨어져 운전병이 유류를 보충하러 갔다는 것이다. 가만 생각해 보니 '어제 운행을 나갔다가 늦은 시간에 복귀한 것도 아니라서 오후에 충분히 유류를 보충할 수 있었을 것인데 왜 그랬을까?' 하는 의문이 들었다. 차량의 유류는 비상시를 대비해서 항상 충만해 두는 것이 당연한 일이다. 이유를 파악해 보니 군수담당관이 전날 당직근무를 서고 오후에 근무 취침을 하러 나가는 바람에 유류고 열쇠가 없어서 유류보충을 못 했다는 것이다.

문제는 바로 군수담당관만이 유류를 보충할 수 있고, 하루에 한 번으로 유류보충 시간이 정해져 있는 그 시스템에 오류가 있었던 것이다. 차량 복귀 여부를 가장 잘 파악하고 있고 차량을 직접 관리하는 수송관에게는 유류고 접근권한이 없었던 것이다. 차량이 오후 늦게 복귀할 수도 있는데 일과 중 오후에 한 번만 유류보충이 가능해서야 되겠는가? 그래서 수송관도 열쇠를 수령하여 유류를 보충하게 하였고, 오후 늦게 복귀한 차량을 위해 아침과 저녁 1일 2회에 걸쳐 간부가 입회하여 유류를 보충할 수 있도록 시스템을 개선시켰다.

부대에 전입한 신병 중에 성격이 소심하고 체격도 왜소하며 대인관계도 소극적이어서 학창시절에 왕따까지 당했던 병사가 있었다. 이 병사는 인성검사 결과 자존심 척도도 아주 낮고 우울증까지 있어서 관심이 많이 가는 인원이었다. 그래서 '어떻게 하면 이 병사가 군대생활을 재미있게 할 수 있을까? 군대 내에서 어떻게 스트레스를 해소하면서 지내게 할 수 있을까?' 하고 고민하다가 그 병사를 불러서 하고 싶은 것이 무엇인지 물어보았다. 그러자 그는 인터넷을 하면 스트레스가 풀린다고 대답하였다. 그래서 부대에 전입한 후 인터넷을 몇 번이나 했는지 물어보았더니, 신병이 처음부터 인터넷을 하면 안 될 것 같아서 한 달이 지난 지금까지 아직 한 번도 컴퓨터를 만져 보지 못했다고 말하였다.

이때 대대장이 현재의 문제만 해결해 주려면 그 병사가 인터넷을 사용할 수 있게만 조치해 주면 되겠지만 근본적인 문제를 해결하기 위해서는 시스템을 보완해야 했다. 그래서 그날부터 사이버지식정보방 이용체계를 분대별로 사용하던 것에서 계급별로 바꾸어 최소한 1주일에 하루는 이등병만 전용으로 사용하게 하였다. 분대별로 이용하게 하면 같은 분대라도 처음 온 신병은 고참들 때문에 컴퓨터를 사용하는 데 어려움을 느끼기 때문이었다.

6. 지휘관은 큰 줄기를 놓치지 말아야 한다

대대장은 핵심업무, 당면업무에 보다 집중해야 한다

지휘관이라면 사소한 일은 부하들에게 적절히 위임함으로써 핵심적인 업무나 중요한 당면업무에 보다 더 집중해야 한다. 지휘관이 부대운영의 큰 줄기를 놓치지 않기 위해서는 첫째, 상급부대 활동사항에 주목하여 우리 부대와 관련되는 내용에 즉각적으로 반응해야 한다. 전날 저녁에 게시되는 상급부대의 결산일지나 매일 아침 상급부대 회의록에 나오는 예정사항을 확인하여 어떤 분야에 대해서 점검을 나온다고 하면 그와 관련된 사항들을 신속히 점검하고 준비하라. 군수 분야 점검이 있다면 창고관리나 재산관리 상태를 확인함은 물론 취사장 위생관리나 수송부 운영상태 등을 지휘관이 현장에 내려가 직접 확인하고 조치해야 한다. 사실 대대급 부대가 여러 개 있기 때문에 상급부대에서 우리 대대에 점검을 나오는 일이 자주 있는 것은 아니다. 그래서 상급부대 결산일지를 봐도 우리 부대에 해당되는 사항이 한 달에 한 번 있을까 말까 한다. 그러다 보니 감각이 무뎌져서 결산일지 확인하는 것을 잊어버리기 쉬운데, 이상하게도 확인을 빠뜨리면 그날이 꼭 점검 오는 날이 된다. 그러므로 우리 대대에 직접 해당되는 내용이 거의 나타나지 않는다 하더라도 마음을 놓지 말고 매일 철저히 확인하라.

둘째, 상급부대 지휘관과 직접 관련되는 내용이 있으면 그것에 모든 생각을 집중해야 한다. 상급지휘관이 부대를 방문하거나 상급지휘관에게 보고할 사항이 있으면 그 일에만 정신을 집중하라. 대대장이 상급지휘관에게 무엇을 보고하고 세부적으로 어떠한 것들을 준비해야 하는지에 대해 정신을 집중하고 고민해야 하는데, 다른 일에 정신을 팔고 있으면 반드시 무엇인가 한두 가지는 빠뜨리거나 실수하게 된다. 사실 대대장이 상급지휘관을 직접 대면할 수 있는 기회는 그리 흔하지 않다. 그런데도 몇 번 안 되는 그 대면을 통해 상급지휘관은 당신의 전부를 평가하게 된다. 그만큼 상급지휘관의 방문은 중요한 일이다. 그러므로 일상적인 실무는 참모나 예하 중대장에게 적절히 위임하고 대대장은 핵심에 집중하라. 핵심적인 업무를 먼저 처리하고, 그렇게 하고도 여유가 생기면 그때 일상적인 업무를 처리하라.

선택과 집중을 하라

대대장 직책을 수행하면서 모든 부분에서 언제나 완벽할 수는 없다. 그래서 부대에 주어진 임무를 수행할 때에는 선택과 집중이 필요하다. 매사에 완벽하려 하면 부대가 항상 바쁘고 부하들이 피곤해져 결국 다른 부분에서 누수현상이 발생하게 된다. 매사를 완벽하게 처리하려 하다가는 실무자나 병사들이 힘들어서 탈영을 할 수도 있다. 따라서 일상적인 업무나 대대 내적인 업무에 대해서는 일의 수준이 다소 부족해도 참고 넘어가서 부하들이 에너지를 충전하게 하고, 대외적인 업무나 중요한 임무가 주어지면 그때 열정을 쏟아 집중하게 하는 것이 더 효과적이다. 중요한 업무에는 많은 에너지를 투입하고, 대수롭지 않은 업무에는 에너지를 아껴라. 사소한 일은 대대장이 직접 챙기기보다는 부하에게 위임하라. 업무의 강도나 부대원들의 피로도가 Sine 곡선을 이루도록 업무의 강약을 조절해 주는 것이 필요하다. 바쁘고 힘들었으면 잠시 여유 있게 쉬면서 재충전할 시간도 주고, 적절히 쉬었으면 일거리를 찾아 바쁘게 만들어 줘라.

어떤 지휘관을 보면 평상시에 업무를 열심히 하는데도 상급지휘관이 순시를 가면 항상 지적받고 혼나는 사람이 있다. 이런 사람은 업무의 맥(脈)을 잡지 못하고 선택과 집중을 할 줄 모르기 때문이다. 평상시 여러 분야에 관심을 가지고 안정적으로 부대를 지휘하기는 하지만 결정적으로 상급지휘관의 순시에 대비하여 더 많은 노력과 철저한 대비를 하지 않았던 것이다. 평소 열심히 일한 것만 믿고 그 수준이면 이상 없을 것이라 방심하고 있다가 주변 상황이 바뀌었는데도 더 이상의 정성을 쏟지 않았을 수도 있다. 그러므로 찬스에 강해야 한다. 지휘관이 큰 줄기를 놓치면 지휘관에 대한 인식뿐만 아니라 부대에 대한 인식도 나빠지게 된다. 결정적인 순간에 대비하지 못하는 대대장이라면 차후 더 중요한 임무도 마음 놓고 맡길 수 없게 된다.

상급부대에서 여러 차례 강조한 업무라면 그것이 큰 줄기에 해당된다. 진지공사에 대하여 군단장과 사단장이 여러 차례에 걸쳐 진지공사가 왜 중요한지 또한 어떤 방식으로 추진해야 하는지 등을 언급하였다면 그 일이 중요한 일임을 인지하고 부대의 전 역량을 집중하여 최상의 결과를 만들어 놓아야 한다. 대대장도 수시로 현장에 나가 전술적 안목으로 살펴보고 현장지도를 해야 한다. 중요한 일에는 항상 사단장이나 군단장과 같은 상급지휘관이 반드시 현장을 직접 순시할 것이라는 예상을 하고 그에 맞게 준비를 하라. 이런 경우에는 최상급 지휘관에게 보여 주는 마음으로, 최상급 지휘관의 관점에서, 내가 생각하는 것보다 더 높은 수준으로 철저하게 준비해야 한다.

7. 업무를 예측해서 미리 준비하라

지휘관은 현행 업무를 추진하면서도 때때로 여유를 가지고 사색하면서 앞을 내다보아야 한다. 이렇게 사색할 수 있는 여유를 가지기 위해서는 가끔은 사소한 업무는 접어 두고 핵심적인 업무나 부대흐름의 큰 줄기에만 집중하여 생각해 보아야 한다. 가깝게는 1~2주 후의 주요 업무로는 무엇이 있는지 살펴보고, 길게는 한 달 후를 내다보며 준비 작업에 착수해야 한다. 참모나 실무자들은 자신들의 발등에 떨어진 업무에 신경 쓰느라 미래를 내다보며 일하기가 어렵다. 따라서 앞을 내다보고 사전에 지침을 주는 일은 지휘관이 해야 한다. 지휘관이 업무를 예측하여 단계적으로 차분히 준비하게 하는 부대는 조직 전체가 항상 여유로우면서도 임무수행에는 늘 성공하게 된다. 반면에 앞을 내다보지 못하는 부대는 현행업무에만 항상 바쁘게 움직이고, 핵심 업무에 대해서는 폭넓고 창의적인 준비가 미흡하여 항상 남보다 뒤처지게 된다.

상급지휘관이 교체될 계획이 있다면 부임 후 부대순시에 대비하여 업무보고를 준비하라. 보고서를 작성하고 환경정리도 실시해야 할 것이다. 또한 상급지휘관이 바뀌면 전투준비태세의 일환으로 전술토의를 시행하게 되니 이에 대비하여 미리 작전계획을 다시 한 번 공부하고 세부현황을 최신화시키며 예상 질문에 답변할 준비도 해야 한다. 야외훈련이 계획되어 있으면 차량과 각종 장비 및 물자를 정비하고 수리부속이나 타이어 등을 확보해야 한다. 신형 장비가 보급될 예정이면 장비가 도착하기 전에 분배계획을 검토해 보고 그 장비에 대해서 주요 간부들을 대상으로 소개할 준비를 한다. 박격포 사격이 있으면 완충기나 수포 등 사격에 영향을 미치는 부품들은 이상이 없는지 사전에 점검하고, 사격요령 습득을 위해 연구강의나 간부교육 등을 실시해야 한다.

주요 업무에 대한 사전 준비뿐만 아니라 계절에 따라서도 예측된 업무가 필요하다. 겨울이 지나고 봄이 다가오면 해빙기에 대비하여 안전진단을 실시해야 한다. 시설붕괴나 차량사고 예방을 위해 안전점검팀을 구성하여 시설과 장비를 점검한다. 여름이 되면 폭우나 태풍에 대비하여 나뭇가지를 치거나 붕괴 우려 지역에 대한 재해 예방공사를 해야 한다. 겨울이 되면 폭설에 대비하여 체인이나 모래 등의 월동장구류를 구비함은 물론 체인 설치요령과 사륜 기어를 넣고 빼는 방법도 교육해야 한다.

각 사안에 대해 참모들이 알아서 준비하고 착수해 주길 바라지도 말고 그렇게 해 줄 것이라고 믿지도 마라. 핵심업무에 대해서는 대대장이 직접 챙겨서 앞을 내다보며 미리 준비해야 한다. 대대장 자신이 그러한 노력을 하지 않는다면 성공할 수 없다. 얼핏 보면 지휘관들이 하는 일 없이 빈둥거리고 놀고 있는 것 같지만 사실 머릿속으로는 늘 여러 가지를 고민하고 향후 방향에 대해 구상하고 있다. 회사의 CEO들도 골프를 치면서도 늘 업무를 생각하고 미래를 구상하고 있다고 한다.

8. 항상 처음 시작하는 마음으로 임하라

한 번 겪어 본 일이라고 해서 더 잘하는 것은 아니다

사람들은 처음 겪어 보는 일에 실수를 많이 하겠는가 아니면 한 번 해 보았던 일을 다시 할 때 실수를 더 많이 하겠는가? 계산적으로는 처음 해 보는 일에 실수를 더 많이 해야 맞지만 현실은 꼭 그렇지만은 않다. 경험이 있든 없든 정신을 똑바로 차리지 않으면 언제나 실수할 수 있다는 것이다. 어쩌면 처음 해 보는 일보다 두어 번 경험해서 익숙해진 일을 할 때에 더 쉽게 실수할 수도 있다. 부대지휘도 마찬가지이다. 예전에 중대장도 많이 해 보고 1차 대대장 직책도 우수하게 마쳤다고 해서 방심하고 자만하면 2차 대대장 때에는 오히려 처음만도 못한 결과가 나타나게 된다. 또한 한 부대에서 대대장을 2년 이상 계속해서 하는 경우에도 첫해보다 2년차에 더 많은 실수를 저지르기 쉽다. 시험 준비를 하는데 한 번 공부한 내용이라고 해서 방심하고 공부하지 않거나 새롭게 암기하지 않으면 시험을 망치게 되는 것과 같다.

부지런히 움직여라

한 번 경험해 보았거나 알고 있는 일을 시행할 때 실수하지 않으려면 우선적으로는 부지런해야 한다. 알고 있는 일에 실수하게 되는 가장 큰 원인은 이미 알고 있다는 생각에서 추가적으로 더 알려고 하지 않거나 일의 준비를 게을리하기 때문이다. 손자병법에서 '전승불복(戰勝不復)'이라 했듯이 과거와 지금은 상황이 뭔가 하나는 달라져 있다. 날씨가 다를 수 있고, 일을 수행하는 참모들의 능력과 생각이 다를 수도 있다. 상황이 달라지면 그에 대한 조치도 달라져야 승리할 수 있다. 그런데도 '그 일은 전에 경험해 봤고, 이렇게 하면 된다.' 하고 단정해 버리고, 현장에 가서 살펴보거나 추가적인 정보 수집을 게을리하기 때문에 실패하는 것이다.

따라서 부지런히 움직여서 현장을 확인해야 한다. 그래야만 과거와 달라진 상황을 파악할 수 있고 현재의 현상과 문제점도 정확히 파악할 수 있다. 또한 일을 진행해 나가는 과정에서도 처음 시작했을 때처럼 마음을 긴장시키고 부지런히 움직여서 철저히 준비해야 한다. 업무 하나하나를 준비하면서도 혹시나 착오가 있지는 않을지 걱정하면서 다시 한 번 확인하고, 임무달성을 위해 필요한 사항을 빠뜨린 것은 없는지 끊임없이 생각하라.

가슴속으로부터 열정을 불러일으켜라

한 번 겪어 본 일을 할 때 실수하지 않기 위한 두 번째 방법은 열정을 되찾는 것이다. 통상적으로 한 번 해 본 일을 다시 시작할 때에는 처음과 같은 열정이 생기지 않는다. 하지만 더 잘해 보겠다는 열정이 없으면 문제 해결능력이 최대로 발휘되지 않는다. 열정이 있으면 일하는 것이 즐겁고 지치지도 않으며 시간 가는 줄도 모른다. 열정이 있으면 어려움에 부딪혀도 포기하지 않고 새로운 돌파구를 찾아낸다. 그러나 열정이 없으면 창의력을 가지고 업무를 하기보다는 경험상의 지식만으로 문제를 해결하려고 하게 된다. 처음 접하는 일에는 긴장이 되어 가슴 설레고 집중하게 되지만 두 번째 접할 때에는 마음이 처음만큼 따르지 않게 된다. 그렇다고 해서 마음 가는 대로 내버려 두어서는 안 된다. 억지로라도 마음속으로부터 열정을 끌어 올려야 한다. 그래야만 최초와 같은 성공의 기쁨을 맛볼 수 있다.

처음 시작했을 때의 감각으로 하라

항상 처음 시작하는 마음으로 임하라. 오히려 알고 있는 일을 실행할 때 마음가짐을 바로잡고 방심하지 말아야 한다. 과거에 했던 업무를 하거나 과거에 근무했던 부대에 다시 와서 근무하더라도 매번 처음 시작하는 마음으로 각오를 단단히 하고 최선을 다하라. 한 번 경험하여 알고 있는 일이라 생각하면 느슨한 마음에 핵심을 놓치는 경우가 있는데 그럴수록 각오를 새롭게 해야 실수하지 않는다.

처음 시도할 때처럼 업무를 꼼꼼하고 치밀하게 챙겨라. 관련된 사항은 더 폭넓게 조사하여 정보를 수집하고 사전준비도 철저히 하라. 임무완수에 대한 열정과 책임감을 마음속에 더 강하게 새기고, 부하 병력들에 대한 애정도 처음 지휘관 직책을 역임했을 때처럼 듬뿍 쏟아라.

반면 부하들에 대한 신뢰문제에 있어서는 대대장 2년차라고 해서 무조건 믿으려고 해서는 안 된다. 처음처럼 반신반의하면서 대대장의 처신을 꾸준히 조신(操身)하게 해야 한다. 부하들이 아무 사고도 안 낼 것이라고 믿거나, 대대장이 다소 잘못을 저질러도 그냥 넘어가 줄 것이라고는 생각하지 마라. 2년차에 접어들어 간부들에 대한 정신교육이나 사고관리를 소홀히 함으로써 음주운전이나 폭행 등의 사고를 당하기도 하고, 1년 동안 서로 간에 신뢰와 전우애가 쌓였을 것이라 생각하고 방심하여 대대장이 부정한 짓을 저지르다가 보직해임을 당하는 경우도 많다.

9. 구성원들에게 임무를 적절히 배분하라

관리자로서의 역할을 하라

지휘관은 관리자이다. 조직의 한 분야만 담당하고 있는 실무자나 직원이 아니라 조직 전체를 다스리고 이끌어 가는 직책이다. 따라서 대대장은 관리자로서 부대 전체가 원활히 움직이도록 지휘하여야 한다. 대대의 일부 특정 인원만이 열심히 일해서 운영되는 조직이 되게 하지 말고, 구성원 모두가 자신의 능력을 최대한 발휘할 수 있도록 각 개인에게 임무를 적절히 분배해야 한다. 소수 인원에게만 임무를 부여하면 여기서 소외된 사람들은 불만을 가질 수 있고, 임무를 부여받지 못했기 때문에 더욱더 게을러지게 되며, 숨어 있는 잠재역량을 발휘할 기회조차 얻지 못하게 되어 지휘관에게 인정받지 못하고 계속해서 뒤처지게 된다.

부하들의 임무수행 상태를 감시 감독하라

각각의 구성원에게 채찍질을 가하여 모두가 두루 발전할 수 있게 이끌어라. 그렇게 하기 위해서는 일단 구성원 개개인들이 어떤 일을 어떻게 하고 있는지 면밀히 관찰하고 분석해 보아야 한다. 조직원들의 임무수행 상태를 살피는 것을 터부시해서는 안 된다. 관리자는 부하를 믿음과 동시에 감시 감독도 해야 한다. 서강대학교 안세영 교수는 "부하를 다루는 리더십의 기술"이라는 강의에서 이순신 장군의 리더십으로 '신상필벌, 당근과 채찍, 감시와 감독의 고삐를 늦추지 말라.'라는 세 가지를 역설하였다. 이순신 장군은 부하들을 완전히 믿고 내버려 둔 것이 아니라, 일이 제대로 수행되고 있는지에 대해 감시와 감독의 고삐를 늦추지 않았다는 것이다. 지휘관이 부하를 믿어야 한다는 생각에서 부하를 감시하지 않아서는 안 된다. 현재 저 사람이 추진 중인 일이 무엇이고 얼마만큼의 업무량이 있는지를 감지한 후 필요에 따라 추가적인 임무를 부여하거나 일부분을 다른 사람에게 배분하여 업무를 경감시켜 주기도 해야 한다.

참모 간의 업무한계를 구분해 줘라

대대장이 때로는 각 참모들의 업무 한계(분야, 책임)를 명확하게 그어 주는 역할도 해야 한다. 각 참모부서의 장(長)들은 계급이 서로 비슷하여 자발적인 업무조율이 어렵다. 따라서 지금까지 해 오지 않은 새로운 업무가 나타나거나 소관부서가 불명확한 업무가 지시되면 서로 회피하는 상황이 생길 수 있는데, 이때 대대장이 이를 방치하면 서로 간의 갈등만 심해진다. 따라서 이럴 때에는 대대장이 직접 나서서 새로운 업무를 어느 부서에서 맡아서 시행해야 하는지에 대한 책임관계를 명확히 결정해 주어야 한다. 만일 그 업무가 여러 참모부서에 서로 연관되어 있다면 부서별로 무엇을 해야 하는지에 대한 업무 한계도 결정해 주어야 한다.

임무수행에 일관성을 유지하라

대대장이 누군가에게 어떤 임무를 부여하였을 때에는 가능하면 일관성 있게 그 사람이 끝까지 완료하도록 배려해 주는 것이 좋다. 일의 추진상태가 마음에 들지 않는다 하여 중간에 다른 사람으로 업무주관을 바꾸게 되면 최초에 그 일을 맡은 사람은 무척 서운하게 생각한다. 이러한 서운함이 누적되면 당신에게 악감정을 가질 수도 있다. 따라서 어쩔 수 없는 상황이 아니라면 상대의 마음을 헤아려 최초에 임무를 부여받은 실무자가 그 업무를 완수할 때까지 느긋이 기다려 줘라. 만약 업무 추진상태가 다소 미숙하다면 중간에 당신이 나서서 한 번씩 가르쳐 주거나 보좌관을 시켜서 거들어 주는 등의 지도를 해서 최종적으로는 해당 실무자가 마무리를 할 수 있게 유도하라. 실무자의 능력이 그 정도도 안 될 것 같으면 차라리 처음부터 그 일을 시키지 마라. 그것이 중간에 책임자를 바꾸어 마음 상하게 하는 것보다는 낫다.

조직의 체계에 맞게 임무를 부여하라

규모가 큰 조직이라면 최고 지휘관이 그 조직을 이끌어 나갈 수 있게 뒷받침해 주는 나름대로의 시스템이 갖춰져 있다. 지휘관이 이 시스템을 무시하고는 절대로 조직을 제대로 이끌어 나갈 수 없다. 대대에도 병과별 특성에 맞게 참모조직과 주임원사 등의 시스템이 갖춰져 있다. 따라서 대대장은 부대의 이러한 체계를 충분히 살려 각각의 직책에 맞게 임무를 배분함으로써 구성원들을 효율적으로 활용해야 한다.

그중에서도 특히 보좌관 활용을 잘하라. 필자는 대대장 시절에 보좌관에게는 중요하고 핵심적인 업무나 대외적인 업무 위주로 임무를 부여하였다. 그래야만 대대의 중요한 업무를 놓치지 않고 부대가 무리 없이 흘러갈 수 있다. 보좌관에게 단순하면서 시간이 많이 소요되는 임무를 부여하면 보좌관이 생각할 수 있는 여유가 없어서 부대 운영의 큰 줄기를 놓치게 된다. 또한 보좌관의 권위를 보장해 주려고 노력했다. 그렇게 함으로써 보좌관이 각 참모들을 장악하고 업무를 세부적으로 수행해 나갈 수 있게 하였다.

부대관리나 병력관리는 주임원사와 중대장 그리고 부사관 조직을 활용하여 대대장을 보조하도록 하는 것이 좋다. 그리하면 대대장이 보지 못한 부분까지 세심하게 관리할 수 있게 된다. 결정적인 사항은 대대장이 직접 관리하고 결심하지만 세세한 부분까지 모두 대대장이 직접 관장하는 것은 제한된다. 따라서 이와 같이 조직의 체계를 활용함으로써 세세한 부분까지 통제가 가능하고, 대대장도 가끔씩 여유를 가지고 사색하며 미래를 예측하고 비전을 창출할 수 있게 된다.

구성원의 임무수행 능력을 향상시켜라

제2차 세계대전의 영웅 몽고메리 원수는 자신의 가장 긴 시간을 사람 다루는 일에 사용하였다고 한다. 그만큼 사람을 다루는 일이 중요하면서 어려운 일이다. 그러면 임무를 부여해도 지지부진하고 성과가 없는 사람은 어떻게 다루어야 할까? 그런 경우에는 우선 "어떤 일에 대해 계획 보고하고, 언제까지 완료한 후 결과 보고하라."는 식으로 수행해야 할 업무와 기한을 명확하고 세부적으로 지시하라. 또한 처음부터 크고 어려운 임무를 주지 말고 덜 중요하고 쉽게 달성할 수 있는 임무부터 부여하여 성취감을 느끼게 하고 업무하는 요령도 점진적으로 익히게 유도하라.

가끔은 어떤 일의 책임자로 임명하여 공명심을 자극해 보기도 하라. 사람은 자신이 할 수 있고 좋아하는 분야에서 최고의 능력을 발휘할 수 있다. 따라서 부하들의 전문 분야나 소질 있는 분야가 무엇인지를 찾아 각자의 성격과 능력에 맞게 적재적소에 운용하면 더 나은 결과를 가져올 수 있다.

10. 부하들에게 설명해 줘라

단답식 지시를 삼가라

부하들에게 임무를 부여할 때에는 '무엇을 해라' 하는 식의 단답식 지시를 삼가라. 지시하는 당신은 그 일의 배경과 목적을 알고 있기 때문에 머릿속에 그 일을 어떻게 해야 하고 요망수준이 어떠한지가 그려져 있어서 간략히 말해도 이해가 되지만, 당신 머릿속의 그림을 알지 못하는 부하는 단답식 지시만으로는 당신의 지시를 충분히 이해할 수 없다. 따라서 어떤 임무를 지시할 때에는 그 일의 취지와 목적, 일의 최종상태, 종료 기한 등을 자세히 설명해 주어야 한다. 그래야만 부하들이 지시사항을 긍정적이고 적극적으로 받아들여 지휘관이 의도한 대로 일을 진행할 수 있다. 바쁘다고 해서 대충 설명해 주면 서로 생각하는 것이 달라서 지휘관이 의도했던 것과는 전혀 다른 엉뚱한 결과가 나타날 수 있다. 바쁠수록 돌아가라는 격언을 마음에 새기고 차분하게 여유를 가지고 설명해 줘라.

공감대를 형성하라

부대원 전체가 같이 움직여 주어야 하는 일을 할 때에는 부대원 전체의 공감대를 먼저 형성하는 것이 필요하다. 간부들이나 오래 근무했던 병사들은 부대의 흐름을 알고 부대 활동에 동참할 수 있지만 새로 들어온 병사들은 그것을 왜 하는지도 모르고 심지어 그것이 무엇인지도 모른다. 따라서 전술훈련을 한다면 훈련의 목적과 일자별 진행과정 등을 전체에 알려 준 연후에 상황별로 어떻게 행동해야 하는지를 교육하고 의문사항에 대해서도 답변해 줘라. 그래야만 부하들 스스로 의욕을 가지고 열심히 훈련에 임하게 된다. 공감대를 먼저 형성하지 않으면 각자가 뛰어난 능력이 있음에도 불구하고 그 능력을 표출시키지 않는다. 대대장이나 중대장 몇 명이 강압적으로 추진한다고 해서 좋은 결과가 나타나지는 않는다. 소수 인원으로 하여금 나머지 병력들을 감시 감독하면서 일을 추진할 수는 없는 일이다. 자발적인 참여를 유도하는 자가 승리한다. 추진력도 필요하지만 다른 사람이 스스로 움직이게 하는 능력도 중요하다. 더 높은 직위로 올라가기 위해서는 자신의 능력도 중요하지만 다른 사람의 능력을 활용할 줄 아는 능력도 중요하다.

주어진 임무의 중요성을 일깨워 줘라

각 구성원에게 부여된 임무가 얼마나 중요한 일인지 또한 그 일이 잘못되었을 때에는 어떠한 파장이 오는지도 일깨워 줄 필요가 있다. 사실 내막을 몰라서 그렇지 부대원 각자의 맡은 바 임무는 모두 중요하다. 정비중대장 시절에 전차 포신에 대한 기술검사를 하게 되었는데, 매년 반복적으로 하는 업무라서 평상시처럼 해당 기능의 정비반장인 하사 한 명과 병사 몇 명을 내보내서 기술검사를 실시한 후 군사령부에 보고하였다. 그런데 갑자기 그 결과에 대해 상급부대의 관심이 높아지더니 전반적으로 다시 검사하라고 지시가 되었고, 중대장도 직접 현장에 나가 체크해야 하는 일이 있었다. 포신 기술검사가 그 자체만으로 끝나는 것이 아니라 포신에 이상이 있으면 전투력 발휘에도 문제가 생기는 것이고, 포신을 교환하려면 국방예산에도 영향을 미치는 사안이라서 단순한 업무가 아니었던 것이다. 그런데 중대장은 처음 겪는 일이고 대대장이나 상급부대로부터 그 일이 얼마나 중요한 일인지 들은 바가 없다 보니 대수롭지 않게 생각했던 것이다. 따라서 지휘관은 각자가 맡은 임무의 중요성을 일깨워 부하가 자신에게 부여된 기본 업무를 수행할 때 소홀하지 않고 경각심과 책임감을 가지고 일할 수 있도록 유도해야 한다.

11. 꼼꼼하고 철저하게 검토하라

지휘관이 놓치면 더 이상 보완해 줄 사람이 없다

지휘관은 보고서를 검토하는 최종단계에 있는 사람이다. 참모들은 지휘관의 최종검토를 통과하면 완전히 마음을 놓고 더 이상 그 보고서에 대해 신경을 쓰지 않게 된다. 이제 최종결과에 대한 책임은 지휘관에게 넘어간 것이다. 지휘관이 보고서나 공문을 검토할 때 오류를 발견하지 못하고 지나치게 되면 그것은 그 상태로 최종 결재권자에게까지 그대로 올라가게 된다. 다행히 대대장과 사단장 사이에 있는 중간계통에서 그 문서를 검토하여 오류를 찾아내어 수정을 한다고 해도 이미 당신의 무능함은 발각이 된 것이다. 보고서는 단순히 의미를 전달하는 역할만 하는 것이 아니다. 보고서의 수준은 해당 지휘관에 대한 업무능력을 평가하는 기준이 된다. 대대장은 이것을 명심하고 항상 꼼꼼하고 철저하게 검토해야 한다. 외부로 나가는 그 문서가 바로 당신의 얼굴이다.

보고서를 검토할 때에는 내용이나 문맥, 오탈자 등을 세밀하게 살펴보아야 한다. 조사나 문구 하나가 의미를 정반대로 하거나 말이 안 되게 할 수 있다. 상급자들은 의외로 오탈자에 대해 예민한 반응을 보인다. 그러나 사람들은 남이 만든 문서에서는 오탈자를 잘 발견해도 자신이 만든 보고서에서는 쉽게 발견하지 못한다. 자신이 워드를 쳤고 한 번 검토한 문서라서 그 부분에는 이상이 없을 것이라는 선입견을 가지게 되기 때문일 것이다. 또한 보고서를 여러 번 수정하다 보면 잘못된 부분이나 상급자가 교정해 준 부분만 수정했다가 앞뒤 문맥이 맞지 않는 경우가 있다. 또는 수정한 단어가 다른 부분에도 사용되었는데 한 부분만 수정한다거나, 수량의 합산과 같이 수정한 부분이 다른 부분과도 서로 연결되어 있는데 그 부분을 미처 고치지 못하고 제출하는 경우도 있다. 따라서 오탈자를 없애려면 수정된 보고서를 검토할 때마다 그 문서를 매번 처음 작성한다는 마음으로 세밀하게 체크해야 한다.

부하들은 지휘관의 업무스타일을 닮아 간다

부하들은 결국 지휘관을 닮아 가게 된다. 지휘관이 꼼꼼하지 않고 대충 넘어가는 성격이면 참모들도 업무를 대충하게 되어 매사에 착오를 일으키게 된다. 따라서 지휘관은 보고를 받을 때나 문서를 결재할 때 아무 말 없이 넘어가지 말고 관련 사항을 이것저것 세밀히 물어 내용을 파악해야 한다. 그래야 실무자도 '대충하면 안 되겠구나!' 하는 경각심을 가지고 책임감 있게 일을 추진하게 된다.

대대장이 부하들에게 지시한 사항을 지시한 후에 잊어버리면 안 된다. 대대장이 지시한 사항은 수첩에 적어 두었다가 그 진행과정을 체크하면서, 해당 업무가 완전히 종결되면 기록된 내용을 두 줄로 그어 삭제한다. 날짜별로 수첩에 그날 해야 할 일을 기록한 후 당일에 완료되지 않은 업무는 다음 날 업무 기록 부분에 다시 옮겨 적음으로써 완료되지 않은 업무는 절대 잊어버리지 않게 해야 한다. 그러면 부하들도 한번 지시받은 사항은 포기하지 않고 끝까지 추진하게 될 것이다. 지휘관이 지시한 사항을 기록도 안 하고 어느 시점이 지나 잊어버리게 된다면 부하들은 힘들게 업무를 완수하려고 하지 않고 시간이 흘러가기만을 기다리게 될 것이다.

다양한 각도에서 꼼꼼히 살펴라

어떤 사업을 추진하거나 결정을 내릴 때에는 한 가지 관점에서만 판단하여 결정하지 말고 여러 각도에서 검토하여 남들이 오해하거나 물의를 일으킬 만한 소지가 없도록 하라. 우리 부대 입장에서만 생각하지 말고 다른 부대의 입장에서도 바라보고, 내 수준이 아닌 상대방의 계급과 경륜으로 더 크게도 생각해 보라. 군인의 입장에서만 생각하지 말고 민간인의 입장에서도 생각해 보라. 이럴 수밖에 없다거나 더 이상은 안 된다고 속단하지 말고 추가적인 보완조치를 하면 가능할 것이라고도 생각해 보라. 이번 결정으로 인해 나중에 소송이나 문책까지 가져오지는 않을지 또 다른 파급효과가 있지는 않을지 생각하면서 신중하게 검토하라.

상급부대에 회의가 있으면 사전에 회의록을 확보하여 미리 검토해 보고, 질문거리가 뭐가 있을지 염출하여 답변자료를 준비하라. 예상 질문을 염출할 때에는 상급자의 눈으로 보다 넓은 안목과 다양한 각도에서 분석해야 한다. 상관에게 어떤 안건에 대해 보고를 할 때도 마찬가지다. 야간훈련 계획을 보고한다면 훈련계획을 보고하는 것에만 만족할 것이 아니라, 그에 따른 준비사항으로 플래시 배터리는 얼마나 소요되고 사전에 확보는 되었나 하는 세심한 부분까지 확인하고 대비해야 한다.

12. 신고와 정신교육의 효과를 무시하지 마라

당연한 이야기라도 교육하라

군대의 특징 중의 하나가 바로 신고와 정신교육일 것이다. 군생활의 처음과 끝을 전입신고 및 전출(전역)신고와 같이 하게 되고 교육이나 파견을 갈 때에도 신고를 하게 된다. 휴가나 외출·외박을 나갈 때도 신고를 해야만 나갈 수 있다. 또한 신고를 하면 부수적으로 따라붙는 것이 바로 정신교육이다. '밖에 나가서 어떻게 해라. 무엇을 조심해라' 하고 교육을 하는데, 때로는 다 큰 성인인데 굳이 당연한 이야기를 반복해서 할 필요가 있나 하는 의문이 생기기도 한다. 그런데 그 당연한 이야기를 상대방이 알고 있을 것 같지만 항상 그런 것이 아니다. 사람들의 수준이나 특성이 모두 당신이 생각하는 것과 같지 않다. 그중에는 말하지 않아도 스스로 알아서 잘하는 사람이 있지만 귀가 따갑도록 교육을 해야 하는 사람도 있다. 신고와 정신교육은 바로 그러한 사람들을 위해 실시하는 것이다. 또한 그러한 정신교육을 실시했느냐가 막상 사고가 났을 때 대대장의 직무이행 여부를 판단하는 기준이 되기도 한다. 여러분이 실제로 사고나 그와 유사한 고충을 당해 보면 신고와 정신교육의 위력을 절실히 느끼게 될 것이다.

때로는 내가 교육하려는 내용이 이미 여러 차례 전파되었고 상식적으로도 당연한 내용이라서 굳이 교육하지 않아도 모두들 알고 있을 것 같아 교육하고 싶지 않은 경우도 있다. 그러나 막상 현실을 확인해 보면 그렇지가 않다. 무엇을 하지 말아야 하고 무엇을 조심해야 하는지 또한 규정이 어떠한지를 당신이 알고 있기 때문에 상대방도 당연히 알고 있을 것 같지만 사람마다 경험이나 능력에 차이가 있어서 모두가 알고 있지는 않다. 때로는 자신이 맡은 임무의 중요성을 이해하지 못하고 있거나 아예 관심이 없어서 안일한 마음으로 방심하고 있는 경우도 있다. 또는 병사나 간부들이 주기적으로 교체되다 보니 현재의 부하들은 과거에 당신이 교육할 때 그 자리에 없어서 모를 수도 있다. 설령 기존에 있던 사람들이고 예전에 교육받고 경험해 본 일이라 하더라도 주의사항이나 행동요령을 세월이 지나 잊어버렸을 수도 있다. 또는 부하들이 이 임무를 수행하는 것이 이번이 난생 처음 해 보는 것인데도 지시받은 것이기 때문에 아무 말 없이 무작정 시도해 보는 경우도 있다. 따라서 어떤 일을 하기 전에는 반드시 신고와 정신교육을 실시하여 임무수행 요령을 숙지시키고, 무관심이나 방심으로부터 정신을 바로잡아 재난을 예방해야 한다.

경계근무 투입이나 차량운행 시에 신고를 받으면서 정신교육을 내실 있게 실시하면 분명히 사고를 예방할 수 있다. 병사나 간부가 보직을 변경할 때에도 보직신고를 받고 임무를 수행하는 마음자세에 대하여 정신교육을 하면 보다 결의에 찬 자세로 업무에 임하게 된다. 병사들이 휴가나 외출 · 외박, 파견 등과 같이 출타를 하는 경우에도 과음이나 성 관련 사고 등에 대한 예방교육을 실시하여 흐트러진 마음을 반드시 다시 한 번 붙잡아 주어야 한다. 또한 한 명의 병사라도 부대 외부로 나가면 각자가 크게는 육군을 대표하고 작게는 우리 대대를 대표한다는 사실을 주지시켜 군기본자세를 바로 하도록 지도해야 한다. 한 명의 병력이라도 사회에서 추태를 부리면 대민물의를 야기할 수 있고, 군 내부에서 잘못하면 우리 부대와 지휘관을 욕보이게 된다. 그러니 병사들이 이미 알고 있는 내용이라 하더라도 지휘관이 다시 한 번 교육해야 한다. 대대장이 한 번 더 설명하면 부하들이 느끼는 강도는 분명히 달라진다.

실질적인 예를 들어 교육하라

정신교육을 할 때는 형식적이고 개괄적으로 하지 말고 세부적이고 실질적으로 해야 한다. 실제로 일어날 수 있는 상황을 설정하고 그에 따른 위험요소와 대처방법을 세심히 설명하고 교육하여야 한다. 또한 자신이 과거에 직접 겪었던 경험담을 상세하게 설명하거나, 일상생활에서 일어나는 상황들을 예로 들어 설명하면 보다 더 실감할 수 있을 것이다.

차량운행 전에 안전교육을 실시할 때 단순히 '조심해서 운전해라' 또는 '천천히 운전해라' 하고 일반적인 말로 교육하면 당사자들은 주의 깊게 듣지 않고 '매일 하는 말이구나!' 하고 흘려버린다. 운행하는 구간에 대한 지형과 상황을 연상해 보고 실질적인 안전교육을 실시해야 한다. "위병소 앞에서 좌회전을 하여 큰 도로에 진입할 때에는 신호등이 녹색으로 바뀌었다고 해서 무조건 출발하지 마라. 신호 위반하는 차량들이 많이 있으니 반드시 진행하는 차량들이 속도를 줄이는지 확인하고 한 박자 늦춰서 진입해라. 대대장도 지난번에 신호가 바뀌는 것만 보고 진입하다가 신호를 무시하고 돌진하는 차량 때문에 큰 사고가 날 뻔했다." 하고 안전운행을 위한 구체적인 방법을 설명해 주어야 한다.

주기적으로 대면하여 교육하는 시간을 가져라

대인관계나 교육은 메일이나 서면으로 하는 것보다 직접 대면하여 실시하는 것이 효과가 크다. 따라서 지휘관은 주기적으로 부하들의 얼굴을 마주보고 정신교육을 실시해야 한다. 중대장은 주 1회는 반드시 병사들을 집합시켜 표정을 살피고 정신교육도 실시해야 한다. 대대장이라면 간부들을 대상으로 주 1회는 정신교육을 하고, 월 1회 정도는 대대의 전 병사를 집합시켜 정신교육을 실시하는 것이 좋다. 필자는 대대장 시절 매주 금요일에 전 간부를 집합시켜 정신교육을 실시하고 간담회도 나누어 한 건의 사고도 없는 무사고부대를 달성하였다. '1 : 10 : 100의 법칙'처럼 여러분이 1의 노력을 하지 않으면 10배, 100배로 힘든 사고가 발생할 수 있음을 명심하고 정신교육을 잘 시켜라. 평화를 원하거든 전쟁에 대비하라는 말이 있듯이, 무사고를 원하거든 사고에 대비해야 한다.

13. 과유불급(過猶不及), 무리하지 마라

사회에서 성공하고 싶지 않은 사람이 없듯이 직업군인의 길을 택하여 진급에 뜻이 없는 사람은 없을 것이다. 진급을 하려면 궁극적으로는 평정을 잘 받아야 한다. 대대장으로 부임하여 짧으면 1년, 길게는 3년 가까이 근무하게 되는데, 이 기간 중에 평정을 잘 받기 위해서는 경쟁그룹에 있는 다른 사람보다 더 열심히 하고 더 잘해야 하는 것은 당연하다. 그러나 '더 잘해야 한다'는 강박관념에 사로잡혀 부대를 무리하게 지휘하면 처음에는 잘되는 것 같지만 결국은 얼마 지나지 않아 부하들이 지쳐서 능률도 안 오르고 부대의 단합을 해치며 불평불만만 야기할 수 있다.

매사에 지나치거나 무리하지 않게 지휘하라. 임무완수를 위해 너무 몰아붙이게 되면 임무완수는 고사하고 사고가 발생하여 아니함만 못하게 된다. 어떤 임무를 부여받아 그 임무에만 지나치게 몰두하게 되면 신경 쓰지 못한 다른 분야에서 누수현상이 발생하여 부대 전체의 이미지를 훼손시키기도 한다. 그래서 공자는 ≪논어(論語)≫에서 이르기를 '과유불급(過猶不及)'이라 하였다. 지나침은 모자람만 못하다는 것이다. 욕심이 지나치면 모든 것을 잃게 된다는 계영배(戒盈杯)의 교훈을 되새겨라.

어떤 대대장은 전술훈련 평가에서 1등을 하기 위해 갖은 노력을 다하였다. 수개월 전부터 시범식 교육을 하고 분야별로 사전 점검과 예행연습도 하며 밤늦게까지 야근을 하였다. 그 과정에서 때로는 소리도 지르고 얼굴을 붉히며 화를 내는 경우도 많았다. 전술훈련 평가에서 우수한 평가를 받으면 자력표에 기록이 되고 대대장 재직기간 중의 중요한 성과가 되어 진급에도 좋은 영향을 미치게 되니 당연히 욕심을 내어 볼 만하다. 그런데 그렇게 열심히 준비를 했음에도 불구하고 너무 일찍부터 기운을 소진해서인지 평가 당일 병사들은 숨어서 졸고 있거나 비전술적인 행동을 많이 보였다. 게다가 훈련 복귀 도중 졸음운전과 선탑자의 감독 소홀로 차량이 급경사지역에서 전복되어 탑승자 일부가 중경상을 입는 사고가 발생하였다. 이 일로 인해 1등을 해 보려던 계획은 수포로 돌아갔고, 설상가상으로 얼마 지나지 않아 전술훈련 준비과정 중의 인격모독적인 언사가 문제가 되어 대대장이 징계를 받게 되었다. 결국 평정에서도 좋은 평가를 받지 못하여 진급의 기회를 잡지 못하게 되었다.

어느 대대장은 책임감과 명예심이 투철하여 임무수행에 소홀하거나 근무태도가 불성실한 간부에 대해 지나친 얼차려를 부여하여 처벌을 받기도 한다. 또는 부대에 탈영이나 악성사고가 발생하였을 때, 한 해 동안 열심히 근무하여 좋은 성과를 거두었고 이제 마지막 평정만 받으면 된다는 생각에 사고내용을 즉시 상급부대로 보고하지 않고 자체적으로 해결하려 하다가 결국은 해결도 못 하고 상급부대에서 그 사실을 먼저 인지하여 더 크게 가중처벌을 받음으로써 진급에서 탈락하는 경우도 있다. 때로는 훈련을 잘해 보겠다고 무리하다가 훈련 중에 병사가 탈진으로 쓰러지기도 하고, 진지공사를 무리하게 추진하다가 차량 전복사고가 나거나 사유지를 침범하여 대민물의를 일으키기도 한다.

이와 같이 매사에 있어서 지나치면 아예 하지 않는 것만 못하다. 때로는 버리는 것이 얻는 것이다. 욕심을 낼수록 달아나고 마음을 비우면 오히려 채워진다. 병사가 탈영했을 때 마음을 비우고 즉시 보고했으면 싫은 소리는 들었더라도 처벌은 당하지 않아 진급이 되었을지도 모른다. 대대장 직책은 한두 달 만에 끝내는 것이 아니다. 최소한 1년 이상이니 1년 후의 결과를 생각하면서 천천히 가라. 호랑이처럼 예리하게 보되 시행은 소처럼 천천히 하고(虎視牛步), 때에 따라서는 중도에 처하는(隨時處中) 지혜가 필요하다.

계영배(戒盈杯)

조선시대의 거상 임상옥과 삼성그룹 임원에서 농심의 최고 혁신 경영자를 지낸 손영욱 회장은 이 잔을 늘 곁에 두면서 과도한 욕심을 경계하였다고 한다. 또한 이 잔은 박근혜 한나라당 전 대표가 크리스토퍼 힐 미국무부 동아태 차관보에게 선물한 것으로도 유명하다.

이 잔에 술을 70%만 채우면 이상이 없으나 그 이상을 따르면 술이 모두 흘러나가 버린다. 그래서 이 잔은 일명 절주배(節酒杯)라고도 한다. 이 잔이 주는 교훈은 인간의 과욕과 탐욕을 경계하고 욕망을 절제하며 자족(自足)할 것을 가르치고 있다. 임상옥은 이 잔을 일컬어 “나를 낳아 준 사람은 부모이지만 나를 이루게 해 준 것은 이 하나의 잔이었다.”라고 말하였다.

14. 자만하지 말고 주변 사람의 의견을 경청하라

혼자서 판단하지 마라

지휘관이 되면 자신이 최고이고 자기 생각이 다 맞는다는 착각에 빠지기 쉽다. 물론 지금까지 쌓아 온 경험이 많아 부하들보다 넓은 안목으로 올바른 판단을 하겠지만 세부 분야나 그 지역의 상황에 대해서는 담당 실무자나 부하의 판단이 더 옳은 경우도 많다. 따라서 지휘관 생각이 모두 옳다고 자만하여 혼자서 결정하지 말고 부하들의 생각도 들어라. 마음속으로 결론을 지어 놓은 후 타인의 의견을 구하지 말고, 부하들의 의견을 다 들은 후에 결심을 하라. 그래야만 더 좋은 방안이 나오고 실수를 방지할 수 있다.

어느 날 부대에 대대장이 새로 부임하여 영내에서 간부회식을 계획하게 되었다. 대대는 사단사령부 안에 위치하고 있었고 영내에는 넓은 호수와 그 옆에 건물이 하나 있었는데, 대대장이 둘러보니 그 호수 주변의 경치가 너무 좋아 다른 사람의 의견은 들어 볼 필요도 없이 바로 호수 옆 건물에서 회식을 하는 것으로 결정하였다. 회식은 화기애애하게 잘 마무리되었으나 다음 날 대대장은 사단장으로부터 호출을 받고 불려 들어가 꾸중을 들었다. 그 건물은 대대 것이 아닌 사령부 건물이며 누구도 그곳에서 회식을 하지 않는 장소인데, 우리는 사전에 승인도 없이 그곳에서 회식을 하며 추태를 부렸던 것이다. 이와 같이 새로운 지역에 가서는 절대로 선불리 행동하지 말고 무엇을 하게 되면 주변 사람들에게 물어서 신중하게 움직일 필요가 있다.

각 구성원의 능력을 파악하여 활용하라

대대장이 되면 먼저 각 간부들의 성격이나 특성은 물론 각자가 어떤 능력을 갖추었는지를 파악해 보고 그에 맞게 부하들을 활용하라. 사회 친구가 많은 사람은 부대에 필요한 물자들을 조달할 때 유용하고, 손재주가 좋은 사람은 시설관리에 유용하다.

대대장 시절 사무실 출입문 중에 사용하지 않는 문이 하나 있었다. 그런데 그 문은 사람들이 복도에서 사무실 안으로 들어갈 때마다 그쪽으로 들어가려고 하는 착각을 일으키게 하였고 미관상에도 좋지 않아서, 손재주가 좋고 인테리어에 감각이 있는 간부를 불러 어떻게 처리하면 좋을지 의견을 물어보았다. 그 간부는 잠시 고민하더니 복도에 있는 공간이므로 사람들이 지나가다가 한 번씩 쳐다보며 뭔가 감상할 수 있는 공간으로 꾸미면 좋겠다는 의견을 내놓았다. 그래서 그 문에 시트지를 입히고 선반을 만든 후 그 위에 작은 화분을 두고 꽃을 감상할 수 있게 하였더니 미관상으로도 멋있었고 병력들의 반응도 좋았다.

허허실실과 포전인옥 전법을 구사하라

허허실실(虛虛實實)의 전법을 구사하라. 당신이 뛰어나다고 뽐내거나 문제에 대한 결론을 이미 갖고 있으면 사람들은 추가적인 조언을 하려고 하지 않는다. 그러다가 그 방식이 잘못되면 마음속으로 은근히 시원하게 생각하기도 한다. 반면 알면서도 모르는 척하고 주변 사람들에게 조언을 구하면 부하들은 자신을 드러낼 수 있는 좋은 기회이기 때문에 흥이 나서 적극적으로 좋은 아이디어를 제시하게 된다. 이렇게 하여 좋은 해결책도 찾고 사람도 얻을 수 있으니 일거양득이다.

벽돌을 던져서 옥을 얻는다는 포전인옥(抛塼引玉)의 전법을 활용해 보라. 후삼국시대의 견훤은 후백제를 건립하였으나 후계자 문제로 분란이 일어 아들 신검에게서 도망 나와 왕건에게 의탁하게 된다. 얼마 후 왕건이 후백제를 치기 위해 작전계획을 수립하였는데, 왕건은 그 계획을 견훤에게 보여 주며 성공할 수 있을지 의견을 물었다. 그러자 견훤은 형편없다고 혀를 차며 자신이 직접 온전한 계획을 작성해 주었고 그 결과 왕건은 후삼국을 통일하게 되었다. 이와 같이 내가 똑똑하다고 해도 자만하지 않고 자신을 조금만 낮추면 더 많은 것을 얻을 수 있다. 보다 현명한 사람은 자신의 능력을 과시하기보다는 겸허하게 타인의 지혜를 구하는 사람이다.

포전인옥(抛塼引玉)

당(唐)나라 때 진사(進士)이면서 시인이었던 상건(常建)이라는 사람이 있었는데, 그는 당대의 이름난 시인인 조하(趙嘏)를 흠모하였다. 그러던 어느 날 조하가 소주(蘇州)에 있는 영암사(靈巖寺)로 유람을 온다는 소식을 듣고 상건은 조하에게 시를 한 수 부탁하기 위해 꾀를 내었다. 상건은 자기가 먼저 가서 영암사의 암벽에 두 구절의 시를 써 놓았다. 그는 조하가 미완성의 이 시를 읽고 나머지 부분을 완성시켜 주기를 기대했던 것이다. 얼마 안 되어 과연 조하가 그곳으로 와서 미완성의 시구가 있는 것을 보고는 나머지 두 구절을 더 써서 시를 완성시켰다. 그런데 이어서 쓴 두 구절은 상건이 쓴 원래의 두 구절보다 훨씬 훌륭하였다. 그래서 사람들은 상건이 이런 방법으로 좋은 시 한 편을 얻게 된 것을 두고 말하기를 '포전인옥(抛塼引玉)', 즉 '벽돌을 던져 주고 옥을 얻는다.'라고 하였다.

15. 브리핑 자료를 준비해 둬라

방문객에게 부대를 홍보하라

대대장을 하다 보면 상급부대로부터 점검관이 방문하거나, 연말연시에 사회의 외부인사가 위문 차 방문하기도 하고, 자매결연 단체가 부대를 방문하기도 한다. 이때 우리 부대가 어떤 부대이고 그동안 대대장이 부임하여 이러한 일들을 발전시켰다는 것을 소개해 줄 필요가 있다. 그래서 대대장은 자기 부대에 대한 소개 자료를 사전에 준비해 두는 것이 좋다. 이것이 부대와 대대장을 PR하는 요령임과 동시에 처음 만나는 사람과의 대화거리를 제공하는 방법이기도 하다.

부대소개 자료는 연대나 사단급 이상의 부대에서는 통상 동영상으로 제작하고, 대대에서는 파워포인트로 작성해서 활용하게 된다. 부대의 창설 배경이나 연혁, 부대의 편성과 임무 등을 언급하고, 연간 주요 활동이나 대대장 부임 후 주요 추진업무 등을 포함하여 작성한다. 보안유지가 필요한 작전계획 등의 내용은 별도의 파일로 만들어 준비하는 것이 좋다. 그래야만 군인과 민간인에 대해 선별적으로 브리핑을 해 줄 수 있기 때문이다.

브리핑을 연습하라

상급지휘관이 부대를 순시할 때는 누가 시키지 않아도 자동적으로 브리핑을 해야 한다. 야간에 순시한다면 야간 당직근무 현황에 대한 브리핑이 있어야 하고, 특정 업무로 인한 순시라면 그 업무에 대한 브리핑 자료를 별도로 준비하여 보고해야 한다.

또한 브리핑을 원활하게 하려면 반드시 예행연습이 필요하다. 브리핑 내용을 잘 알고 있다고 해서 절대로 사전 연습을 생략해서는 안 된다. 브리핑은 개인의 능력을 표출하는 수단이다. 따라서 브리핑 자료를 정성껏 준비함은 물론 브리핑하는 요령도 제대로 익혀야 한다. 브리핑 자료는 논리적이고 분석적이어야 하며, 브리핑하는 자세는 군인다워야 하고 억양은 상대를 이해시키기 쉽도록 강약이 있어야 한다. 시간이 없어서 실전처럼 연습하지 못한다면 최소한 머릿속으로 연상하면서 마음속으로라도 연습을 해 두는 것이 좋다.

관련내용을 한 권의 바인더로 정리하면 효과적이다

상급부대나 외부로부터 누군가가 방문하였을 때 대대장이 평소 추진해 온 업무에 대해서 소개해 주고 PR할 수 있도록 사전에 보고자료를 준비해 둬라. 주기적으로 추진하는 업무에 대해서도 분야별로 해당 내용들을 모아 한 권의 바인더로 정리하라. 그리하면 해당 업무에 대해서는 그 한 권의 바인더로 논리 정연하게 설명을 할 수 있기 때문에 검열이나 방문이 있을 때 상당히 유용하다. 대대장 부임 후 개선시켰거나 발전시킨 사항들에 대해서도 별도의 바인더를 제작하여 준비해 두는 것이 좋다.

검열관들은 통상 실무자와 책임자 두 명이 한 팀으로 나오게 된다. 따라서 관련되는 업무들을 하나로 모아 바인더로 만들어 두면 실무자가 세부적인 사항을 점검하는 동안 대대장은 책임자와 마주앉아 그 바인더를 가지고 대대장 부임 후 추진했던 업무들을 설명하면서 대화할 수 있어서 좋다. 백문이 불여일견이라 말로만 설명하는 것보다는 각종 증거자료와 사진을 모아서 편집해 놓은 바인더를 보면서 설명하는 것이 훨씬 효과적이다.

16. 관심 있게 들어 주고 같이 고민해 줘라

관심 있게 들어 줘야 부하도 의욕을 가진다

지휘관은 부하들의 철저한 보고와 첩보제공이 있어야 부대를 원활히 지휘할 수 있다. 부하로부터의 보고가 없다면 눈과 귀가 막혀 지휘를 할 수가 없다. 물론 대대장 스스로 움직여 정보를 수집할 수 있지만 이는 매우 제한적일 것이다. 보고가 원활히 이루어지게 하려면 무엇보다도 부하들이 대대장에게 뭔가를 보고할 때 관심 있게 들어 줘야 한다. 때로는 보고하는 중간 중간에 맞장구를 쳐 주고 추임새도 넣어 주는 센스가 필요하고, 보고내용이 훌륭할 때에는 칭찬을 하는 것도 필요하다. 보고를 하는데 지휘관이 관심도 없이 듣는 둥 마는 둥 한다거나 중간에 자꾸 말을 자른다거나 시계를 쳐다보면 부하들은 보고할 의욕이 안 생긴다.

중대장이 시설관리나 교육훈련 등의 분야에서 어떤 업무를 개선시켜 보려고 스스로 착안하여 추진계획을 보고하는데 대대장이 관심 없이 듣는다고 생각해 보라. 중대장은 대대장이 이 계획에 대해 별로 탐탁하게 여기지 않는다고 생각하여 그 일이 하고 싶어지지 않을 것이다. 설령 그 일을 한다고 해도 칭찬을 듣거나 인정받기 어려우니 포기하는 것이 낫다고 생각하게 된다. 한편 중대장이 대대장으로부터 중요한 임무를 부여받아 업무를 추진하다가 얼마 후 업무 추진 경과에 대해 중간보고를 하는 경우를 생각해 보자. 이때 대대장이 주의를 집중하지 않고 대충 듣는다면 중대장은 그 일이 그다지 중요한 임무가 아닌 것으로 판단하고 임무완수에 전력투구를 하지 않을 것이다. 그리하여 업무의 마무리가 깔끔하지 못하게 될 것이고, 그에 대한 피해는 결국 대대장에게 미치게 된다.

문제가 생기면 화내지 말고 해결을 해 줘라

부하들이 문젯거리를 보고할 때는 화만 내지 말고 문제해결을 위해 같이 고민해 줘라. 해결책을 찾는 것이 중요하지 화내는 것이 중요한 것은 아니다. 화를 내는 것은 대대장이 스트레스를 해소하기 위한 수단밖에는 되지 않는다. 어떤 문제가 있어 보고를 하는데 그에 대해 짜증을 부리고 화를 내며 심지어는 그런 일을 보고하는 사람을 무능력한 것처럼 생각하면 부하들은 차후에 사소한 문젯거리에 대해서는 일일이 보고하지 않고 숨기거나 스스로 해결하려고 할 것이다. 그러다가 결국은 문제가 커져서 부하 스스로 해결할 수 없을 정도로 사건이 확대되어서야 지휘관에게 보고하게 된다. 그러나 그 상황까지 갔으면 이미 대대장으로서도 해결하기 어려운 지경일 확률이 높다. 따라서 호미로 막을 일을 가래로 막게 되는 상황이 발생하지 않도록 평소부터 대대장이 처신을 신중하게 해야 한다.

같이 근무했던 대대장 중에 성격이 급하고 불같은 사람이 있었다. 이 대대장은 중대장이 병사끼리의 다툼이나 차량의 접촉사고 등 어떤 문제를 보고하면 화부터 내어 부하들이 상당히 무서워하였다. 그러던 어느 날 중대의 병사 한 명이 보이질 않았다. 정상적인 경우라면 이때 신속히 대대장에게 보고하고 대대 전 역량을 총동원하여 문제를 해결하였겠지만, 중대장은 대대장이 또 화를 낼까 두려워 즉각 보고하지 못하고 중대 간부들만 동원하여 조용히 부대 주변을 탐색하였다. 그러나 몇 시간이 지나도 찾을 수 없게 되자 중대장은 더 이상 어쩔 수 없다고 판단하여 대대장에게 보고하였다. 결국은 보고 지연과 초동조치 미흡으로 중대장뿐만 아니라 대대장까지도 처벌을 받게 되었다.

17. 내부 단결력을 공고히 하라

체육활동으로 단결력을 향상시켜라

부대는 하나의 팀과 같다. 따라서 부대가 대대장의 지휘의도대로 한 방향으로 움직이게 하려면 부대원들 사이에 단결력이 있어야 한다. 간부 상호간에도 단결력이 좋아야 하고 병사와 간부 사이에도 단결력이 있어야 한다. 간부들 간의 단결력을 향상시키기 위해서는 무엇보다도 체육활동이 최고다. 주말에 조기축구회를 운영하여 체력단련을 하고, 운동 후에 간식을 먹으면서 단결력을 키워 보라. 독신자 숙소에 거주하는 초급간부들은 부대 내에서 재미를 찾지 못하면 결국은 밖으로 나가게 된다. 그리하여 술이나 유흥에 빠져 빚을 지거나 사고를 일으키기도 한다. 또는 주말에 할 일이 없으면 인터넷 게임으로 밤을 지새우는 등 불규칙적인 생활을 하기 쉽다. 따라서 주말 동아리활동은 부대 단결과 건전한 사생활 유도에도 도움이 된다. 또 다른 방법으로는 주기적으로 단합대회를 실시하는 것이다. 월 1회 정도는 부사관 전원을 모아 사고예방 교육을 하고 운동도 하는 시간을 가질 필요가 있고, 장교와 부사관 사이의 축구시합으로 신분 간의 단결력도 공고히 할 필요가 있다.

입단속에 신경 써라

부대의 단결을 위해 간부들의 입단속에 대해서도 교육하라. 부대에 근무하는 사람들 중에는 말하기 좋아하는 사람이 가끔 존재한다. 이들은 습관적으로 부대에서 일어나는 일들을 낱낱이 다른 부대나 상급부대 간부에게 퍼뜨리거나 보고해 준다. 부대 내에서 대대장이 처리할 수 있는 작은 사건인데도 부대에 이런 사건이 있었다고 퍼뜨려 부대의 위상을 떨어뜨린다. 대대장이 누구와 회식을 했다거나 대대장이 무슨 일로 화를 냈다고 하는 사소한 일까지 퍼뜨려 대대장의 위신을 떨어뜨리기도 한다. 부하들이 대대 외부에 나가서 우리 부대가 잘하고 있고 좋은 부대라는 긍정적인 평가를 해 줘야 대대의 위상이 더욱 빛나는데, 오히려 험담을 하거나 좋은 의도로 한 일도 왜곡시켜 퍼뜨리면 대대장이 아무리 노력해도 만회하기가 어렵다. 따라서 부하들이 부대나 대대장에 대해서 긍정적인 시각을 갖도록 교육해야 한다. 간부 스스로가 누워서 침 뱉는 언행을 자제하도록 사전에 교육하라. 부대의 내부 사정을 남에게 알리기 좋아하는 사람에게 수시로 경고를 주고 인접부대 사고사례를 전파하여 경종을 울릴 필요가 있다.

서로 칭찬하고 위해 주는 분위기를 조성하라

부대의 단결력을 강화하기 위해서는 병사들끼리 서로 칭찬하는 분위기가 조성되어야 한다. 설문조사를 할 때에 잘못된 사항을 적으라고 해도 그 질문에 얽매이지 않고 반대로 칭찬할 사항이나 칭찬할 사람을 기록할 수 있게 생각을 전환시켜 줘라. 필자는 병사들이 서로 칭찬하는 분위기를 만들기 위해 설문조사를 할 때 어느 한 병사가 누군가를 칭찬하면 칭찬한 사람과 칭찬받은 사람 모두를 포상하였다. 만약 간부를 칭찬하면 그 간부에게 표창을 수여하였다.

간부들끼리도 서로 비방하지 않고 서로를 칭찬하는 분위기를 만들어라. 잘못된 점을 보면 올바른 길로 지도해 주고 서로 위해 주는 부대가 되어야지 상급부대에 밀고하는 분위기가 되어서는 안 된다.

그렇게 해 봤자 그 피해는 결국 자신에게 돌아온다. 그러한 일로 부대의 이미지가 실추되면 연말에 우수한 결과를 얻지 못할 뿐만 아니라 성과금도 좋게 받을 수 없다. 따라서 서로 위해 주자는 내용의 슬로건을 만들어 부대 전 병력이 수시로 외치면서 마음속 깊이 새기게 하는 것도 좋다.

간부와 병사 간에도 유대관계를 형성하여야 한다

부대가 잘되려면 간부만 잘해서는 안 되고 병사만 열심히 해서도 안 된다. '상하동욕자승(上下同欲者勝)'이라고 하였듯이 간부와 병사가 서로 신뢰하고 위해 주어야 한다. 간부가 병사들을 사랑하지 않고 부하로만 여겨 일만 시킨다면 병사들은 간부를 의지할 대상이 아니라 괴롭히는 존재로 생각할 수밖에 없다. 이러한 상황에서는 절대로 부대가 임무수행을 제대로 할 수 없다. 따라서 대대장은 간부들이 병사 앞에서 항상 솔선수범하고, 병사들과 동고동락하며, 병사와 간부가 일심동체가 되도록 유도하여야 한다. 또한 병사들이 간부나 부대에 대해 불만을 갖게 되면 대대장에게 건의하여 내적으로 해결할 수 있도록 시스템을 갖춰야 한다.

주변을 살펴보면 간부가 병사로부터 신뢰를 얻지 못하여 피해를 보는 사례가 많다. 당직근무 간에 TV를 보았다고 신고하여 처벌을 받는 간부도 있고, 폭언 욕설을 하였다고 상급부대에 투서하여 처벌을 받고 부대를 옮기게 되는 사람도 있다. 야외훈련을 나갔는데 간부들이 병사들과 같이 동고동락하지 않고 식사 심부름을 시켰다거나, 훈련 기간 중에 음주를 하였다고 전역하는 병사가 신고를 하여 처벌을 받기도 한다. 가끔은 그런 정도 가지고 병사들이 간부들을 처벌하게 만들 필요까지 있는가 하는 생각이 들기도 한다. 그러나 이렇게 투서하고 신고하는 것은 간부가 한 번 그런 잘못을 저질렀다고 하여 그러는 것이 아니다. 십중팔구는 평상시에도 병사들의 불만을 사는 행동을 많이 해 왔거나 그 병사의 마음을 아프게 하는 어떤 사례가 있었을 것이기 때문에 처벌하는 것이다. 사실 병사와 간부의 처지가 다르고 관점이 다르기 때문에 대수롭지 않은 일인데도 병사들이 투서하는 경우도 있을 것이다. 간부들도 자신의 행동이 그러한 파장을 가져올지 생각도 못 하고 있는 경우가 많다. 중요한 것은 평상시에 좀 더 부대를 합리적으로 지휘하고 병사들의 심정을 이해해 주려고 노력했다면 사소한 일이나 한 번 실수한 것으로 간부를 욕보이게 하지는 않을 것이라는 점이다. 따라서 간부들은 혹시라도 있을 실수에 대비하여 평소에 병사들에게 점수를 따 둘 필요가 있겠다. 그리고 전역자와 같이 마지막 헤어지는 사람을 서운하게 떠나보내지 말아야 한다. 남아 있는 사람은 다시 얼굴도 볼 수 있고 서운한 마음을 풀어 줄 기회가 있지만, 헤어지는 사람에게는 서운한 마음을 평생 풀어 줄 수 없게 된다.

대대장이 먼저 정을 베풀어라

대대장이 풍류를 알고 부하들과 같이 어울리는 것도 내부 단결력을 향상시키기 위해 가끔은 필요하다. 대대장이 매번 공적(公的)인 지휘관계로만 부하들을 만나면 분위기가 딱딱하고 인간적인 교감이 생기지 않는다. 그래서 대대장이 뭔가 잘못을 하면 마음으로 이해해 주기보다는 잘잘못을 가려 비판하게 된다. 그러나 부드럽게 사적(私的)인 관계로 만나서 허심탄회하게 이야기하는 시간을 가지게 되면 역지사지의 심정으로 대대장의 심정도 이해하게 되고 대대장이 어느 정도 실수를 해도 용서할 수 있게 된다. 따라서 등산이나 회식 같은 사적인 자리도 만들어 보라. 그리하면 대대장 역시 부하들이 실수를 해도 더 많이 이해하고 크게 야단칠 일도 부드럽게 이야기하게 된다. 이와 같이 사적인 관계로도 자주 만나야 더 깊은 정이 싹트고 단결력이 생기게 된다.

작은 정이라도 수시로 나눠 보라. 겨울철에 김장을 하면 부대에 조금이라도 가지고 와서 점심 때 나눠 먹어 보라. 맛있는 음식을 만들었거나 누군가로부터 얻게 되면 부대원들과 나눠 먹어 보라. 귀한 술이 있을 때에도 부대원을 집으로 초청하여 나눠 먹고, 생일 같은 특별한 일이 생기면 그 즐거움을 다 같이 축하해 줘라. 대대장은 지휘만 하는 것이 아니라 통솔도 해야 한다.

18. 상(賞)과 벌(罰)로 사기를 진작시켜라

포상을 내걸어 의욕을 고취시켜라

상(賞)과 벌(罰)은 부하들로 하여금 공적을 세우게 하고 부대의 군기를 확립하게 하는 데 가장 효과적인 수단이다. 도요토미 히데요시는 자신의 출세를 위해 가장 중요했던 '아케치 미츠히데 토벌'을 나서기 전에 자신이 가진 모든 금과 은을 자신의 부하 무장들에게 나누어 주고, 병사들에게도 남아 있는 쌀을 모두 풀어 기존에 먹던 하루치 양의 다섯 배를 지급하였다고 한다. 출전에 앞서 미리 포상을 하여 부하들의 사기를 북돋았던 것이다.

대부분의 사람들은 일의 결과를 본 후에 성과가 좋으면 포상하고 반대로 일이 잘못되면 문책만 한다. 이 경우 공정하게 심사를 한다고 해도 대부분은 주요 직위에 있는 사람이나 공적이 특출한 병사에게만 포상의 기회가 돌아간다. 따라서 일반 병사들은 주어진 임무가 크든 작든, 중요하든 중요하지 아니하든 자신에게 돌아올 것이 별로 없다고 생각하여 맡은 바 임무에 최선을 다하려고 마음먹지 않는다. 그러나 앞에서와 같이 말단 병사까지 모든 병력에게 미리 포상을 하고 결전에 임한다면 그들은 사기충천하여 최선을 다할 것이다.

필자가 대대장이던 시절에 사단이 군전투지휘검열을 받게 되었는데, 대대는 공통적인 검열 외에도 야간사격, 현장 근접정비지원, 전투력 복원, 정비시설 재배치 등의 임무를 추가로 부여받았다. 해야 할 일도 많고 부여된 임무의 중요성도 컸기 때문에 검열을 마치고 나면 포상해야 할 인원들이 많을 것임은 당연한 일이었다. 이에 필자는 어차피 포상을 할 것이면 미리 주자고 마음먹었다. 그래서 검열 준비를 시작하면서 병사들에게 이번 임무를 성공적으로 완수하면 전 병력에게 포상휴가를 부여하겠다고 미리 공표하였다. 결국 부하들은 야간사격에서 90% 합격이라는 우수한 결과를 보여 주었고, 시설재배치도 폭우가 내리는 날씨 속에서 헌신적으로 훈련에 임해 성공적으로 임무를 완수하였다.

그러나 아무리 포상의 효과가 좋다고 해도 상을 남발해서는 안 된다. 상을 남발하게 되면 공적이 없어도 상을 바라게 되고 결국은 논공행상에만 빠지게 된다. 손자(孫子)는 적의 내정을 알아차리는 방법 중의 하나로 "적진에서 상금이나 상장을 남발하고 있으면 그것은 지도자가 막다른 길에 들어서 있다는 증거로 생각해도 좋다."고 말하였다. 앞의 경우에서도 전 병력에게 포상의 기회를 주었지만, 개인별로 검열에 기여한 정도와 부대에 근무한 기간 등을 고려하여 차등을 두어 포상을 실시하였다.

공(功)을 부하에게 돌려라

부대가 주어진 임무를 성공적으로 완수했을 때는 그 공을 부하에게 돌려라. "자네 덕분에 부대가 빛났다. 자네가 자랑스럽고 고맙다."라고 하면서 부하를 칭찬하라. 그러면 부하는 더욱더 신이 나서 앞으로도 열심히 일할 것이고 힘든 일이 있어도 지휘관을 원망하지 않을 것이다. 지휘관이 자신의 공적임을 스스로 드러내려고 안달해서는 안 된다. 자신을 빛내고 싶은 마음은 대의(大義)를 위해 잠시 접어 둬라. 자신 스스로를 칭찬하게 되면 사람들은 그 말에 귀 기울이는 것보다 그 사람을 덕이 없는 것으로 생각한다. 당신의 공적은 다른 사람이 말해 줘야 진실이 된다. 당신이 부하를 칭찬하면 그 부하가 오히려 당신을 칭찬하여 저절로 공적이 나타날 것이다. 그것이 윈-윈(Win-Win)전략이다.

부하를 평할 때는 최대한 치켜세워 줘라

부하들의 업무하는 태도가 다소 미흡하여 부대 내에서는 비록 야단을 치더라도 그 부하에 대한 평을 외부에서 말할 때에는 잘한다고 치켜세워 줘라. 인접 대대장과 대화하거나 식사를 하면서 무의식중에 부하를 폄하하거나 비판하는 언급은 피하라. 그 말이 부하의 귀에 들어갈 수 있고, 그렇게 되면 그 말을 들은 부하는 당신에게 진심어린 충성을 할 수가 없다. 부하들이 믿고 의지할 수 있는 지휘관이 되어야 한다.

상은 여러 사람이 알 수 있게 공개적으로 주고, 혼내고 벌주는 것은 가급적 공개되지 않게 개별적으로 해야 한다. 상은 드러나야 공명심이 생기고, 벌은 숨겨야 자신의 체면을 유지할 수 있다. 공개적으로 포상하기 위해서는 전 병력이 집합하는 국기게양식에서 표창을 수여하거나, 대대 전 간부가 모여 회의할 때 회의에 앞서 수여할 수 있다.

지휘관은 부드러우면서도 매서워야 한다

지휘관은 상(賞)과 칭찬만 주는 것이 아니라 벌(罰)도 내릴 줄 알아야 한다. 비록 사랑하는 부하를 처벌하는 것은 마음 아픈 일이나 부대의 군기를 유지하기 위해서는 때로는 제갈량의 읍참마속(泣斬馬謖)과 같은 심정으로 과감하게 벌해야 한다. 이순신 장군은 덕(德)으로만 지휘하여 23전 23승의 전승을 올린 것이 아니다. 오히려 엄격한 신상필벌로 승리를 이끌었다. 기록에 의하면 이순신 장군은 140회의 포상과 더불어 120회의 처벌을 하였다고 한다. 전투에서 명령에 응하지 않으면 반드시 처벌이 가해졌고, 나장 2명이 뇌물을 받고 도망병을 묵인하자 곤장 50대로 벌하였다고도 한다.

필자는 대대장을 하면서 병사들의 생활모습과 심리상태를 고려하여 설문서를 직접 제작하고, 이것으로 매월 설문조사를 실시하여 부대의 문제점을 파악하는 한편 병영생활 행동강령을 위반한 병사들을 색출하여 규정에 의거해서 처벌하였다. 대대장을 마치면서 통계를 내어 보니 매월 평균적으로 2～3명씩을 징계하여 휴가제한이나 입창 등을 조치하였다. 간부에 대해서도 사안이 중대한 위반에 대해서는 즉각적으로 징계하였고, 사안이 작을 때에는 경고장을 발행하다가 몇 차례 누적되면 징계를 하였다. 병사들을 징계하면 휴가를 제한받거나 군생활이 입창 기간만큼 늘어나는 것으로 끝나지만, 간부는 국가유공자나 훈장 수여에서 제외될 수도 있고 해당 연도 성과상여금을 받을 수 없으며 진급에서도 불이익을 받게 되는 등 그 피해가 상당히 크다. 그럼에도 불구하고 부대의 군기를 유지하고 더 큰 사고를 방지하기 위해서는 눈물을 머금고 과감하게 처벌해야 한다. 지휘관은 결코 사사로운 감정에 얽매여서는 안 된다. 공자는 '온이여(溫而厲)'라고 하였다. 지휘관은 봄바람처럼 따뜻하면서도 가을의 서릿발 같은 기상을 겸비해야 하는 것이다.

부하를 야단쳐야 하는 경우에는 대대장이 매번 직접 나설 것이 아니라 신분별 선임자를 활용하는 것이 훨씬 효과적일 때도 있다. 가령 부사관이 잘못을 저지른 경우에는 대대장이 직접 혼내는 것보다 주임원사나 다른 부사관 연장자가 교육하고 벌을 주도록 해 보라. 초급장교의 군기가 해이해지고 군기본자세가 불량할 때는 보좌관이나 해당 중대장을 시켜 교육하고 벌주도록 해 보라. 초급간부들이 대대의 최고 지휘관으로부터 질책당하면 그 충격이 과도하게 클 수도 있고, 대대장에게 나쁜 간부로 낙인찍혔다는 판단에 더 이상 의지할 곳이 없다고 생각하여 개선의 노력을 포기할 수도 있기 때문이다.

> 모든 것을 용서해 주는 왕은 무엇이든 용서해 주지 않는 왕보다 더 위험하다.
>
> – 종교개혁가, 존 칼뱅 –

19. 지휘에는 쇼맨십(Showmanship)도 필요하다

부대에 활기를 불어넣고 병사들이 지휘관을 신뢰하게 하기 위해서 지휘관이 때로는 파격적인 조치를 취하기도 하고 과장된 행동으로 쇼맨십을 보이기도 해야 한다. 그리하여 부하들이 '우리 지휘관은 못 하는 것이 없이 뭐든 할 수 있구나!' 하고 믿고 따를 수 있게 해야 한다.

첫 번째로, 예상치 못한 시간과 장소에서 획기적인 포상을 조치해 보라. 가령 대대장 정신교육 시간에 교육태도가 좋거나, 좋은 질문을 하거나, 대대장의 질문에 뛰어난 답변을 하는 병사가 있으면 포상휴가를 부여해 보라. 그러면 병사들은 이후 대대장의 말 한마디 한마디에 더욱 집중하고 귀를 기울일 것이다.

사실 대대장이 병사들과 대면할 수 있는 기회는 많지가 않다. 대대장이 병사들 전체를 소집하여 정신교육을 할 수 있는 기회가 기껏

해야 한 달에 한두 번 정도밖에 안 되는데, 이럴 때 대대장에 대한 이미지를 강하게 심어 줄 필요가 있다. 정신교육 중에 불시에 포상을 하면 조는 사람 없이 두 눈 부릅뜨고 대대장에게 집중하게 될 것이다. 또한 부하들은 언제 또 대대장 교육이 있나 하고 대대장을 기다리게 될 것이다.

수송부나 소대를 순찰하다가 병사들이 열심히 일을 하고 있으면 아이스크림이나 음료수를 사 주고 격려를 해 줘라. 또한 가끔은 병사들을 불러 모아 사다리를 타서 행운권을 추첨하듯 한 명을 뽑아 포상을 부여하기도 해 보라. 이러한 행동들이 병사들에게는 생활의 활력소가 되고 지휘관에 대한 신뢰를 두텁게 한다.

두 번째로, 병사들과 동고동락하는 모습을 보여라. 행군을 할 때에는 대대장이 병사들과 같이 걸으면서 대화도 나누고, 힘들어하는 병사들의 군장이나 소총을 들어 주기도 하며, 사탕이나 껌을 건네 피로를 덜어 주기도 해 보라. 어느 한 중대가 야외훈련을 나가면 맛있는 음식물이나 음료수를 챙겨서 찾아가 격려해 줘라. 어려운 상황에서도 대대장이 절대 병사들을 혼자 내버려 두지 않는다는 것을 인식시켜 줘라. 병사들이 힘들어할 때 대대장이 항상 곁에서 같이한다는 인식을 심어 주는 것이 좋다. 오기 장군이 병사의 고름을 빨아 주었듯이 몸이 아픈 병사는 병원에 데려가 주고, 감기로 고생하는 병사에게는 죽을 끓여 주는 등의 인자함도 보여라.

세 번째, 대대장이 가진 능력을 보여 줘라. 사격훈련이 있어서 교육현장을 지도할 때 대대장이 직접 나서서 사격요령을 가르쳐 주고, 대대장이 손수 맨땅에 엎드려 사격시범도 보여 줘라. 전술훈련 현장을 지도할 때에는 세부적인 전투기술을 가르쳐 주고 또한 왜 그렇게 행동해야 하는지에 대한 이유와 원리도 설명해 줘라. 대대장이 깨끗한 사무실에 앉아서 행정업무만 하는 사람이 아니라 전투기술도 뛰어나다는 것을 보여서 유사시에도 믿고 따를 수 있는 지휘관이라는 것을 증명해 보여라.

네 번째, 병사들의 마음을 사로잡아라. 남자가 여자의 마음을 사로잡기 위해서는 선물도 하고 멋진 이벤트로 감동을 주기도 한다. 지휘관도 부하들의 마음을 사로잡아야 승리할 수 있다. 패튼과 맥아더는 뛰어난 연설과 웅변술로 부하들의 마음을 사로잡은 것으로 유명하지만 한편으로는 쇼맨십에도 탁월하였다. 패튼은 병사들이 차량에 물자를 싣는 것을 돕기도 하고, 최전방에 있는 병사들을 찾아 머물며 때로는 같이 총을 쏘기도 하였다. 한번은 전방 순시 중에 적에게 피격당해 도로에서 수리 중인 전차를 보고 전차 밑 진흙에 엎어져 같이 수리를 해 주었다고 한다.

다섯 번째, 병사들의 이름을 불러 줘라. 이름을 안다는 것은 그 사람에게 관심과 애정이 있다는 뜻이다. 남자는 자신을 알아주는 사람에게 충성을 다한다고 하였다. 따라서 대대장이 병사의 이름을 알고 직접 호명해 주면 병사들은 당신에게 충성을 다할 것이다.

알렉산더는 35,000명의 보병과 5,000명의 기병으로 60만 명이나 되는 페르시아군을 상대로 출정할 때 병사들의 이름을 일일이 호명하며 사기를 북돋아 전쟁을 승리로 이끌었다. 나폴레옹도 전쟁에 임하기 전에는 병사들이 늘어선 대열 앞으로 말을 타고 달리다가 어느 지점에 멈추어 병사들의 이름을 불러 주었다고 한다. 그런데 이러한 행동은 나폴레옹이 그 병사의 이름을 평소에 알고 있어서가 아니라 어떤 병사가 어느 지점에 있다는 것을 미리 파악해 두었다가 쇼맨십의 일환으로 취했던 것이다.

여섯 번째, 병사의 부모님들께도 대대장의 모습을 보여 줘 보자. 부모님들은 자식을 군대에 보내고 나서 자식 걱정에 매일 전전긍긍한다. 자식의 근황이 궁금하면서도 중대장이나 대대장이 어려워서 쉽사리 전화 한 번 못 한다. 그러면서 혹시라도 자기 자식이 무서운 지휘관을 만나 고생하면 어쩌나 하고 걱정한다. 이럴 때 당신의 사진이 담긴 따뜻한 지휘서신을 보내 보라. 부모님의 근심은 한순간에 사라질 것이다. 부모님이 부대로 면회를 와서 병사를 만나고 있다면 찾아가서 인사를 드리고, 그 병사가 부대생활을 열심히 잘하고 있다고도 말씀드려 안심을 시켜 드려라. 부모는 물론이고 병사도 고마워서 더욱 열심히 군생활을 할 것이다.

20. 부하를 가르친 후 활용하라

처음부터 부하들에게 높은 수준을 기대하지 마라

당신이 대대장 직책을 수행할 때의 참모들은 주로 중위나 대위들이다. 그들은 군생활의 경험이 많지 않기 때문에 처음부터 높은 수준으로 업무를 잘할 것이라고 기대해서는 안 된다. 기대가 크면 실망도 크고 그러다 보면 큰 소리를 치게 되니 처음에는 기대치를 낮춰라. 부하들은 새로 부임한 당신에게 아직 적응이 안 되어 있고 당신의 새로운 스타일을 받아들일 준비도 안 되어 있는 상태이다. 그러니 당연히 처음부터 내 구미에 맞을 리가 없다. 당신이 먼저 업무 요령을 가르치고 당신의 업무스타일을 알려 줘라.

삼성그룹의 이건희 회장은 리더가 해서는 안 되는 것 중의 하나로 사람을 키우지 않는 것을 꼽았다. 삼국지에서 오나라 장수인 여몽은 어려서부터 무예가 출중하여 장수가 되었다. 그렇지만 무예 실력과는 달리 학문에는 미흡하였는데, 어느 날 주군인 손권이 여몽에게 더 큰 인물이 되기 위해서는 학문에도 힘쓰라고 권유한다. 그리하여 여몽은 여러 병법서와 사서(史書) 등을 탐독하여 박식가가 되었으며, 그 결과 훗날 숙적인 관우와의 전투에서 대승을 거두게 된다.

먼저 부하들을 가르쳐라

부하가 보고서를 작성하여 대대장에게 검토를 받을 때 보고서 내용이 틀렸다고 화만 내는 사람이 있다. 그러나 사실 그 부하는 상급 지휘관의 지휘의도를 잘 모르고 전술식견도 상관보다 미흡하여 당연히 보고서 수준이 낮을 수밖에 없다. 반면에 대대장은 상급부대의 회의에 직접 참석하고 상관의 지시도 직접적으로 듣기 때문에 상급 지휘관의 의도를 누구보다도 정확히 파악하고 있다. 이러한 정보를 참모나 보좌관에게 제대로 알려 주고 임무수행 방향에 대한 지침도 세부적으로 내려 줘야 부하들이 보고서를 작성하거나 업무를 수행하는 데 이상이 없다. 대대장이 알려 주지도 않고 좋은 결과가 나오기만을 기대해서는 안 된다. 먼저 부하들을 가르친 연후에 활용할 생각을 하라.

포기하지 말고 가르쳐라

몇 번 가르치고 나서 부하들이 따르지 못한다고 하여 부하들이 평생 변하지 않을 것이라고 단정 짓거나 포기하지 마라. 부하들을 꾸준히 가르치면 언젠가는 변화할 것이다. 또한 어떤 계기가 생기면 반드시 변한다. 정도의 차이는 있겠지만 사람이기 때문에 학습을 하면 반드시 능력이 향상된다.

주변의 초급장교들을 보면 일하는 수준이 어설프고, 군인다운 패기도 없으며, 보고도 잘 못하고, 복장과 용모도 단정치 못한 사람들이 가끔 있다. 처음엔 이들이 전역할 때까지 그러한 태도가 변하지 않을 줄 알았는데, 무섭게 혼내기도 하고 때로는 타이르기도 하면서 꾸준히 교육하자 나중에는 제 역할을 충분히 해내는 훌륭한 장교로 성숙하였다. 필자의 경우도 돌이켜 보니 나이가 30살이 되어서야 소위 말하는 '소견'이 트이는 느낌을 받았다. 그 나이가 되어서야 사물을 보면 내면의 본질도 어느 정도 보이고, 나타난 현상을 보면 문제점과 해결책도 떠오르게 되었다. 세상 이치가 이러하니 처음부터 부하들이 잘해야 한다거나 잘할 것이라는 기대감을 버리고, 차분히 단계적으로 가르친 후에 능력이 향상되면 그때 적극적으로 활용할 생각을 하라.

지휘관은 끊임없이 가르쳐야 하는 자리이다. 윗사람이라면 당연히 아랫사람을 훈육할 책임이 있는 것이다. 당신이 교육한 부하는 얼마 안 있어 또 직책을 바꾸거나 전역하여 새로운 사람으로 보충된다. 그럴 때마다 '여태껏 가르쳤는데 또 가르쳐야 하나?' 하는 생각이 들고 귀찮은 마음이 생기기도 할 것이다. 하지만 어찌하겠는가? '이것이 인생이다'라고 생각하고, 한탄하지 말고 새로운 마음으로 다시 가르쳐라.

지나친 가르침은 독(毒)이 된다

가르침이 윗사람으로서의 도리이기는 하지만 이 또한 지나치면 안 된다. 아무리 스승이 훌륭해도 제자가 받아들이지 않으면 소용이 없는 법이다. 윈스턴 처칠은 "나는 배우는 것을 좋아하지만 가르침을 당하고 싶진 않다."고 하였다. 또한 알베르트 슈바이처는 타인에게서 행동의 변화를 이끌어 내는 데에는 3가지 방법이 있는데, 첫째도 본보기(by example), 둘째도 본보기, 셋째도 본보기가 되어야 한다고 하였다. 그러므로 부하를 가르친다는 명목하에 보고서를 검토할 때마다 지적하거나, 보고할 때마다 억양이 어떻고 자세가 어떻다 하며 지적하지 마라. 그러면 부하는 스트레스를 받아 견뎌 내지 못한다. 심하면 군무이탈이나 자살로도 이어질 수 있으며, 스트레스로 인해 병을 얻을 수도 있다. 당신은 상관이기 때문에 부하들이 쉽고 편하게 느껴지지만 부하들의 입장에서는 대대장이 무섭고 어렵게 느껴진다. 그런데다 빠져나갈 구멍도 없이 계속해서 몰아붙이면 부하는 견뎌 낼 수가 없다.

가르침을 받아들일 준비가 안 되어 있으면 가르치기를 포기하라

부하들 중에는 어려운 것을 시키는 것이 아닌데도 대대장이 지시한 일을 제대로 수행하지 못하거나 대대장의 지적사항을 끝내 시정하지 못하는 사람이 가끔 있다. 심하게 몰아붙이거나 무섭게 지시한 것도 아닌데 대대장의 지적에 스스로 스트레스를 과도하게 받고 괴로워하는 사람도 있다. 그런데 아무리 의도가 좋아도 상대방이 괴로워할 정도가 되면 결국 피해는 지휘관에게 돌아온다. 따라서 대대장이 지시사항을 몇 차례 내리고 몇 가지를 가르쳐 보았는데도 부하 스스로 단점을 보완하지 못하거나 그럴 의욕이 없는 사람으로 판단되면 더 이상 가르치려는 노력을 포기하는 것이 좋다. 끝까지 개선시켜 보려고 고생하기보다는 그 사람을 있는 그대로 이해해 주려는 사고의 전환이 필요하다. 그렇게 하지 않으면 부하나 당신 모두가 스트레스에 시달리게 되고 그로 인해 큰 사고를 유발할 수도 있다. 논어에도 이르기를 "忠告而善道之하되 不可則止하야 無自辱焉이니라."라고 하였다. '충고하여 벗을 선도하지만 말을 듣지 않으면 곧 중지하여라. 그래야 자신이 욕을 당하지 않는다.'는 뜻이다.

상관도 부하에게 적응하려는 노력이 필요하다

부하가 지휘관에게 적응하듯 지휘관도 부하에게 적응하려고 노력해야 한다. 때로는 오히려 지휘관이 부하의 특성이나 생활태도에 맞춰 줘야 하는 경우도 있는 것이다. 어떤 부하는 아침에 지시한 간단한 사항을 해당 실무자에게 전파도 안 하고 본인이 시행하지도 않아 업무에 차질을 빚는 경우가 있다. 이러한 상황이 몇 번 반복되고 나면 더 이상 같은 방법을 고수해서는 안 된다. 그 부하를 통해 지시하는 방법으로는 효과가 없음을 간파하고, 이후부터는 그 부하에게 지시하는 것뿐만 아니라 그 일을 직접 수행하는 간부에게도 다시 한 번 별도로 지시하는 것으로 방법을 바꾸는 것이 좋다.

어떤 부하는 평소에도 말수가 적었을 뿐만 아니라 업무를 하는 데 있어서도 말이 없었다. 그는 지휘관이 어떤 일을 시키면 지휘관이 먼저 질문하지 않는 이상 그 결과에 대해서 먼저 보고하지 않았다. 처음에는 몇 번 지적을 하고 야단도 쳤지만 시정이 되지 않아 '이 사람 특성이 이렇구나!'라고 생각하고 결국은 대대장이 태도를 바꾸기로 마음먹었다. 그 부하가 보고하기를 기대하기보다는 대대장이 직접 현장에 가서 둘러보고 결과를 확인하기로 한 것이다. 이렇게 하니 업무결과도 확실해지고 서로 간의 관계도 원만하게 발전되었다.

리더가 해서는 안 되는 10가지 행동

① 숫자를 중시하고 쫀쫀하게 작은 것만 챙긴다.
② 거짓말을 한다.
③ 같은 실수를 반복한다.
④ 발상의 차원이 낮다.
⑤ 직함에 안주한다.
⑥ 자기에게 충성을 요구한다.
⑦ 실패할 경우를 대비해 핑계거리를 생각해 둔다.
⑧ 부하나 타인의 공적을 가로챈다.
⑨ 사내 정치에 정신이 팔려 있다.
⑩ 사람을 키우지 않는다.

\- 이건희 회장 -

21. 부하의 자발적인 충성을 유도하라

덕을 베풀어라

지휘관에게 부여된 권한으로 신상필벌만 공정하게 실시해도 부대를 지휘할 수는 있겠지만 전투에서 승리하려면 끈끈한 전우애가 있어야 한다. 부하들이 의무감에 의해 충성하는 것이 아니라 지휘관에 대한 애정과 믿음을 가지고 자발적으로 충성을 다하도록 만들어야 한다. 그리고 자발적인 충성을 유도하기 위해서는 덕을 베풀어야 한다. 공자(孔子)는 '德不孤必有隣', 즉 '덕을 베풀면 외롭지 않고 반드시 이웃이 있다.'고 하였다. 지휘관이 덕을 베풀면 반드시 당신을 따르고 충성을 다하는 부하가 생기게 된다.

부하가 건강이 안 좋아서 병원을 가야 하거나 장기간 치료를 해야 한다면 과감히 승인해 줘라. 부대업무를 핑계 삼아 출타나 병가를 승인하지 않는다면 병을 더 키워 결국은 전투력의 손실만 가져온다. 남아 있는 일은 남아 있는 건강한 사람들이 대신 해 주면 된다. 개인 사정으로 인해 전출을 희망하거나 인사관리를 위해 교육파견을 가고 싶어 하는 경우 또는 승진시험에 응시할 때에도 크게 생각하여 적극적으로 승인해 줘라. 빈자리는 곧 보충이 될 것이고, 교육을 받아 개인이 발전하면 군 조직이 발전하는 것이다. 부하가 사고를 쳤거나 어려움에 처했을 때에는 부하의 마음도 가뜩이나 착잡한데 그 상황에서 야단만 칠 것이 아니라 도움과 은혜를 베풀어라. 지휘관이 먼저 부하에게 베풀어야 한다. 받은 후에 베풀려고 하면 끝내는 아무것도 받지 못한다.

합리적으로 지휘하라

부대를 합리적으로 지휘하는 것으로도 부하의 마음을 살 수 있다. 어떤 업무를 할 때에는 대대장 개인만의 생각대로 독단적으로 결정하기보다는 여러 사람의 의견을 들어서 모두가 수긍할 수 있는 방향으로 결정하라. 환경개선을 하거나 나무를 심는 경우에는 그쪽 방면의 전문가나 부대에 오래 남아 있을 사람의 의견을 들어서 결정해야지 혼자만 좋아하는 방향으로 결정해서는 안 된다. 각각의 직책과 계급을 인정해 주면서 합리적인 방향으로 일을 처리하라.

지시를 내릴 때에는 성난 모습이나 큰 소리로 하지 말고 차분하게 설명하는 식으로 지시하라. 일을 진행하다가 잘못된 것이 있어도 짜증을 내거나 화만 낼 것이 아니라, 왜 그렇게 했는지 들어 보고 그 의도가 타당하다면 인정해 줘라. 대대장 생각대로만 밀고 나가지 말고 더 좋은 방법은 무엇이 있을지 토의해 가면서 일을 처리하라. 일을 시키거나 나무랄 때 평정권을 운운하면서 엄포를 놓는다거나 처벌하겠다고 하는 등의 협박성 언행은 삼가라. 지휘관이 독단적으로 행동하면 주변 사람들이 점점 떠나게 될 것이고, 합리적으로 지휘하면 부하들이 부대에 더 많은 관심을 가지고 적극적으로 동참하게 될 것이다.

부하를 칭찬하고 인정해 줘라

부하가 혁혁한 성과를 올렸을 때에만 칭찬하려 하지 말고 작은 성과에도 칭찬하라. 가랑비에 옷 젖듯이 작은 칭찬이 누적되어 부하를 크게 발전시킨다. 어떤 임무를 준 후에 그것이 완료되면 '수고했다'라는 말 한마디라도 건네 보라. 부하들은 지휘관의 작은 말 한마디에도 감동한다. 결과가 비록 만족스럽지 못하거나 대대장이 생각했던 방향과 다르더라도 의도나 과정이 좋았다면 이 또한 칭찬해 줘라. 그러면 앞으로도 당신에게 인정받기 위해 스스로 고민하고 연구하면서 더 열심히 일하게 될 것이다.

보고서를 가져오면 서명만 해서 돌려보내지 말고, 훌륭하게 작성했거나 고생한 흔적이 보이면 'Good!'이나 'Excellent!'라고 적어서 돌려줘 보라. 필자도 이러한 단어를 잘 쓰지 않는데, 한번은 참모가 가져온 보고서에 이 문구를 써서 돌려보냈더니 그 부하는 무척 기뻐하며 주변 참모들에게 자랑을 하였다. 대대장이 부임한 지 반년 만에 처음으로 이러한 칭찬을 하였으니 그럴 만도 하다.

부하에게 공(功)을 돌려라. 일의 성공이 설령 지휘관이 주도하여 달성된 경우라도 부하에게 공(功)을 돌려라. 자신의 가치를 돋보이게 하려고 자화자찬하거나, 주어진 표창장을 지휘관이 모두 가지려고 욕심내지 마라. 표창장을 너무 많이 챙기면 오히려 자질 면에서 좋지 않은 평가를 받게 된다. 공적을 부하에게 돌리면 당신은 충성스런 부하를 한 명 더 얻게 된다. 공적을 부하에게 돌린다고 해서 사람들이 당신의 노고나 공적을 모르는 것이 아니다. 자기가 자신을 드러내려고 하면 오히려 스스로를 더 깎아내리게 될 뿐이다.

사적인 유대감을 형성하라

때로는 공적인 관계를 벗어나 인간적인 관계나 친밀감을 형성해 보라. 부하의 자녀문제나 은행업무 등과 같은 개인적인 일에 편의를 제공해 주고, 옷이나 머리모양 등에 대해서도 관심을 가져 줘라. 부하의 자녀를 귀여워해 주고, 가족이 아플 때 시간과 치료여건을 제공하라. 사람은 공적인 것보다 사적인 일에 대한 관심과 배려에 더 큰 감동을 받는다.

부하와 사적인 유대감을 형성하라. 부하들과 매일 업무적으로만 만나면 재미가 없다. 공적으로만 대하면 부하들이 당신에게 충성을 하기보다는 자신에게 주어진 일만 기계적으로 하는 로봇이 되어 버린다. 따라서 부하들과 함께 목욕이나 낚시를 하러 간다거나 가까운 산에 등산을 같이해 보라. 근무하는 지역의 특성에 맞게 그 지역 내에서 할 수 있는 이벤트를 생각해 보라. 이렇게 개인적인 교감을 쌓으면 부하들도 당신을 좀 더 가깝고 친밀하게 대할 수 있을 것이다. 회의시간에 업무 이야기만 하지 말고 가끔은 부하에게 별일이 없었는지 안부를 묻고 농담도 건네 보라. 차를 한잔 마시면서 세상 사는 이야기로 수다도 떨어 보라. 대대장에 대한 긴장감을 누그러뜨리면 업무능력도 한층 더 향상된다.

22. 부하의 인사관리에 신경써 줘라

부하에게 일을 시켜 활용하였으면 보답을 해 줘야 한다. 열심히 부려 먹기만 하고 부하의 앞날에 대해서는 신경을 써 주지 않으면 이는 악덕 지휘관이다. 돈이나 물건으로 보답하는 것이 아니라 부하의 인사관리에 관심을 가져 줘라. 인사관리는 진급에 직접적인 영향을 주게 되므로 부하의 자력을 관리해 주는 것이 가장 큰 보답이 된다.

부하의 보직을 관리해 줘라

먼저 경력을 제대로 갖추도록 보직을 관리해 줘라. 부하가 해당 직책을 맡아 임무를 수행한 지 필수기간이 도래하였으면 다음 직책은 무엇을 할 것인지 판단해 주어라. 부하들은 지휘관이 어려워서 먼저 말을 꺼내지 못한다. 또한 보직을 조정해 달라고 대대장에게 건의하면 대대장이 혹시라도 '저 녀석이 힘들어서 저 직책을 회피하려고 하는구나!' 하고 생각할까 봐 지레 겁을 먹는다. 그래서 중이 제 머리 못 깎는다고 하지 않는가? 따라서 부하가 보직을 조정할 시기가 언제인지를 늘 체크하면서, 부하가 건의하기 전에 대대장이 먼저 다음 보직은 어떻게 할 것인지 의견을 물어라.

보직은 다양한 직책을 다양한 제대에서 경험하는 것이 좋으므로 그에 맞게 관리해 줘라. 또한 그 직책에 임명되었을 때 누구와 같이 평정을 받게 되는지, 그럴 경우 평정을 잘 받을 수 있는지, 그리하여 진급의 기회를 잡을 수 있을지 등을 잘 판단하여 관리해 줘라. 그리고 대대장 판단에 대한 의도와 순리를 설명해 주어 대대장이 판단한 결과에 대해 오해하지 않게 해 줘라.

평정표 작성에 정성을 쏟아라

평정표는 1년 동안의 업무실적을 총괄하여 기록으로 남기는 것이니만큼 최대한 정성껏 작성해 줘야 한다. 어떤 요소와 어떤 특성들을 포함하여 작성할 것인지를 연구하여 심혈을 기울여 작성하라. 그리고 각 요소별 등급을 부여할 때에는 진급을 시켜야 하는 부하라면 모든 요소에 <A>를 부여해야 한다.

<A> 등급을 부여하는 수량에 제한이 없다면 전 요소에 <A>를 부여해야 1차 진급이 가능하다. <A> 등급을 부여하는 수량에 제한이 있을 때에는 그 자질이 다소 미흡하게 평가받아도 문제가 없는 요소에 <B>를 부여해야지 성윤리나 금전관계 같이 파렴치하게 느끼는 요소에 체크하는 것은 피해야 한다. 간혹 여러 명이 평정그룹에 있을 때 1등에게는 전부 <A>를 주고, 2등 이하는 1등과 차별을 두기 위해 일부러 <B> 이하를 부여하는 사람이 있다. 또는 <B>도 우

수이기 때문에 <A> 대신 <B>를 부여하거나, 전체를 <A>에 체크하는 것이 왠지 쑥스러워 겸손한 마음에 일부 항목은 <B>에 체크하는 사람도 있다. 그러나 이는 부하를 진급에서 떨어뜨리는 행동임을 알아야 한다.

평정표를 다 쓴 후에는 어떻게 작성하였는지 부하에게 알려 주는 것도 서로 간의 신뢰를 강화하는 데 도움이 된다. 알려 주지 않으면 부하는 혹시라도 대대장이 나쁘게 쓰지는 않았나, 실수로 <A> 대신 <B>에 체크하지는 않았나 하고 불안해할 수 있다.

자력을 관리해 줘라

반기별로 부하들이 표창을 어떻게 받았는지 파악하여 조치해 줘라. 그리하여 음지에서 묵묵히 일하는 사람들이 소외되거나 불이익을 당하지 않게 해야 한다. 자기계발을 위해 각종 자격증을 취득하도록 교육하고, 이를 위한 시간과 여건을 배려해 줘라. 때로는 대대장이 업무를 하다가 착안해 낸 관리개선이나 전투발전 소요를 부하에게 알려 주어 제안하게 해 보라. 또한 영어반이나 위탁교육, 해외파병 등에 대해서도 알려 주고 그것에 참여할 기회를 부여해 줘라. 이와 같이 부하의 인사관리에 신경 써 주는 지휘관이 가장 큰 신뢰를 주고, 이에 대해 부하는 충성으로 보답할 것이다.

23. 지휘관은 언행을 조심해야 한다

지휘관은 어항 속 물고기와 같다

지휘관의 일거수일투족은 언제나 투명하게 노출되어 있다. 내가 한 일을 아무도 모를 것 같지만 절대 그렇지 않다. 누군가는 반드시 알게 되는 것이 세상의 진리이다. 그러므로 내가 어떤 행동을 하더라도 분명 누군가는 알게 될 것이라 생각하고 항상 올바르게 처신해야 한다. 사고사례를 살펴보면 지휘관이 사적인 일에 병사를 동원하여 물의를 일으키는 경우가 가끔 있다. 병사를 시켜 자녀들의 공부를 도와주거나, 산채나 과실류를 채취하는 데 병사를 동원하여 문제가 되기도 한다. 작은 이익을 얻으려다 부하의 반감이나 오해를 사서 더 큰 손해를 보는 일이 없도록 하라.

지휘관이 하는 말이나 행동 하나하나는 부대에 활력을 주기도 하지만 잘못하면 물의를 일으키기도 하고 때로는 그것이 비수가 되어 자기 자신을 해(害)하기도 한다. 따라서 지휘관은 말 한마디 행동 하나하나를 항상 조심해야 한다. 얼굴표정은 항상 밝게 유지하도록 노력하라. 호랑이의 눈으로 예리하게 관찰하되, 이것을 밖으로 표출할 때에는 얼굴을 찡그리거나 엄하게 지시하지 말고 온화하고 밝은 어투로 말하라. 일이 마음대로 되지 않는다고 하여 인상 쓰지 말고 자주 웃고 즐겁게 지휘하라. 지휘관이 얼굴을 찡그리면 부하들은 더 긴장하게 되어 융통성과 창의력이 떨어지게 된다. 아침회의나 결산 시에도 말을 조심하라. 여기서 하는 말도 부대 밖으로 퍼져 나갈 수 있음을 경계해야 한다. 당신이 화를 내며 언성을 높이거나 누군가를 비하하고 험담하면 그 말은 반드시 소문이 나서 당신에게 화를 입힐 수 있다. 낮말은 새가 듣고 밤말은 쥐가 듣는다는 속담을 가슴에 새겨라. 부하라고 해서 모든 면에서 부하가 아니다. 그들의 친구나 친척 중에는 오히려 당신보다 더 영향력 있는 사람이 있을 수 있음을 명심해야 한다.

마음에 상처 주는 말을 삼가라

일을 못한다고 하여 부모나 가족을 들먹이거나, 출신 지역이나 출신학교를 거론하지 마라. "그것도 못하냐? 넌 남에게 피해만 주면서 사냐?", "학교 어디 나왔냐?", "집에서 그렇게 배웠냐?" 등과 같이 인격을 모독하고 가슴에 못을 박는 것과 같은 발언은 절대 삼가야 한다. 어떤 사람은 보고서 작성 시 부하의 작은 실수에도 "어디서 공부했냐? 논문은 써 봤냐? 그런데 그 정도밖에 못하냐?" 하며 무안을 주기도 한다. 나이가 들어도 그런 말을 들었을 때의 스트레스는 이만저만한 것이 아니다. 업무를 지시할 때에는 "이거 왜 안 했어?" 하고 다그치는 것보다는 "이것 해라" 하고 알려 주는 식으로 말하는 것이 상하 간의 분위기를 훨씬 좋게 만든다.

어떤 상급자는 부하 여직원의 마음에 상처가 되는 말을 하여 눈물을 흘리게 하고, 그리하여 남편까지 찾아와 항의하는 소동까지 야기하기도 한다. 인격을 모독하게 되면 자칫 서운함을 넘어 원한을 살 수도 있다. 남을 향해 화살을 날리면 그 화살은 언젠가 반드시 내게 되돌아온다. 옛말에도 남의 눈에 눈물 나게 하면 자기 눈에는 피눈물이 난다고 하지 않았던가?

비교성 발언을 하지 마라

다른 사람과 비교하는 말은 삼가라. "누구는 잘하는데 너는 왜 그러냐?" 하고 비교하면서 꾸짖는 것은 업무의 발전을 꾀하지도 못하면서 상대방의 자존심만 더 상하게 만든다. 혼내려면 그 사람의 잘못된 행동에 대해서만 언급하고 꾸짖어라. 무엇이 잘못되었고 앞으로 어떻게 하라고 하는 모범답안만 알려 주면 된다. 구태여 다른 사람의 이름을 꺼내어 비교함으로써 상대방의 마음을 상하게 만들 필요까지는 없다. "내가 젊었을 때는 이렇게 했다." 또는 "예전 부대에서는 이렇게 했다." 하며 과거와 비교하는 것도 상대를 분발시키기보다는 반감만 사게 되니 삼가라.

편애하지 마라

누구 하나만 편애하는 것 같은 발언을 삼가라. 인정받은 사람은 기분이 좋겠지만 인정받지 못한 사람은 자존심이 상하여 원한을 가질 수도 있다. 또한 편애받은 사람도 더 잘되는 것이 아니라 다른 사람의 시기를 받아 오히려 따돌림을 받고 망가질 수가 있다. 통상적으로 상은 여러 사람이 알 수 있도록 공개적으로 주고, 혼내고 벌주는 것은 공개되지 않게 개별적으로 하라고 한다. 그러나 공개적으로 상을 주거나 칭찬을 할 때에도 주의해야 할 점이 있다. 한 사람만을 과도하게 칭찬하거나 칭찬할 만하지 않은데 칭찬하면 주변의 다른 사람들은 지휘관에게 서운한 마음을 가지게 된다. 또한 열심히 해도 어차피 인정을 못 받는다고 생각하여 처음부터 포기할 수도 있다. 따라서 지휘관은 상황에 맞게 칭찬의 정도를 잘 조절해야 하고 여러 사람을 공정하게 칭찬해야 한다. 때로는 칭찬이나 상도 개별적으로 하는 것이 필요하다.

부하 중에 과거에 같이 근무했던 사람이 있다면 그 사람에 대한 칭찬은 더욱 조심해야 한다. 다른 사람에게는 칭찬이 인색하면서 혈연이나 지연이 있는 사람에게는 작은 일에도 칭찬하거나 아는 척을 하면 다른 부하들은 사기가 꺾이게 된다. 오히려 공개적으로는 아는 사람을 더 호되게 야단치고 모르는 사람에게는 너그럽게 대하라. 그렇게 하고 나서 야단친 것에 대해서는 나중에 조용히 불러 마음을 풀어 주면 된다.

지휘관이 회식을 할 때에도 일부 인원들하고만 편향적으로 어울리지 말고 공정하게 어울려야 한다. 항상 정해진 인원하고만 회식을 하면 무슨 일을 꾸미는 것으로 오해하고 시기할 수 있다. 당신의 애정과 관심을 항상 부하들에게 골고루 나누어 주어야 한다. 특정인과 어울리기보다는 일정한 계층이나 직책별로 회식하여 오해의 소지를 없애라.

24. 지휘관은 대외활동도 잘해야 한다

나라를 이끌어 가는 데에는 국내문제가 있고 대외관계가 있듯이, 지휘관이 임무를 수행하는 데에도 대내적인 면과 대외적인 면이 있다. 이 중에서 우선순위를 따진다면 "수신제가 치국평천하(修身齊家治國平天下)"라 했으니, 일차적으로는 부대가 내적으로 안정되게 하고 부여된 임무를 성공적으로 완수하는 것이 중요하다. 내실이 없이 외적으로만 포장되어 있으면 사상누각이 되어 어느 한순간에 무너져 내리게 된다.

그러나 외적인 포장을 너무 소홀히 해서도 안 된다. 대대장이 혼자서 묵묵히 열심히 한다고 해서 남이 알아주는 것은 아니다. 현대사회는 자기홍보 시대라고 하지 않는가? 부대가 하는 일과 당신이 이루어 낸 공적들을 적절히 홍보하는 것도 지휘관이 해야 할 책무이다. 대외활동에 소질이 없다고 해서 외면해서는 안 된다. 지휘관의 대외적 활동은 대인관계적인 면과 업무적인 면으로 나누어 생각해 볼 수 있다.

대인관계를 넓혀 대외적으로 부대를 홍보하라

홍보란 기본적으로 나를 알리고 나에 대해 좋은 감정을 갖게 만드는 것이다. 이를 위해서는 사실 업무적인 방법보다는 인간적으로 접근하는 것이 훨씬 더 효과적이다. 또한 대인관계를 위해서는 서로 얼굴을 맞대고 식사하는 것만큼 효과적인 것은 없다. 사무실에서 만나면 대면하는 시간이 짧지만 식사를 하게 되면 몇 시간을 같이 지낼 수 있지 않는가? 어떤 사람은 직무 보수교육을 받으면서 공부보다는 대인관계에 초점을 두고 매일 번갈아 가며 하루에 한 명씩 1 : 1로 동료들과 식사를 하여 대인관계를 맺었다고 한다. 당신도 상급자나 상급부대의 참모와 안면을 트고 같이 식사하는 자리를 마련해 보라. 거리가 멀어 만나기 어려운 사람이라면 전화라도 수시로 해서 안부를 묻고 우리 부대의 활동사항도 알려 주며, 애로사항이나 업무개선을 위한 건의사항도 이야기해 보라. 이와 같이 친분관계를 평소에 맺어 두면 언젠가는 반드시 도움이 될 것이다. 세상은 혼자서 살 수 없다. 때로는 누군가의 도움이 필요할 때가 있는 것이다. 그러므로 지휘관이 대외적으로 활동하는 것을 등한시해서는 안 된다.

업무로써 부대를 대외에 홍보하라

업무를 잘하는 것으로도 부대를 대외에 홍보할 수 있다. 첫째, 보고서를 통해 부대를 홍보한다. 보고서를 작성할 때 있는 사실이나 조치된 결과만 기술하는 것이 아니라 어떤 과정을 거쳐 임무를 완수하였고, 그 과정에서 어떠한 어려움이 있었으며, 이를 어떻게 해결하였는지 또한 부하들이 어떤 고생을 하였는지 등을 적절히 표현하라. 때로는 사진을 첨부하여 신뢰감을 향상시킬 수도 있다.

둘째, 상급부대 검열은 최선을 다해 우수하게 평가받아라. 검열의 결과는 부대별로 가시화되어 상급지휘관에게 보고된다. 검열은 해당 부대의 주관적 평가가 아닌 참모부서의 객관적인 평가이기 때문에 모든 사람이 신뢰할 수 있다. 따라서 검열을 잘 받아 부대의 위상을 홍보하는 것은 그 어떤 경우보다도 효과가 크다. 그러므로 상급부대 검열에는 항상 최선을 다해야 한다.

셋째, 지휘관의 언변술로 부대를 빛내라. 같은 말이라도 차분하면서 힘찬 목소리로 핵심 내용을 논리적이고 간결하게 보고하면 그 말에 거짓이 없이 진실한 것으로 느껴지게 된다. 따라서 브리핑을 할 때에는 어떻게 말할 것인지 미리 생각해 보고 사전에 반드시 예행연습을 해 봐야 한다. 이때 주의할 점은 내실은 없으면서 말로만 떠든다거나 홍보의 수준이 지나쳐 의심을 품게 만들면 오히려 역효과라는 것이다. 자기 PR은 지나친 것보다는 다소 부족해야 겸손의 미덕도 엿볼 수 있어 좋다.

25. 지휘관으로서 바람막이 역할을 수행하라

가정에서 가장은 외부로부터의 간섭과 폭력에서 가족들을 보호하며 안락한 휴식처를 제공해 주는 역할을 한다. 마찬가지로 대대의 최고 지휘관인 대대장은 한 가정의 가장과 같이 외부로부터의 바람을 막아 주는 역할을 해야 한다.

대대장이 해결해 줘라

잘못된 일에 대해서는 대대장이 책임져 주고 대대장이 직접 해결해 줘라. 부하가 업무를 하다가 실수로 잘못 처리하여 문제가 되었거나 상급부대에서 지시한 일을 제대로 이행하지 않아 상급부대로부터 질책을 받는 경우 "대대장이 미처 살피지 못한 잘못이다. 내가 책임지고 확실하게 조치하겠다." 하고 실무자를 보호해 줘라. 문제해결 과정에서도 실무자에게만 떠맡기지 말고 대대장이 직접 여기저기 알아봐서 처리해 줘라. 어려운 문제가 아닐 때에는 실무자가 처리해도 되지만, 문제가 커졌거나 실무자의 능력범위를 벗어났을 때에는 대대장이 직접 나서서 커버해 줘야 한다. 병사가 군무이탈을 하였거나 차량 접촉사고 등이 발생하였다면 해당되는 상급부서에 대대장이 직접 전화하여 상황보고를 해 주고 체계적으로 일을 처리하여 상급부대로부터 더 이상의 외압이나 책임추궁을 받지 않도록 해 줘라.

부하들이 상대하기 어려운 사람은 대대장이 맡아 줘라. 부하들이 업무를 하다 보면 사단의 참모나 참모부 보좌관들이 직접 전화하여 임무를 부여하는 경우가 있다. 이 경우 상급부대에서 지시한 사항에 대해 제대로 이해하지 못했거나 궁금한 사항이 있어도 실무자들은 사단 참모나 보좌관이 어려워 전화로 다시 물어보지 못하고 혼자서 고민만 하거나, 일단 업무를 진행은 하되 방향을 잘못 잡아 시간만 낭비하기도 한다. 따라서 대대장은 지휘관실에만 앉아 있지 말고 수시로 대대 참모부서를 순찰하여 실무자들이 무엇을 하고 있는지 살펴보고, 실무자들이 상대하기 어려운 상급자에게는 대대장이 직접 전화하여 세부적인 사항을 확인하고 그 내용을 부하에게 알려 주기도 해야 한다. 또한 이와 같이 대대장이 실무자들의 업무에 관심을 보이면 상급부대 참모들도 대대 실무자들을 함부로 대하지 못하게 된다.

옥석을 가려 줘라

대대에는 상급부대로부터 하루에도 수십 건의 공문이 전달된다. 그 많은 지시사항을 100% 철저하게 이행하기는 힘들다. 모든 것을 다 하려다가는 아무것도 끝을 내지 못할 수도 있다. 지시사항 중에는 우리 부대에 해당이 없는 것이 있고, 여건이 달라서 적용하기 어려운 경우도 있으며, 10가지 지시 중에 한두 가지만 해당될 수도 있다. 또한 가끔은 지시사항들이 구체적으로 무엇을 어떻게 하라는 것인지 판단하기가 애매하여 부하들이 갈피를 잡지 못하는 경우도 있다. 또한 과거에 어떤 계기나 특수한 상황에서 한 번 지시된 사항이 그 후에 상황이 바뀌었는데도 해제되지 않고 지속되는 것도 있다.

따라서 대대장이 중심을 제대로 잡고 있어야 한다. 대대장이 관련 내용을 제대로 확인한 후 현명하게 판단해서 무엇을 어떻게 할 것인지에 대해 명확한 지침을 내려 주어야 한다. 또한 합리적인 결단으로 해야 할 일과 하지 말아야 할 일들을 명확하게 결정해 줘야 한다. 그렇지 않으면 대대장이 실무자들을 쓸데없이 피곤하게 만들게 된다.

한 가지 주의할 점은 아주 중요하지는 않더라도 꼭 해야 할 일은 부하들이 힘들어도 실시해야 한다는 것이다. 부하들을 너무 고생시킬까 봐 시키지 않았다가 차후에 검열에서 큰 낭패를 볼 수 있기 때문이다.

기본업무를 충실히 이행하라

평소에 기본적인 업무를 충실히 수행하는 것만으로도 바람막이가 된다. 상급 참모부서에서 지시되는 사항들을 평소에 차근차근 성실하게 준비해 두면 상급부서에서도 대대에 간섭을 하지 않을 것이다. 또한 그 부대는 내실이 있다고 판단하여 성가시게 굴거나 확인검열을 나오지 않을 것이다. 상급부서 참모들이 우리 대대로 확인검열을 나오지 못하게 막으려 하지 말고 기본을 충실히 쌓아 둬라.

대대장이 해야 할 일은 대대장 스스로 충실히 이행하라. 지휘관 야간순찰이나 부대 특이사항에 대한 지휘보고 등을 제대로 실시하라. 또한 상급부대에서 검열을 나오면 대대장이 논리적이고 이해하기 쉽게 브리핑이나 설명을 잘해 줘서 업무의 성과를 극대화시키고, 나아가 부하들의 노고가 표출되게 하여 표창을 받게 도와줘라. 부하들은 열심히 준비하였는데 지휘관이 설명을 제대로 못하여 그동안 수고한 것이 제대로 전달도 안 되고 오히려 지적이나 받게 되면 고생한 보람이 없어진다. 상급자는 대대장이 미덥지 못하면 그 부대 전체가 미덥지 않게 느껴진다. 따라서 대대장이 게으르고 허풍만 떨어서 상급자로부터 신뢰를 잃으면 안 된다. 대대장 계급만으로 상급부대의 간섭이나 순찰 같은 외풍을 회피하거나 막을 수는 없는 것이다. 행동과 결과로써 당신과 부대의 저력을 보여 줘라.

26. 의사소통 체계를 갖춰라

지휘관은 부하의 말을 경청할 줄 알아야 한다. 현장에서 일하는 병사나 부하의 말을 경청하면 사고를 예방할 수 있고 업무 수행방식도 실질적으로 개선할 수 있다. 상의하달(上意下達)뿐만 아니라 하의상달(下意上達)도 그만큼 중요한 것이다.

직접 얼굴을 보며 교육하는 시간을 가져라

사람은 자기 삶의 3/4 이상을 의사소통하는 데 사용한다고 한다. 그만큼 의사소통은 필수적인 요소이다. 조직에서의 의사소통은 그 조직을 존재하게 하고 성공하게 하는 중추신경의 역할을 한다. 따라서 조직 구성원과의 의사소통 체계를 확립해야만 부대를 원활하게 지휘할 수 있다. 대대장은 자신의 지휘의도나 지침을 명확히 전달하기 위해 상의하달의 의사소통 체계를 확립해야 한다. 이를 위해 대대장은 최소한 월 1회 이상은 반드시 전 병사를 집합시켜 직접 얼굴을 보면서 교육하는 시간을 갖는 것이 좋다. 중대장도 마찬가지로 전 중대원을 집합시켜 얼굴 표정을 살피고 애로사항도 묻고 필요한 내용을 직접 교육하는 시간을 가져야 하며, 그 주기는 대대장보다 빈번하게 주 1회는 실시해야 한다.

간부들에 대해서도 중대장은 매일 아침 전 간부를 모아 얼굴표정을 살피고 필요한 교육도 실시해야 한다. 또한 대대장은 최소한 주 1회는 전 간부를 소집하여 직접 교육하는 시간을 가져야 한다. 경우에 따라서는 아침에 전 간부를 집합시켜 대대장이 직접 회의를 주관하면서 지시사항을 간부들에게 다이렉트로 전달하고 부대관리에 대한 정신교육도 실시할 수 있다. 의사소통을 원활히 하는 방법 중에서 얼굴을 직접 보면서 하는 것보다 더 나은 것은 없다.

지휘관에게 직접 말할 수 있는 시스템을 구축하라

어느 조직에서나 업무를 수행하다 보면 각종 사고나 재난이 닥치기 마련이다. 이러한 사고를 예방하기 위해서는 병사들이 간부들이나 대대장에게 서슴없이 뭐든지 말하고 건의할 수 있는 분위기를 조성해 주는 것이 중요하다. 대부분의 사고들이 나중에 알고 보면 사전에 징후가 있었고 현장에 있는 부하들은 그 징후를 알고 있었음에도 불구하고 지휘관에게 보고를 하지 않아서 사고로 이어지는 경우가 많다.

지휘관을 하면 대부분 상하 간의 의사소통을 활성화하기 위해 많은 노력을 한다. 하지만 부하들의 입장에서는 지휘관에게 자신의 의견을 이야기하기가 그리 쉬운 일이 아니다. 따라서 부하들의 의사가 대대장에게까지 막힘없이 전달되도록 홈페이지를 개설하여 건의하게 하거나, 핸드폰 문자나 이메일 등을 통해서 자유롭게 건의할 수 있는 여건을 조성해 줘야 한다. 또한 주기적으로 대대장에게 '마음의 편지'를 쓰게 하는 방법도 있다.

필자는 병사들이 애로사항이나 건의사항을 작성하여 중간계층을 거치지 않고 바로 대대장에게 제출할 수 있도록 '대대장 직통 건의함'이라는 것을 운영하였다. 이것은 소형 우체통을 개조하여 만든 것으로서 부대 내에서 병사들이 언제든지 자유롭게 접근할 수 있도록 공중전화 박스 내부나 식당 앞의 한 지점에 설치하였다. 이러한 방법을 사용한 이유는 병사들이 지휘계통을 통해 건의서를 제출하면 중간계통에서 먼저 이것을 읽어 보고 물의를 일으킬 만한 내용은 임의로 골라내어 그 사항이 대대장에게까지 전달되지 않는 경우가 있기 때문이었다. 이와 같이 직통 건의함을 활용하면 부하들의 생각이 대대장에게 None-Stop으로 신속하게 전달되는 것을 가능하게 해 준다. 이러한 시스템을 효과적으로 운용하려면 부하들에게 신뢰를 주어야 한다. 따라서 건의함 열쇠를 대대장이 직접 관리하고 건의함 개봉도 손수 실시함으로써, 건의한 내용은 중간에서 누구도 관여하지 않고 반드시 대대장에게 직통으로 전달된다는 것을 가시적으로 보여 주었다.

의사소통을 위해 주의해야 할 사항

자유로운 의사소통을 하기 위해 주의해야 할 점이 있다. 첫 번째는, 잘못된 사항을 보고하였을 때 대대장이 기분 나쁘게 생각하거나 화를 내어서는 안 된다. 그렇게 하면 부하들은 더 이상 자신의 의견을 밝히지 않고 숨기거나 불만사항을 외부에 터뜨리게 된다. 대대장은 싫은 소리도 들을 수 있는 아량과 인품을 갖추어야 한다.

두 번째는, 상대방의 의견을 무시하면 안 된다. 부하들은 대대 전체를 보고 판단하지 못하고 자신을 기준으로 생각하기 쉽다. 또한 사단이나 육군의 전체적인 상황을 고려하여 생각하지 못한다. 그렇기 때문에 그들이 건의하는 사항이 때로는 말도 안 되고 터무니없는 내용이 될 수도 있다. 그렇다고 해서 그 의견을 일언지하에 무시하거나 무안(無顔)을 주어서는 안 된다. 부하의 입장에서 최대한 긍정적으로 생각해 보라. 최소한 일단은 창의적인 생각임을 칭찬해 주고 그 제안에 감사를 표하는 것이 필요하다.

세 번째, 부하들과 신뢰를 갖고 의사소통을 하기 위해서는 지휘관이 진실해야 한다. 지휘관이 이중적인 모습을 보이면 부하들은 당신을 신뢰하지 못하여 건의사항이 있어도 건의하지 않는다. 지휘관이 거짓말을 하여 부하들을 속일 수 있다고 생각할지 모르지만 그것은 천만의 말씀이다. 상급자는 속이기 쉬워도 부하를 속이기는 어려운 법이다. 부하를 속여 부당한 이익을 취하려 하거나 파렴치하고 부적절한 행동을 해서는 안 된다. 세상에 영원히 숨길 수 있는 것은 없다. 모든 진실은 반드시 밝혀진다. 단지 시간이 지나서 밝혀질 뿐이다. 대대장이 되면 견제하거나 감시하는 사람이 없어서 자신도 모르게 방종하게 되는 경우가 있는데, 이것을 방지하려면 수시로 자신을 뒤돌아보면서 스스로를 통제해야 한다.

27. 각자의 직책과 계급, 경험과 연륜에 맞는 대우를 해 줘라

소대장의 권위도 고려하라

대대장이 되면 매사에 성급하게 나서는 것을 자제하고 조직과 시스템을 활용하여 지휘할 줄 알아야 한다. 한번은 현장지도를 나갔는데 마침 소대 병력들이 탄약고 주변에서 방화지대 작업을 하고 있었다. 그런데 방화지대가 탄약고로부터 충분한 거리만큼 형성되어 있지 않아서 대대장이 근처에서 작업하고 있는 병사들을 집합시켜 작업이 미흡한 지역으로 병력들을 이동시켰다. 그러자 옆에 있던 소대장이 당황한 표정으로 대대장을 쳐다보았다. 순간 내가 소대장의 권위를 무시하고 너무 성급하게 행동했다는 생각이 들었다. 아무리 대대장이라도 시스템에 맞게 소대장에게 작업지시를 하고 소대장이 소대원을 지휘하도록 여건을 조성해 주는 것이 바람직한데 한마디 양해도 없이 대대장 멋대로 지휘한 것이었다.

주임원사가 제 역할을 하도록 도와라

주임원사나 고참 부사관과 같이 나이 많은 간부의 경륜을 인정하고 그들의 의견을 경청하라. 또한 각자의 격(格)에 맞는 인격적 대우를 해 주고 그들의 권리를 보장해 줘라. 어떤 지휘관은 주임원사가 제대로 못한다고 하여 전 간부가 모여 회의하는 공개석상에서 주임원사를 비하하고 욕설까지 퍼붓는 경우가 있다. 그러나 이러한 행동은 다른 간부들의 원한만 사게 된다. 그렇게 질책을 하고 나면 주임원사가 제대로 일을 할 수 있겠는가? 차라리 조용히 불러서 잘못된 점을 설명하고 가르쳐서 제 역할을 하게 하든가, 그렇지 않으면 다른 사람으로 보직을 교체하는 것이 낫다. 경륜 있는 간부를 품위 없이 질책하느니 차라리 경고장을 수여하여 경각심을 주고, 그래도 안 되면 규정에 의해 징계하는 것이 낫다.

부대의 조경이나 환경개선, 건물공사에 관련해서는 특히 주임원사나 경륜 있는 간부의 의견을 경청하는 것이 필요하다. 그들은 오랜 군생활 경험상 지금 조경을 하고 건축을 한 것이 세월이 지난 후에 어떤 모습이 될 것인지를 머릿속에 그려 볼 수 있다. 물론 경륜이 있다고 해서 그들의 생각이 항상 옳을 수는 없겠지만 한 번쯤은 신중히 고려해 볼 필요가 있다. 또한 환경개선의 방향은 지휘관이 설정하더라도 그 일의 수행은 주임원사나 고참 부사관을 통해 실시하는 것이 효과적이다. 그들은 방향만 제시해 주면 노련한 실력으로 임무를 성공적으로 완수해 낼 것이다. 그런데 중대장이나 참모들에게 지시하면 그들은 그 일을 행정보급관에게 지시하게 되고, 그 감독은 결국 다시 주임원사에게 돌아오게 된다. 그렇게 되면 말이 와전되어 방향이 빗나갈 수도 있고, 임무를 우회적으로 지시받은 주임원사는 기분이 상하게 된다.

보좌관의 권위도 보장해 줘라

대대의 핵심 멤버인 보좌관과의 관계도 원만하게 유지하라. 대대장과 보좌관은 거리낌 없이 진솔하게 의견을 주고받을 수 있어야 한다. 그런데 일처리가 미숙하거나 잘못되었다고 하여 보좌관을 너무 야단치면 주눅이 들어서 다음엔 의사소통도 안 되고, 보좌관 권위도 무너져서 부하들이 보좌관의 지시에 순응하지 않게 된다. 따라서 잘못된 일에 대해서는 해당 실무자를 나무라고, 보좌관에게는 대화식으로 차분하게 말하면서 가르쳐라. 대대의 핵심 멤버인 주임원사나 보좌관을 다른 부하들 앞에서 나무라는 것은 신중해야 한다.

28. 상급지휘관에게 무엇을 보고할 것인지 고민하라

부대의 주요 활동을 알려라

대대는 통상 연대나 사단으로부터 이격되어 독립적으로 위치하고 있기 때문에 그 부대가 어떤 활동들을 하고 있는지 상급지휘관은 잘 알지 못한다. 따라서 상급지휘관에게 부대와 대대장에 대해서 무엇을 알려 줄 것인지를 고민해 보아야 한다. 무소식이 희소식이라 생각하고 가만히 있거나, 대대에 아무 사고도 없으면 우리 부대가 잘하고 있는 것으로 생각해 줄 것으로 여기는 것은 아마추어 같은 생각이다. 특별한 문제가 없으면서도 임무수행을 잘하고 있음을 인식시켜 주어야 한다. 평상시 잘하고 있음을 보여 주어야 혹시라도 부대에 문제가 생겼을 때 조금이나마 용서받을 수 있다. 따라서 대대의 핵심적인 업무나 그날그날의 주요 부대 활동사항을 상급지휘관에게 알려 주려고 노력하라. 그리하여 상급지휘관이 대대가 바쁘게 움직이고 고생하고 있으며, 대대장이 스스로 해야 할 일을 착안해서 열심히 근무하고 있고, 상급부대 지휘의도에 공감하고 있다고 느끼게 만들어야 한다.

상황에 맞는 부대 활동을 반영하라

부대 활동사항을 보고할 때는 매일 같은 내용만 반복해서 보고해서는 안 되고, 그날의 기상상태와 어긋나지도 말아야 하며, 상급부대 지휘의도에도 적합해야 한다. 매일 같은 내용을 보고하는 것은 부대가 특별히 하는 일이 없거나 대대장이 부대운영에 관심이 부족한 것으로 느껴진다. 비나 눈이 많이 오는데 차량운행 소요가 있는 활동사항을 보고한다거나, 봄철 건조기에 산불위험이 있는 곡사화기 사격훈련을 보고해서는 안 된다. 상급부대 활동중점이나 주변상황을 참조하여 사고에 취약한 시기에는 사고예방활동을 한다거나, 경계가 취약한 시기에는 경계훈련을 반영하라.

때로는 알리지 말아야 할 것도 있다

부대의 주요 활동으로 선정하는 것은 부대의 여러 가지 활동 중에서 상급부대에 알려 줄 만한 사안을 선정하게 되는데, 경우에 따라서는 주요 활동으로 선정하지 말아야 할 것도 있다. 때로는 선정한 주요 활동 때문에 부대의 이미지만 손상시키게 되는 경우가 있다. 그러므로 대대의 고유 임무가 아니거나 대대의 성격을 대표하는 업무가 아닌 지엽적인 활동은 제외시키는 것이 좋다. 또한 상급자에게 보여 주기 위한 이벤트성 업무도 보고하지 않는 것이 좋다. 보고한 사항에 대해 상급자가 어떻게 받아들일지에 대해 고민을 해야 한다. 대부분의 사람들이 긍정적으로 받아들일 것 같으면 상관이 없지만, 어느 한 부분이라도 부정적으로 받아들일 것 같으면 차라리 보고하지 않는 것이 낫다.

가령 부대에서 영어 웅변대회를 한다고 가정해 보자. 어떤 사람은 글로벌 시대의 흐름에 적합하고 병사들의 자기계발 측면에서도 좋은 일이라고 생각할 수 있지만, 다른 사람은 기본적인 업무를 하기에도 바쁜데 왜 그런 행사를 해야 하는지 의아하게 생각할 수도 있다. 또는 영어를 잘하는 사람에게는 포상을 딸 수 있는 기회이지만 영어를 못하는 사람은 위화감을 느낄 것이기 때문에 바람직하지 못하다고 생각할 수 있다. 따라서 지휘관이 부대 주요 활동 사항을 보고할 때에는 여러 가지 측면을 두루 살펴서 보고 여부를 신중하게 판단하여야 한다. 보고는 대대장에 대한 이미지를 낳고 대대장에 대한 이미지는 그 부대에 대한 평가를 결정짓는다.

상급지휘관이 걱정할 사항은 반드시 보고하라

대대장이라고 하여 부대를 마음대로 운영하는 것이 아니다. 평상시와는 다른 뭔가 특별한 사항이 생기면 상급지휘관에게 즉시 보고하고 추가적인 지침을 받는 등 의사소통 활동을 부단하게 실시해야 한다.

첫째, 부대의 활동사항 중에 안전사고가 발생할 수 있는 업무를 하기 전에는 반드시 상급지휘관에게 보고하라. 가령 대대가 진지공사를 하러 가거나, 공용화기 사격을 하거나, 사격장에 대한 방화지대 공사를 나간다면 출발하기 전에 보고해 주는 것이 좋다. 많은 인원이 이동하면서 대형 인명사고가 생길 수 있고, 탄약에 의한 사고나 화재사고 등이 발생할 수도 있기 때문이다. 상급지휘관은 이러한 일에 대해서는 걱정을 많이 하게 된다. 그런데 한마디 보고도 없이 시행하면 상관은 괘씸하게 생각하게 된다. 이러한 부대 활동 중에 사고가 발생하면 상관은 알고 있었는지 또한 필요한 안전교육이나 안전조치를 하였는지도 조사의 범위에 포함되므로 반드시 상급지휘관에게 보고하라.

둘째, 대대장이 근무지를 벗어나 멀리 출타하는 경우에도 보고하라. 멀리 군사령부나 육군본부 등에 회의를 가는데 아무런 보고도 없이 떠나면 안 된다. 상급자는 지휘관이 자리를 비우게 되면 대리근무자는 누구인지, 오늘 부대에 위험하거나 특별한 활동은 없는지 등을 궁금해한다. 그런데 그것에 대한 대비책을 보고하지 않고 부대를 이탈하면 기본이 안 된 간부로 간주한다. 휴가를 떠날 때에도 상급지휘관에게 보고하고 출발하는 것이 군인으로서의 기본적인 예의이다.

주기적으로 보고서를 준비하여 찾아가라

매일 일상적으로 상황보고에 반영하는 대대의 주요 활동사항만 알리지 말고 때로는 별도의 보고서를 준비하여 상급지휘관을 찾아가라. 부대 활동을 한마디 말로 표현하기 어렵거나 부연설명이 필요한 사안에 대해서는 업무보고서를 만들어 찾아가 상급지휘관과 대면하여 보고하라. 가급적이면 적당한 주기로 상급지휘관을 찾아가 업무보고를 하면서 얼굴도 보고 대화도 하는 시간을 갖는 것이 좋다. 때로는 의도적으로 보고서를 만들어 상관에게 부대를 홍보하는 것도 필요하다. 평상시 이러한 노력이 대대에 대한 인식을 만들고 결국은 연말 우수부대 선정에도 영향을 미치게 된다.

업무보고를 하러 갈 때는 상급지휘관뿐만 아니라 부지휘관에게도 보고하는 것을 빠뜨려서는 안 된다. 사단장에게 보고하는 사안이 있으면 참모장과 부사단장에게도 사전에 미리 보고해야 한다. 또한 사단장에게 보고하고 나면 그 결과를 중간계통에 있는 사람들에게 다시 알려 줘야 한다. 보고하는 과정에서 새로운 지침이나 변경사항이 있었으면 참모장이나 부사단장에게도 그 사실을 알려 줘야 그분들이 나중에 그 안건에 대해 토의할 때 서로 의사가 통하게 된다.

29. 사고를 예방하라

사고예방은 정상적인 부대운영의 필수조건이다

지휘관의 주 임무는 부대가 부여된 임무를 완수하게 하여 전쟁에 승리할 수 있게 기여하는 것이다. 그렇기 때문에 대대장은 오직 부여된 임무에만 매진해야 한다고 생각하여, 부대관리나 사고예방에 대해 신경 쓰는 것은 비(非)야전적인 것으로 생각하거나 터부시할 수 있다. 하지만 사고예방은 부대의 임무달성을 가능하게 하는 초석과 같다. 패튼 장군은 '제대로 보살핀 병사가 잘 싸우는 군인이 된다.'는 것을 리더십의 기본 전제로 삼았다고 한다. 그리하여 젊은 장교들에게 "전술을 익히는 것보다 부하들을 다스리는 방법을 아는 것이 훨씬 중요하다."라고 말하였다고 에드거 F. 퍼이어는 그의 저서 ≪영혼을 지휘하는 리더십≫에서 밝히고 있다. 부대가 훈련 중에 차량사고나 인명사고가 발생했다고 생각해 보라. 그 순간 부대는 모든 일정을 취소하고 부대의 전 역량을 사고처리에 집중하게 된다. 사고로 인해 대대 전체의 임무수행이 불가능해지는 것이다. 따라서 안정적인 부대관리와 사고예방은 항상 부대운영의 기본이 되어야 한다.

〈사고 예방을 위한 원칙〉

사고를 예방하는 데에는 몇 가지 기본 원칙이 있다. 이 원칙들을 마음속에 새겨 두고 부대를 지휘한다면 사고예방에 많은 도움이 될 것이다.

첫째, 고민하고 또 고민하라

지휘관이 부대 업무에 몰입하여 고민하고 또 고민하면 길이 보인다. 해결하기 어려운 일도 고민할수록 길이 보이고, 병력이나 부대관리에 대해서 고민하고 늘 염두에 두면 문제를 일으킬 만한 사람이 눈에 띄어 사고를 예방할 수 있다. "暗隱而知視 塞聲而識聽 不思而醒覺"이라 하였다. '지휘관은 보이지 않는 것도 볼 줄 알아야 하고, 들리지 않는 것도 들을 줄 알아야 하며, 생각나지 않는 것도 생각해 낼 수 있어야 한다.'는 뜻이다. 고민하고 끊임없이 생각하면 이렇게 될 것이다.

부대에 일어나는 현상 하나, 말 한마디도 가볍게 넘기지 말고 깊이 생각하라. 그리하면 분명히 성과가 있을 것이다. 필자가 백마부대에 근무할 때 사단장께서는 '思之思之 天神通知'를 강조하셨다. '생각하고 또 생각하면 하늘이 그 해결방법을 알려 준다.'는 것이다. 하늘이 쉽게 알려 주지는 않겠지만 깊이 생각하면 최소한 작은 단서 하나라도 놓치지 않게 되어 분명 사고를 예방할 수 있을 것이다.

부대에 정신을 집중하면 때로는 육감이 작동하기도 한다. 따라서 사무실에 앉아 있다가도 육감이 안 좋을 때는 이를 그냥 넘기지 말고 밖으로 나가 부대를 순찰해 보라. 어떤 사람은 당직근무를 서다가 육감이 안 좋아 부대를 순찰하였는데, 때마침 화재가 발생한 것을 발견하고 신속히 초동 조치하여 대형 사고를 예방할 수 있었다고 한다.

둘째, 부지런하라

사고도 부지런한 사람에게는 못 당한다. 지휘관이 게으르면 사고가 난다. 부지런하다는 것은 아침에 일찍 출근하라는 의미와는 다르다. 사무실에서 부지런히 일하라는 것도 아니다. 현장을 수시로 부지런히 살피라는 뜻이다.

필자는 대대장을 하면서 행정업무는 최대한 신속히 끝내거나 야간시간을 이용해서 처리하고, 주간에는 수시로 부대를 순찰하였다. 그러던 어느 겨울날 서류결재를 마치고 밖으로 나왔는데 부대 울타리 근처에서 연기가 피어오르는 것이 목격되었다. 처음엔 부대 밖에서 불이 났다고 생각했는데 가만 보니 울타리 안에서 피어오르는 연기였다. 이에 신속히 뛰어가서 다행히 초기에 화재를 진압하였지만 하마터면 대형 산불로 이어질 뻔하였다. 이와 같이 지휘관이 부지런히 움직이면 사고의 순간과 부딪힐 기회가 많아져서 당연히 사고를 예방할 확률도 높아진다.

사고가 나는 것은 몰라서 발생하는 것도 있지만, 문제점을 인지하고도 게으르거나 안일하게 생각하고 즉각적인 조치를 하지 않아서 발생하는 것도 많다. 아랫사람은 통상적으로 피동적이어서 윗사람이 시키지 않으면 움직이지 않는다. 따라서 지휘관이 직접 보고 결단력 있게 조치해야만 사고를 예방할 수 있다.

셋째, 사고는 순환한다

이것은 필자가 군생활을 하면서 경험하고 분석해 본 결과 가지게 된 확신이다. 사고가 순환한다는 것은 같은 사고가 반복된다는 의미가 아니다. 물론 매년 같은 유형의 사고가 되풀이되기도 하고 계절에 따라 사고유형이 되풀이되기도 하지만, 현시점에서 볼 때 주변에서 일어나는 사고의 종류가 동일한 것이 아니라 새로운 유형으로 순환하고 부대도 번갈아 가면서 다른 부대로 순환한다는 의미이다.

가령, 오늘 사단에서 차량사고가 났으면 다음엔 화재사고나 탈영사고 등 다른 유형의 사고가 발생할 확률이 높다. 이번에 우리 대대의 1중대에서 문제가 발생했으면 다음엔 2중대에서 사고가 날 가능성이 더 높다. 따라서 당장 한 군데에서 문제가 생겼다고 하여 그곳에만 집중하지 말고 새로운 부분을 살펴서 예방해야 한다. 인접 부대에서 사고가 났으면 다음은 우리 부대라 생각하고 정밀진단을 해봐야 한다. 지휘관은 문제가 발생한 곳에만 연연하지 말고 사건의 본질을 살피고, 여기저기를 모두 살피는 균형감각을 유지해야 한다.

〈사고를 예방하기 위한 대책〉

첫째, 사고예방 교육은 실질적으로 하라

사고예방을 위한 정신교육은 아무리 해도 지나치지 않는다. 그런데 사고사례를 교육하면 대다수의 사람들은 '그것은 내 일이 아니고 나와는 상관없다.'는 생각으로 한 귀로 듣고 한 귀로 흘려버린다. 따라서 사고의 원인과 배경을 설명해 주고 세부적인 교훈을 도출하여 교육해야 한다. 또한 우리 부대의 실정과 비교해 볼 때 우리에게도 이런 문제가 있으니 이렇게 해야 한다는 식으로 실질적인 교육을 해야 한다. 피상적인 현상만 보고 보편적인 내용만 교육하면 부하들은 이를 잔소리로만 여기게 된다. 어떤 사건이든 교훈을 분석해 보면 최소 5가지 이상은 반드시 나오게 되어 있다.

둘째, 주기적이고 지속적으로 교육하라

사고예방에 대한 정신교육은 한두 번으로 끝내서는 안 된다. 얼마 전에 교육했던 내용이니 이미 알고 있을 것이라 생각하여 생략해서도 안 된다. 대대장이 교육할 때 휴가나 근무취침 등으로 열외 했던 병력이 있을 수 있고 시간이 지나 망각했을 수도 있다. 또한 사람의 정신 상태나 경험에 따라 지난번 정신교육 시간에는 별다른 느낌을 못 받았다 하더라도 이번 교육에서는 뭔가 감을 잡을 수도 있기 때문에 한 번의 교육으로 끝내서는 안 되는 것이다. 또한 사고의 종류가 순환하듯이 사고예방 교육의 내용도 종류를 바꾸어 순환해 가면서 지속적으로 실시해야 할 것이다.

셋째, 부하의 면담요청에는 최우선적으로 응하라

부하가 대대장에게 서면이나 메일 등으로 면담을 요청해 왔을 때에는 만사를 제쳐 두고 최우선적으로 응하라. 하던 일을 멈추고 당장 해당 병사를 불러 면담하라. 부하가 중대장이나 주임원사가 아닌 대대장에게 면담을 요청해 왔을 정도라면 그동안 고민을 많이 했고, 어렵게 최후의 수단으로 대대장에게 찾아온 것이다. 따라서 현재 그 부하의 심리상태는 심각한 수준일 가능성이 크다. 지휘관으로서 이보다 더 급한 일은 없는 것이다. 따라서 이러한 상황을 가볍게 넘기지 말고 심각하게 받아들여 즉각적으로 조치를 취해야 한다. 때로는 병사가 대대장에게 면담을 요청하였는데도 대대장이 직접 면담하지 않고 중대장이나 주임원사에게 위임했다가 면담이 며칠 지연되면서 시기를 놓쳐 자살이나 탈영 등의 사고로 이어지는 경우도 있다.

넷째, 조직은 유기체와 같다는 사실을 명심하라

무기체라면 한번 손을 댄 후 다른 조치가 없는 한 아무런 변화도 없을 것이다. 그러나 부대는 유기체와 같기 때문에 이번에 어떤 조치를 취했어도 그 상태로 계속 남아 있는 것이 아니라 조만간 누구도 알 수 없는 다른 변화가 일어나게 된다.

부대에 구타나 가혹행위 등의 사건이 있어서 해당자를 처벌하고 전 부대원에게 정신교육을 했어도 그러한 문제는 조만간 또 발생하게 된다. 때로는 불과 1주일도 못 가서 다시 발생하기도 한다. 각각의 병사들은 자신이 직접 겪어 보기 전에는 그러한 처벌이나 정신교육을 전혀 피부로 느끼지 못한다. 그러므로 어떤 조치를 한 번 취했다고 해서 절대로 마음을 놓아서는 안 된다. 지휘관은 부대를 주기적으로 진단해야 한다.

간부들의 보직을 조정하고 나서 모든 것이 끝났다고 방심하면 안 된다. 한 사람이 자리를 옮김으로 해서 새로운 갈등이나 문제가 발생하기도 하고, 그 사람으로 인해 다른 사람이 필연적으로 보직을 바꿔야 하는 상황도 생긴다. 문제가 내재되어 있는데 변화가 싫다고 하여 보직을 바꾸지 않을 수는 없다. 따라서 보직을 바꾸고 나면 거기서 만족하지 말고 새로운 변화를 주의 깊게 살펴서 그것에 대응해야 한다. 조직은 유기체와 같아서 변화를 멈추지 않으며, 지난 처방에 적응하여 새로운 형태의 반응을 일으킨다.

30. 낙관적으로 생각하라

낙관주의는 지휘관 직책을 성공적으로 완수하는 데 필요한 밑거름이다. 롬멜은 지휘관이 갖추어야 할 자질로서 열정, 추진력, 무한한 낙관주의를 들었다. 임무완수를 위해 열정과 추진력은 필수적이며, 전쟁에서 승리하기 위해서는 무한한 낙관주의가 필요하다. 전장에서 지휘관이 패배를 자인하지 않는 한 패배는 없다고 하였다. 또한 승기(勝氣)는 변화하기 때문에 최후의 순간에서도 적의 약점과 과오를 포착한다면 승리는 되돌아올 수 있는 것이다.

변화와 혁신을 낙관하라

대대장으로 처음 부임하면 누구나 그 부대를 진단한 후 어떤 형태로든 변화와 혁신을 추구하게 된다. 이를 통해 지휘관의 존재 가치를 심어 주고 새로운 지휘관을 주축으로 구심점을 형성하게 된다.

하지만 이와 같이 주기적으로 지휘관이 교체되고 부대에 변화를 요구해도 일부 인원의 반발은 언제나 나타난다. 지휘관이 변화와 혁신을 추구하려 하면 변화를 싫어하는 사람들은 이를 거부하고 오히려 지휘관을 자기들 스타일에 맞추려고 하며, 심지어는 지휘관에 대해 험담하거나 모략까지 하는 경우도 있다.

필자가 대대장으로 취임하여 상급지휘관에 대한 복무계획 보고를 준비했을 때의 일이다. 누구나가 그렇듯이 취임 후 부대의 변화된 모습을 보여 주기 위해 사무실과 지휘통제실을 개선하고 위병소를 보완하는데 일부 간부들이 불만을 토로하였다. 부가적인 업무로 인해 지금까지 해 오던 기본업무가 방해받는다는 것이다. 이럴 때 지휘관은 좌절감을 느끼거나 자신이 하는 일에 대한 확신을 상실하게 된다. 그러나 이 순간이 바로 낙관주의가 필요한 시점이다. 포기하지 말고 낙관적으로 생각하라. 조만간 사람들은 당신의 마음을 이해하고 긍정적으로 따라오게 될 것이다. 당신이 독단적이고 독선적인 것이 아니라, 현재 당신이 하고 있는 일이 옳은 것이며 바르게 가고 있는 것이다. 그렇다는 확신을 가져라. 지금 가는 이 길이 대대장으로서의 직분을 다하는 것이고, 진정으로 국가에 충성하는 길이라는 믿음을 가져라.

과거 박정희 대통령이 경부고속도로를 건설할 때에도 엄청난 반대가 있었다. 아마 당신이 겪은 반대보다도 몇백 배는 더했을 것이다. 그러나 훗날 고속도로의 건설은 옳은 선택이었음이 증명되었다. 다른 사람들이 싫어한다고 해서 옳지 않은 것이 아니다. 남이 반대한다고 하여 바로 포기하고 좌절한다면 발전이 있을 수 없다. '세한연후 지송백(歲寒然後知松栢)'이라고 했듯이 지금 당장은 불만이 나와도 언젠가는 부하들이 대대장의 진심을 알아주게 될 것이다. 포기하지 마라. 다만 업무를 추진해 나가는 속도와 방법은 한 번쯤 재고해 볼 필요가 있을 것이다.

사고나 부대관리를 낙관하라

대대장 취임 후 보직기간이 중간 정도 되면 병력관리나 사고에 대한 강박관념으로 노이로제에 걸릴 지경이 된다. 따라서 이 시기에 스스로 마인드컨트롤을 못 하면 자칫 병원 신세까지 지게 될 수도 있다. 이럴 때 낙관적으로 생각하는 자세가 필요하다. 사고예방을 위해 최선을 다하는 동시에, 마음 한편으로는 '우리 부대는 이상 없다. 잘하고 있다. 잘될 것이다.' 하는 스스로의 위안을 가져라. 물론 이러한 위안이 지나쳐서 행동으로 취해야 할 일들을 하지 않고 나태해지거나 방심해서는 안 된다. 지휘관의 정신건강을 위해서는 불안과 여유라는 두 개의 공을 가지고 이것을 취했다 저것을 취했다 하는 지혜가 필요하다.

낙관적으로 생각하면 마음에 여유가 생기고 표정도 밝아진다. 마음에 여유가 생기면 하는 일도 잘되고, 내 표정이 밝으면 나를 찾아오는 사람도 기분이 좋아져서 부대의 전체적인 분위기가 밝아진다. 분위기가 밝아지면 사고도 그만큼 예방된다. 반면에 마음에 여유가 없으면 대대장이 작은 일에도 짜증을 내게 되고, 그것이 내리갈굼이 되어 사고를 유발할 수도 있다.

외로움도 즐겨라

대대장은 외로움을 즐길 줄도 알아야 한다. 많은 대대장들이 가족과 떨어져 주말부부로 지내는데, 그러다 보니 부대에서나 퇴근해서나 항상 외로움에 묻혀 있다. 오히려 평일보다 주말이 되면 외로움이 더 많이 밀려오기도 한다. 가족과 함께 거주하는 사람도 부대지휘에 대해 외로움을 느끼기는 마찬가지이다. 지휘관이다 보니 부대에서 누구 하나 자발적이고 즐거운 마음으로 대대장을 찾아오는 사람이 없고, 지휘관의 마음을 헤아려 주거나 대대장과 같은 마음으로 부대를 생각하는 사람이 없는 것 같아서 외롭다. 그러나 이러한 심정은 당신 혼자만 또한 당신 부대에서만 그러한 것이 아니라 모든 지휘관이 공통적으로 느끼는 것이니 너무 상심하지 마라. 사실 부하들로서도 어쩔 수 없는 현실이다. 당신이 아랫사람으로 근무했을 때에도 그러했었다. 누구를 탓하겠는가? 이제부터는 그저 그러한 외로움과 고독함을 즐기도록 하라.

오히려 입장을 바꿔서 당신의 외로움을 상급지휘관에게 접목시켜 보라. 당신이 외로움을 느끼고 부하들에게 서운한 마음이 든다면 당신 상급지휘관은 당신에 대해 어떻게 생각하고 있겠는가? 당신 지휘관도 동일하게 느끼고 있을 텐데, 그렇다면 당신은 어떻게 해야 하겠는가? 당신 자신의 외로움만 탓하지 말고 상급자의 외로움을 해소시켜 주기 위해 노력해 보라.

부하들을 낙관적으로 보라

대대장 정도의 군생활을 하였으면 아는 것도 많고 또한 스스로 열심히 근무해서 중령까지 진급하였으니 나름대로 성공한 인생이다. 그래서 부하들에게 업무요령이나 성공 비결을 가르쳐 주려고 하는데, 중령의 눈으로 중위나 대위들을 보면 미숙하고 안타까운 모습이 많이 보이게 된다. 이때 대대장이 그들의 나쁜 점이나 잘못된 점만 보면 당연히 화가 나게 된다. 사실 객관적으로 보면 그들이 엄청나게 나쁘거나 잘못하는 것도 아니다. 당신도 그 시절에는 그러했었다. 그러나 그때의 지휘관이 용서해 주고 기회를 주었기 때문에 당신도 여기까지 올 수 있었다. 대부분의 초급장교나 부하들의 수준은 다 비슷하다. 그러니 자꾸 부정적인 시각으로 바라봐서 당신의 정신건강을 해치지 않도록 하라.

사람은 칭찬을 먹어야 더 발전하려고 노력한다. 야단만 치면 오히려 포기하고 만다. 따라서 긍정적이고 낙관적인 시각으로 부하들을 바라보라. 화내고 싶거나 부하가 싫어지려고 할 때 부하들의 좋은 점을 떠올려라. 단점은 잊고 장점만 보고 칭찬하라. 그들도 당신처럼 세월이 지나면 다 잘하게 된다. 자식들도 어렸을 때는 그렇게 부모 속을 썩여도 자라면 모두 훌륭한 사람이 되지 않는가? 당신 부하가 그 자식들과 같다.

앞날을 낙관하라

대대장 보직 후반기가 되면 그동안의 업무성과도 마무리 지어야 하고 차후 보직도 결정해야 한다. 이때 만약 연말 우수부대 선정이나 근무평정에서 좋은 성과를 얻지 못해도 절망하거나 미래를 포기하지 마라. 굳이 뭔가 하나 건져보려고 무리수를 두지도 마라. '진인사대천명(盡人事待天命)' 하는 마음으로 기다려라. 어떤 사람은 좋은 성과를 얻었기 때문에 오히려 미래에 대한 기회를 놓치게 되는 경우도 있다. 우수부대로 선정되고 평정도 잘 받았기 때문에 방심해서 이후의 근무를 태만하게 하거나, 기쁜 마음에 부대원들과 축하회식을 하고는 음주운전을 하여 차기 진출을 못 하는 경우도 있다. 차후 보직이 잘 안 풀리거나 본인이 원하는 보직이 아니어도 낙담하지 마라. 인생은 누구도 모르는 것이다. 새옹지마(塞翁之馬)의 교훈을 떠올리고 어느 보직에서든 최선을 다하라.

제2부

군대생활에 도움이 되는 정보

제6장 수첩을 활용하는 방법

수첩을 효율적으로 활용하면 업무를 보다 꼼꼼하게 처리할 수 있다. 메모와 기록을 잘하는 사람이 성공한다. 지시사항뿐 아니라 배우고 느낀 점도 꾸준히 기록하라. 또한 기록으로 끝나는 것이 아니라 이를 효율적으로 활용해야 성과가 나타난다. 시중에 메모하는 요령을 기술한 서적들이 많이 있으니 이를 활용하는 것도 좋다.

1. 두 개의 수첩을 준비하라

첫 번째는 각종 지시사항이나 회의 내용을 빠르게 받아 적는 용도이다. 육군수첩처럼 노트 형태로 되어 있는 것을 이 용도로 사용하면 될 것이다. 일단 모든 사항을 받아 적었다가 사무실로 돌아오면 기록한 내용들 중에 내가 할 일은 무엇인지를 추출하여 업무용 수첩에 다시 옮겨 적는다. 학창시절 복습을 하면서 요약노트를 다시 쓰는 것과 같은 원리이다.

두 번째는 업무용 수첩으로, 이것은 펼쳤을 때 좌우 양쪽에 한 주가 모두 표시되는 'Weekly Diary'를 사용하는 것이 편리하다. 업무용 수첩에는 해당 날짜에 해야 할 일과 예정사항을 기록하라. 그리하면 그 날짜가 도래하여 수첩을 펼쳤을 때 그곳에 기록된 내용을 보고 그날 해야 할 업무를 할 수 있으므로 절대로 그날 할 일을 잊지 않게 된다.

2. 사전에 준비해야 할 사항도 해당 날짜에 기록해 둬라

D－day 당일에 업무를 끝내는 것이 아니라 그 전부터 준비를 해야 하는 경우에는 D－?일 전부터 미리미리 준비해야 할 사항들을 해당란에 기록해 두어라. 그러면 업무를 놓치지 않고 사전에 계획성 있게 하나씩 처리해 나갈 수 있다. 예를 들어 군전투지휘검열이 10일이라면 1일에는 인사 분야에서 준비해야 할 업무를 기록하고, 3일에는 실제훈련 예행연습을 기록한다. 목요일에 보안감사가 있다면 화요일 정도에는 컴퓨터 점검과 비문 실셈과 같은 사전 점검을 실시한다. 이와 같이 사전에 해야 할 일을 단계적으로 기록해 두면 모든 일을 여유 있게 처리할 수 있게 된다.

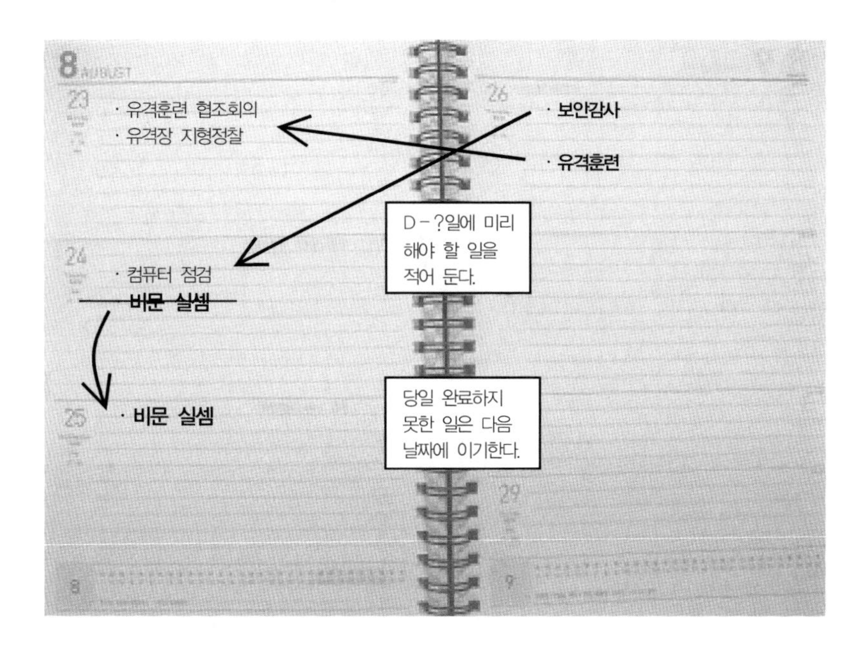

3. 완료되지 않은 일은 다음 날짜에 이기하라

해당 날짜에 기록된 업무 중에서 완료된 사항은 두 줄로 지우고, 완료되지 않은 업무는 다음 날 업무란에 다시 옮겨 적는다. 한 주의 페이지를 넘길 때에도 그 주에 마무리가 안 된 일은 다음 주 원하는 날짜에 다시 이기하여 그 일이 완료될 때까지 끝까지 추적하여 시행한다.

4. 장기적인 업무는 별도로 기록하여 체크하라

하루 이틀 만에 끝나는 일이 아니라 장기적이고 지속적으로 추진해야 하는 업무는 매일 기록했다가 삭제할 수 없으니, 해당 목록을 잊어버리지 않도록 별도의 수첩이나 업무용 수첩의 뒷부분에 따로 기록해 둬라. 그리고 그 부분에 견출지를 붙여 수시로 열람하면서 해야 할 업무를 수시로 체크하여 수행하라. 앞에서와 같이 완료된 업무는 삭제하고 미완료된 업무는 다시 이기하여 끝까지 추적 관리 한다.

5. 지나간 역사를 정리해 둬라

주간이나 월간에 실시한 업무 중에서 중요한 사항은 월간업무 기록란에 요약하여 기록해 둬라. 그리하면 차후에 지나간 일정을 확인하거나 평정표를 작성할 때 유용하게 활용할 수 있다.

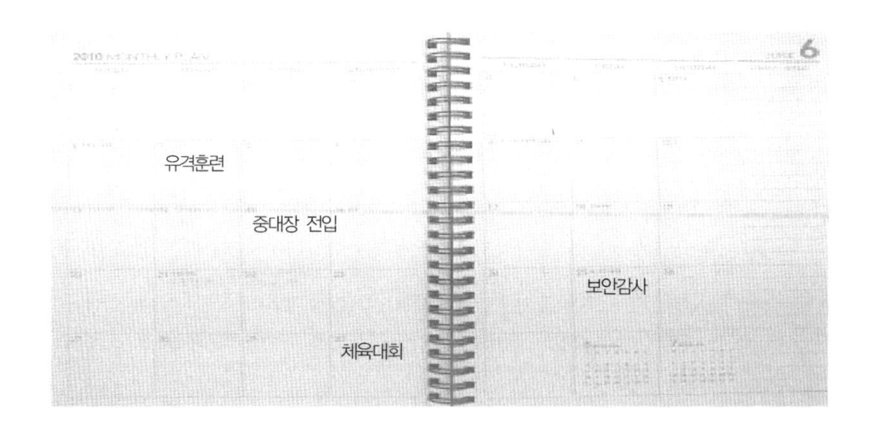

제7장 보고하는 방법

조직사회에서는 대부분의 일이 보고로 시작되어 보고로 끝난다. 따라서 보고만 잘해도 일 잘한다는 소리를 들을 수 있고, 일을 잘해 놓고도 보고를 못해서 일 못한다는 평가를 받기도 한다.

1. 최초보고, 중간보고, 최종보고를 철저히 하라

최초보고는 어떤 일이 있고, 앞으로 어떤 방향으로 추진하겠다고 알려 주며, 그에 대해 결심을 받는 보고이다. 최초보고를 하면 상급자는 어떤 형태로든 반응을 보이고 지침을 주는데 그 지침을 반영하여 일을 추진하면 된다. 최초보고는 부드럽고 자연스럽게 한다. 상급자와 같이 걷거나 식사하면서 이루어질 수도 있다.

중간보고는 일의 진행과정마다 지휘관이 궁금하지 않게 진행 정도를 알려 주거나, 중간에 문제점이 있을 때 중간지침을 받기 위해 실시한다. 일이 잘되면 잘되는 대로, 안 되면 뭐가 막혀서 안 되는지를 보고한다. 중간보고는 수시로 실시하라. 크고 중요한 업무 또는 오래 지속되는 업무일수록 중간보고가 더 많이 필요하다.

일이 종결되면 일의 처음에서부터 결과까지를 다시 한 번 점검해 보고 최종 결과보고를 실시한다. 지금까지 중간보고를 계속해 왔다고 해서 결과보고를 생략해서는 안 된다. 대외적인 회의나 예하부대 지도방문 등을 다녀왔을 때에도 그 내용과 차후 후속조치, 해야 할 사항들을 정리하여 보고하라.

2. 수시로 보고하고, 복명복창하라

보고를 항상 정식보고로만 하려고 하지 마라. 점심 먹으러 걸어갈 때나, 운동을 하다가 중간 휴식시간 등의 자투리 시간을 활용해서도 자연스럽게 대화식으로 보고할 수 있다.

복명복창이란 상관이 지시한 사항을 다시 한 번 복창하는 것을 의미하기도 하지만 지시한 사항에 대해 결과가 어떻게 되었는지를 다시 보고해 달라는 의미이기도 하다. 상관이 지시했는데도 응답이 없으면 안 된다. 무엇을 확인해 보라고 했으면 확인한 결과를 놓치지 말고 보고하라.

지시사항을 전달받으면 자기 생각과 판단을 추가하여 어떻게 하겠다는 수행방법을 덧붙여 복창하라. 그리하면 시행 간의 오류를 방지할 수 있고, 별도의 시간을 내어서 추가적인 지침을 받을 필요도 없어서 효과적이다.

보고는 부족하면 문제가 되지만 많아서 나쁠 것은 없다. 따라서 한 번 보고했던 사항이라도 필요하다면 다시 한 번 보고하라. 예전에 어떤 계획이나 일정을 이미 보고했다고 하더라도 해당 일자가 되면 다시 한 번 언급하여 지휘관이 잊지 않게 하라. 어떤 사안을 다른 사람이 이미 보고했어도 그것이 내 업무이고 중요한 사안이라면 내가 직접 한 번 더 보고해야 한다. 중대한 사안은 직속상관에게만 보고할 것이 아니라 2단계 상급지휘관에게도 보고하는 것이 좋다. 보고도 Double과 Cross로 하는 것이 필요하다.

3. 상대방을 속이려 하지 말고 정직하게 보고하라

상관의 질문에 모르는 것은 모른다고 하라. 거짓은 또 다른 거짓을 낳아 나중에는 눈덩이처럼 불어난다. 부하가 모르는 것은 이해되나 거짓말을 하는 것은 용납할 수 없다.

최초보고 후 잘못된 것이 있으면 정정보고 하라. 잘못된 것을 알고도 보고하지 않으면 그것이 곧 허위보고가 된다. 진실은 언젠가 반드시 밝혀지게 되어 있다. 허위보고 한 것이 탄로 나면 한순간에 신뢰를 잃는다. 전시에 허위보고 하나가 전쟁을 패배로 이끌 수도 있으므로 평상시부터 허위보고는 용납될 수 없다. 정정보고 하는 것은 무능한 것이 아니라 정직한 것이니 두려워 말고 보고하라.

4. 보고 시기의 선택을 잘하라

급한 것은 빨리, 급하지 않은 것은 보다 정확히 확인하여 보고하라. 보고의 시점이 너무 이른 아침이거나 너무 늦은 시간은 아닌지, 지휘관이 외부로 순찰을 나가려고 하는 시간은 아닌지 등을 고려하라. 지휘관의 기분은 좋은지, 부대에 어떤 일이 있어서 고민하고 계시지는 않은지 등 여러 가지 상황을 고려하여 적당한 시기에 보고하라.

5. 상급자가 신뢰할 수 있는 보고가 되도록 하라

상급자가 보고를 받고 즉시 결심할 수 있도록 필요한 사항을 모두 파악하여 보고를 들어가라. 보고 간에 뭔가를 질문하였는데 그 내용을 몰라서 확인한 후 다시 들어가고 또다시 확인하여 들어가는 것을 서너 번 반복하면 짜증이 나고 신뢰할 수 없게 된다. 따라서 보고하러 갈 때에는 사전에 관련된 규정이나 세부적인 사항들을 파악하고 들어가서 권위 있는 답변과 보고가 되도록 하라.

6. 예정된 보고기한을 지킬 수 없을 때는 미리 보고하라

사전에 언제 보고하겠다고 약속하였으나 어쩔 수 없이 시간을 맞추지 못하는 경우에는 며칠 전에 미리 언급하라. "지시하신 것을 언제 보고하려고 계획했는데, 진도가 다소 미비하여 이러이러한 사항들을 추가로 확인한 후 언제까지 보고 드리겠습니다."라고 보고하라. 너무 임박하여 연기하겠다고 하면 지휘관이 대처할 수 있는 시간이 없어 큰 화를 불러올 수 있다.

7. 잘못한 사항은 먼저 이야기하라

보고서의 내용이 틀렸거나, 국기게양식 행사와 같은 의식행사나 기타 일상생활에서 잘못한 것이 있으면 그냥 가만히 있지 말고 대대장이 말하기 전에 먼저 이야기하라. "이 부분이 잘못되었는데 다음엔 이런 것들을 시정해서 실수 없도록 하겠습니다."라고 먼저 보고하라. 아무 말 없이 가만히 있으면 상급자는 '뭐가 잘못되었는지도 모르는구나!' 하고 오해하게 된다.

8. 잘못된 지시라도 즉각적인 항변은 하지 마라

상관이 지시한 것이 잘못되었다고 판단되거나 해결방안이 없는 것을 지시하는 것 같아 보여도 그 자리에서 바로 반발하거나 항변하지 마라. 일단은 수긍하고 물러나와 시도할 수 있는 것은 시도해 보고, 불가능한 것은 관련 규정이나 사례 등을 찾아본 후 다시 들어가서 잘못되었거나 불가능한 사유를 차분하게 재보고하라. 때로는 상관이 당신을 시험해 보는 것일 수도 있으므로 최대한 긍정적이고 적극적으로 수용해 보라.

9. 숨은 노고를 대변하라

부여된 임무를 완수하고 결과를 보고할 때는 결론만 이야기하지 마라. 그리하면 상급자는 당신이 그 일을 어려움 없이 쉽게 끝낸 줄 알고 추가적인 보상을 해 주지 않으려 한다. 따라서 부하들의 숨은 노고를 적절히 대변하라. 조리 있는 언변술로 이런저런 문제가 있었고 어떻게 노력해서 이런 결과를 가져왔다고 하는 그동안의 노력을 적절히 PR하라.

10. 보고해야 할 것과 하지 않아도 될 것을 신중히 구분하라

임무수행 간에 나타난 문제점이나 애로사항 중에서 당신이 해결할 수 있고 사소한 것이라면 상관에게 굳이 보고할 필요 없이 당신 선에서 끝내라. 그 정도 해결능력이 있기에 당신을 그 계급까지 진급시켜 준 것이다. 단지 주의해야 할 점은 사소하게 생각되어 상관에게 보고하지 않은 것이 때로는 상급자에게는 중요한 사안이어서 나중에 처벌을 받는 경우도 있다는 것이다. 따라서 무엇을 보고하고 무엇을 보고하지 말아야 할지 신중하게 판단해야 한다. 도저히 구분이 되지 않는다면 차라리 보고하는 편이 낫다.

제8장 보고서를 작성하는 방법

1. 보고서를 작성하는 절차

① 먼저 관련 규정들을 확인한 후에 착수하라. 규정이 어떤지도 모르고 규정에 어긋난 방향으로 간다면 시작할 필요도 없다.

② 과거에 작성한 문서가 있는지 찾아서 참조하라. 다른 부대에서 작성한 문건이 있으면 확보하여 그들은 어떻게 작성하였는지 비교 분석해 보라. 나 혼자의 생각보다 남의 의견까지 고려하는 것이 훨씬 발전적이다.

③ 보고받는 사람의 입장에서 생각해 보라. 상급자가 원하는 사항, 궁금한 것, 결심에 필요한 내용이 모두 포함되어야 한다. 그렇게 하기 위해서는 평상시 상급자가 하는 말을 잘 듣고 기억하여 상관의 생각이나 개념 등을 보고서에 반영해야 한다. 그래도 모르겠으면 상급자와 산책이나 다과를 할 때 넌지시 그 문제에 대해 질문을 건네서 상급자가 어떤 생각을 가지고 있는지

탐색해 보라.

④ 내용을 어떻게 풀어 나가야 할지 모를 때에는 우선 편지를 쓰듯이 또는 이야기를 하듯이 서술형으로 써 본 후 그것을 가지고 문구를 함축해 가며 보고서 형식에 맞추면 보고서가 완성된다.

⑤ 작성하는 보고서가 1차 상급지휘관에서 끝나는 것이 아니라 2차 상급지휘관에게까지 보고해야 하는 문서라면, 수시로 1차 상급지휘관에게 얼마만큼 작성했는지 또는 작성 방향이 맞는지 등을 보고하고 검토를 받아라. 전체를 완성한 후에 검토를 받으려고 하면 시간도 부족하고 시행착오도 많아진다.

2. 보고서의 각 부분별 고려사항

① 개요 부분

개요는 전체 내용을 한마디로 집약하여 표현되도록 작성한다. 또한 개요를 읽고 나서 오해를 하거나 잘못된 선입견을 갖지 않도록 용어선정을 잘해야 한다. 개요를 어떻게 작성해야 할 것인지 감이 잡히지 않을 때는 전체 보고서를 다 작성한 후에 개요 부분을 마지막으로 작성해 보라.

② 본론 부분

본론에서는 현상이나 데이터만 나열하는 것이 아니라 반드시 문제점과 분석 등이 포함되어야 한다. 분석을 할 때에는 근거를 명확히 제시하고 논리적으로 풀어 나가라. 막연한 주장이나 일상적인 설명만으로는 설득력이 없다. 정확한 데이터나 증거자료(사진, 소견서 등)

를 제시하라.

③ 결론 부분

결론에서는 조치할 사항이나 대책, 향후추진 등의 내용이 포함된다. 조치할 사항이나 대책을 기술할 때는 실제 실행할 수 있는 것을 제시하라. 무엇을 하겠다고 보고했는데 나중에 할 수 없게 되면 허위보고가 되어 스스로 자기 무덤을 파는 격이 된다. 문제 해결책으로 여러 방안이 있으면 1안과 2안을 만들어 각각의 장단점과 파급효과 등을 제시하고 상관의 결심을 받아라. 이때 보고자 자신도 나름대로 판단해서 어떤 것이 더 나은지에 대한 잠정적 선택을 하고 있어야 한다.

3. 논리성을 유지하라

보고서는 전체 흐름이 논리적이어야 하고, 앞뒤 내용에 서로 연관성이 있어야 한다. 있는 사실만 나열하는 식의 보고서가 되어서는 안 된다. 있는 사실들로부터 어떤 문제점이나 개선책을 이끌어 내는 것이 중요하다. 따라서 논리의 전개나 결론을 도출해 내는 데 도움이 되지 않는 내용을 무의미하게 삽입할 필요는 없다.

4. 쉽고 짧게 써라

당신이 작성한 보고서를 일반적인 사람이 알아들을 수 있도록 작성하라. 같은 병과나 동일한 전공 분야에 있는 사람만이 알아들을 수 있는 보고서는 그룹 내부적인 문서일 때에만 가능하다. 다른 병과나 타 분야에 있는 상관에게 보고하는 문서라면 전문용어는 가급적 회피하라. 어쩔 수 없이 써야 한다면 주석을 달아 주어 보고받는 사람이 이해할 수 있게 해야 한다. 또한 보고서의 의미를 제대로 전달할 수 있는 범위 내에서 내용을 최대한 함축하여 간단명료하게 작성함으로써 보고시간을 단축할 수 있게 한다.

5. 보고서 내용을 기술할 때는 상식을 준수하라

① 문장은 주어와 술어로 구성된다. 둘 중 하나가 빠지면 문장구성이 안 된다. 다만 개조식으로 작성할 때는 주어와 술어를 기술하지 않아도 그것이 무엇인지 알 수 있다면 생략한다.

② 각 문단은 간격을 띄워서 서로 구분이 되게 한다.

③ 상위 문장의 글씨 크기는 종속된 하위 문장의 글씨 크기보다 크게 한다.

④ 강조할 부분은 음영을 주거나 진하게 한다.

⑤ 여러 쪽으로 구성된 문서에는 쪽 번호를 넣어라.

⑥ 그래프나 표를 삽입했으면 그에 대한 분석이나 설명이 첨부되어야 한다. 아무런 설명이나 활용 없이 삽입할 필요는 없다.

⑦ 한 문장에 괄호나 슬래시(/) 부호는 두 번 이상 반복사용을 지양한다.

⑧ 보고서 글씨의 크기가 너무 작지 않게 한다. 상급부대에서는 보통 14point 이상을 사용하여 읽기 쉽게 작성한다.

6. 계획을 작성할 당시의 가정이나 고려요소들을 기록해 둬라

업무를 담당하는 실무자는 주기적으로 교체된다. 따라서 보고서를 작성할 당시의 상황과 그런 판단을 내리게 된 배경이나 의도, 기타 고려했던 요소들을 어딘가에는 기록해 두는 것이 좋다. 그리하면 세월이 흘러 실무자가 바뀌어도 업무를 파악하는 데 도움이 되고, 그 보고서의 내용을 다시 판단할 때에도 실수를 방지할 수 있다. 또한 상급부대 검열을 받을 때도 그 배경과 가정들을 알고 논리적으로 설명을 할 수 있어 효과적이다.

7. 한마디로 요약해 보라

해당 보고서로 전달하려는 의미가 무엇인지 명확해야 한다. 보고의 의미가 무엇인지 한마디로 요약해 보라. 요약이 안 된다면 당신은 상관을 설득시킬 수 없다.

결심을 요하는 보고서에서는 판단에 크게 영향을 미치지 않으면서 상급자가 결심을 하는 데 혼란만 야기하는 내용은 삭제하는 것이 낫다. 세부적으로 보고하고 모든 것을 다 보고하려는 마음에서 무조건 보고서에 포함시키는 것은 어리석은 생각이다. 그다지 중요하지도 않으면서 보고서의 주된 흐름에 방해가 되는 사항은 과감하게 제거하라.

8. 마지막까지 추적 관리하라

보고서를 상급자에게 검토받고 중간계통에 있는 상관에게 결재까지 받았다고 하여 방심하고 있으면 안 된다. 보고서와 관련된 일들이 최종적으로 마무리될 때까지는 계속해서 관련 내용을 추적하여 관리해야 한다. 마지막 순간까지 관련된 정보를 계속 확인해야 실수가 없다. 방심하고 있는 사이에 뭔가 지침이나 상황이 바뀌어 보고서 내용을 수정해야 하는 경우도 있다.

9. Back Data를 준비하라

보고서를 결재받으러 들어갈 때는 해당 보고서에 대한 Back Data를 충분히 준비하라. 주변 사정이나 관련 규정들을 세부적으로 파악하여 상급자의 돌발질문에 대비해야 한다. 진지공사 계획에 대해 보고를 하면 진지구축의 규격은 얼마이고, 현재 운용하고 있는 진지는 몇 개인지 등을 파악하고 있어야 한다. 보고 간에 상급자가 질문할 수 있는 것이 무엇이고, 다른 사람이 이전에 보고하면서 무슨 질문을 받았는지 등을 파악하여 대비하라. 또한 말로만 대답하는 것이 아니라 문서화된 것을 보여 주면서 설명할 수 있도록 참고자료나 각종 현황들을 출력하여 가지고 가는 것이 좋다.

10. 반론에 대비하라

보고서가 완성된 후에는 보다 넓은 안목과 다른 각도에서 분석해 보라. 의문이나 이견제시가 있을 수 있는지, 어떤 질문이 나올 수 있는지 분석하고 이에 대비하라. 참석자나 상관이 당신이 제안한 의견이나 방안에 대해 문제점을 지적할 수 있고 방안 자체가 잘못되었다고 할 수도 있다. 따라서 반론에 대비한 논리적인 답변과 증거들을 준비하라. 군사적 천재였던 나폴레옹은 자신이 수많은 전투에서 승리할 수 있었던 이유는 바로 남보다 더 많은 우발계획을 가지고 있었기 때문이라고 말하였다. 항상 여러 가지 경우의 수에 대비하라.

제9장 검열을 받는 요령

군생활을 하다 보면 수많은 검열을 받게 되는데 이때에도 요령이 있다. 검열 자체에 대한 준비는 기본적으로 철저하게 하고, 추가적으로 아래의 요령들을 효과적으로 활용해 보라.

1. 사전에 미리 순차적으로 준비하라

전투지휘검열이나 전술훈련 등 큰 일이 있으면 사전에 미리 준비하라. 먼저 분야별, 항목별로 준비계획을 작성하라. 검열 일정에 임박하여 다급히 준비하려 하지 말고 계획에 의거하여 미리 준비하라. 검열이 임박해서는 다른 할 일들이 생기기 때문에 내 뜻대로 시간을 사용할 수 없다.

준비를 해 나가면서 주요 추진사항에 대해서는 수시로 결산을 실시하여 추진상태를 파악하라. 본 검열 전에 사전 예비검열을 하여 현 실태를 정확히 파악해 보는 것이 필요하다. 이때 검열이 끝날 때까지 해결될 수 없거나 문제가 심각해질 수 있는 것은 상관에게 미리 보고하라. 그래야 상관이 나서서 해결하거나 뭔가 다른 조치를 취할 수 있다.

2. 상대의 수준에 시각을 맞춰라

검열제대가 어디인지, 검열 나오는 인원들은 누구인지 살펴보라. 위관장교라면 전투적인 요소와 행동화 측면 위주로 볼 것이고, 영관장교라면 육군대학을 수료했기 때문에 보다 전술적인 수준까지 고려할 것이다. 상위 제대일수록 보는 시야가 넓으므로 더 큰 안목으로 점검해 보아야 한다.

경계근무 향상을 위해 경계초소를 추가로 더 구축하였는데 검열관이 나와서는 초소를 만든 것 자체보다는 그 초소의 위치는 타당한지, 임무를 수행할 장비와 부착물은 구비되었는지, 과연 그 장소에 초소를 구축할 필요가 있었는지 등 다른 시각에서 판단하게 된다. 시험을 잘 보려면 시험 범위와 핵심을 잘 파악해야 하듯이 검열을 받을 때에도 맥을 잘 짚고 준비해야 한다.

3. 수검표를 준비하라

어떤 검열이든 부대의 장려사항이나 발전시킨 사항들을 모아 수검표를 작성하는 것이 효과적이다. 뭔가 보고할 만한 자료가 있어야 방문자에게 우리 부대의 활동사항을 체계적이고 논리적으로 설명할 수 있지 않겠는가? 수검표가 있어야 애써 준비한 일들을 빠뜨리지 않고 체계적으로 설명할 수 있으며 검열관과도 대화를 이어 갈 수 있다. 대화거리가 떨어지면 분위기가 어색해져서 결국은 검열관이 현장에 나가 둘러보며 추가적인 검열을 하게 된다.

4. 발전시킨 사항은 상하가 일치되도록 대비하라

장려사항을 작성하였으면 실제로 제시된 대로 시행하고 있는지 다시 한 번 점검하라. 이러한 일을 시행하고 있다고 제시했는데 하급 제대에서는 모르고 있거나 그와 정반대로 행동하고 있는 경우도 있다. 취사장 위생상태가 양호하다고 제시하였는데 막상 현장에 가 보면 점심식사를 하고 나서 청소를 하지 않아 지저분하거나 정리정돈이 안 되어 있을 수도 있고, 식사 후 실내등을 끄지 않아 에너지절약 측면에서 감점을 받을 수도 있다.

5. 검열 도중에는 큰 소리를 내지 마라

검열 간에 지적을 받았다고 하여 다른 사람에게 이를 탓하거나 큰 소리를 치면 오히려 역효과다. 어떤 사람은 검열관에게 지적을 받으면 "왜 내가 지난번에 이거 하라고 했는데 안 했어?" 하며 실무자에게 큰 소리를 치거나 지적을 하기도 한다. 자신은 지시를 했으나 실무자가 안 한 것임을 나타내어 자신에겐 잘못이 없다는 것을 피력하려고 생각하는지 모르겠지만 천만의 말씀이다. 그런 행동은 오히려 당신의 인격을 저하시킨다. 부대지휘에 대한 모든 책임은 상급자가 지는 것이다. 차라리 '내 탓이오!' 하는 마음으로 자숙하고 오히려 실무자를 위로하라. 그리하면 부하로부터 신뢰를 얻을 것이고 지켜

보는 검열관도 당신의 사람 됨됨이만은 높이 살 것이다.

6. 지적사항은 즉각 시정하여 알려 줘라

검열 중에 지적받은 사항은 신속히 시정 조치한 후 검열관이 부대를 떠나기 전에 그 결과물을 가지고 가서 보여 줘라. 이미 지적받았으니 끝났다 하는 마음으로 가만히 있는 것보다 신속하게 후속조치를 하면 당신의 성의를 봐서라도 지적의 강도를 낮춰 주거나 현지 시정된 것으로 바꾸어 줄 수도 있다. 어차피 언젠가는 후속조치를 해야 하는데 기왕이면 지금 빨리 시정하는 것이 일석이조의 효과를 얻는 것이다. 최소한 당신의 능력과 가치를 높이 평가하여 주변에 평을 해 줄 수도 있고, 훗날 다른 곳에서 다시 만나더라도 반갑게 마주할 수 있을 것이다.

7. 잘난 척은 금물이다

사전에 계획하지 않은 사항은 섣불리 자랑하지 마라. 부대에서는 장려사항이라 생각하고 제시했다가 오히려 지적거리를 만들어 낼 수도 있다. 또한 자랑은 남이 해 줘야 진짜지 자신이 떠들면 역효과임을 명심하라. 굳이 장려사항에 대해 자랑을 하려면 표시 나지 않게 차분하게 설명해 주는 수준으로 하는 것이 좋다.

관련 자료를 제시할 때에는 검열관이 요구하는 것만 제시하라. 요구하지 않은 자료를 제시했다가 부대의 치부를 드러낼 수도 있다. 또한 검열관이 지적한 사항에 대해서 자신이 옳다고 변명하거나 과도하게 반발하지 마라. 어차피 미흡사항은 어디에나 존재하는 것이다. 당신이 하나의 미흡사항을 제거하면 검열관은 또 다른 부분에서 지적사항을 끄집어낼 것이다. 다만 지적사항이 중대한 것이고 검열관이 잘못 알고 지적한 것이라면 정중히 해명하라.

8. 정성과 예의를 갖춰라

먼저 수검부대로서의 정성과 예의를 갖춰라. 검열준비를 내실 있게 준비하는 것은 기본이고, 검열 장소나 대상도 미리 선정해 두어라. 검열관의 질문에 답변이 가능하고 같은 업무계선에 있는 간부를 선발하여, 검열관이 원하는 장소로 안내하고 수행하게 하라. 위병소 근무자에게 검열차량을 식별하는 요령과 수하하는 요령을 교육하라. 검열 간에 지적하는 사항은 겸허히 받아들이도록 교육하라. 검열관들도 주어진 직분을 수행할 뿐 다른 감정은 없다.

누구나 집을 떠나면 모든 것이 불편하기 마련이다. 숙소와 식사를 내가 사용한다는 마음으로 정성껏 준비하여 불편하지 않게 해 줘라. 강평을 할 때에도 좌석배치나 참석자 선정, 실내 분위기 등을 짜임새 있게 준비하여 검열관에 대한 격식과 예의를 지켜라.

9. 환경정리는 기본이다

손님이 우리 집을 방문하면 집 안팎을 깨끗이 청소하는 것이 기본적인 예절이다. 부대의 청결상태나 정리정돈은 평상시 그 부대의 정신상태와 수준을 나타내는 것이기도 하다. 따라서 검열에 대비하여 부대 안팎을 깨끗이 청소하고 환경을 정리하라. 사람이나 부대나 첫 이미지가 중요하다.

10. 검열결과를 섣불리 단정하지 마라

검열 중에 몇 가지 지적받았다고 해서 침울해하거나 결과가 나쁠 것 같다고 섣불리 단정하지 마라. 최종결과가 나오기 전까지는 침착하고 태연하게 행동하라. 누구나 몇 가지 지적은 받기 마련이고, 그 정도 지적은 모든 부대가 공통적인 것일 수도 있다. 우선은 검열을 잘 받은 부분을 홍보하라. 최종 결과가 어떻게 내려올지 모르는 일이다. 그러나 명백히 잘못한 것은 굳이 속이지 마라. 거짓되고 가식적인 사람으로 낙인찍혀서는 안 된다.

제10장 대인관계와 처세술

모든 일은 결국 사람이 하는 것이기 때문에 사람과 사람 간의 관계가 매우 중요하다. 업무 능력도 중요하지만 대인관계도 그에 못지않게 중요함을 명심하고 시간과 노력을 투자해야 한다.

1. 덕을 베풀어라

덕이 있는 사람에게는 사람이 모여든다. 따라서 매사 측은지심(惻隱之心)과 역지사지(易地思之)의 마음으로 상대방을 대하라. 사람을 상대할 때는 업무적이고 사무적으로만 대할 것이 아니라 인간적으로 대하는 것도 필요하다. 동료나 부하가 당직근무를 서고 있거나 훈련 중이면 먹을 것을 사들고 찾아가 위문을 해 줘라. '덕불고 필유린(德不孤必有隣)'이라 했으니, 당신이 덕을 베풀면 언젠가 다시 도움을 받게 될 것이다.

절영지회(絶影之會)의 고사를 기억하라. 초나라의 장왕이 어느 날

연회를 베풀어 노는데 갑자기 등불이 꺼졌다. 그 사이에 누군가 왕의 애첩을 희롱하였는데 애첩은 그 신하의 갓끈을 잡아챘다. 애첩이 범인을 잡아 주기를 청하였으나 장왕은 참석한 모든 신하의 갓끈을 떼어 내도록 하여 그 신하를 용서하였다. 훗날 그 신하는 목숨을 바쳐 전투에 임하였다. 이처럼 당신이 너그럽게 덕을 베풀면 반드시 보답을 받게 될 것이다.

2. 험담하지 마라

험담을 하는 것은 누워서 침 뱉는 행동이다. 오히려 상대를 이해해 주는 말을 하고, 상대방의 긍정적인 면에 대해 칭찬의 말을 하라. 욕하지 말고 비방하지 마라. 그 사람이 못된 사람이라면 굳이 내가 욕을 하지 않아도 알 사람은 다 안다.

누구나 완벽할 수는 없다. 부족한 면도 있겠지만 잘하는 것도 있다. 누구나 타고난 특성이 있기 마련이니 그것을 인정하고 넘어가자. 내가 누군가를 험담하면 그 사람도 나에 대해 험담을 하게 될 것이고, 칭찬과 이해의 말을 해 주면 내가 잘못했을 때 상대도 나에 대해 이해와 칭찬의 말을 해 줄 것이다.

누군가가 일을 못하거나 마음에 들지 않아도 다른 사람에게 하소연하거나 불평하지 말자. 말이란 돌고 돌아 언젠가는 당사자에게 들어가게 된다. 처음엔 같이 험담을 하다가 험담이 길어지거나 누군가가 더 심한 어조로 격하게 험담을 하게 되면 그 사람도 싫어지게 되고 경계하게 되는 것이 사람의 심리이다. 또한 험담도 자꾸 하면 습관이 되어 어느 순간 자신도 모르게 험담이 몸에 배어 불평불만자가 될 수 있으니 이를 경계해야 할 것이다.

3. 먼저 베풀어라

Give and Take 하라. 받고 나서 주는 것이 아니라 내가 먼저 줘야 받을 수 있다. '상대가 무엇을 해 주면 내가 이것을 해 주겠다.' 하고 기다리면 아무것도 받을 수 없다. 내가 먼저 술을 사 줘야 상대도 내게 술을 한잔 사 줄 것이다. 먼저 사 주는 사람에게는 고마운 마음을 갖지만, 한 번 얻어먹은 후 사 주는 것은 답례하는 것이므로 고마운 일이 아니다. 따라서 먼저 베푸는 자가 현명한 사람이고 남는 장사를 하는 것이다.

4. 악수하고 인사하는 습관을 가져라

누군가를 만나서 말로만 인사하는 것보다 악수를 해야 스킨십에 의해 친밀감이 더해진다. 처음 만나는 사람과도 악수하라. 특히 당신이 상급자라면 하급자에게 악수를 청하라. 하급자는 당신이 누군지를 알고 큰맘 먹고 일부러 찾아왔는데, 당신은 무심하게 눈길 한 번 주지 않으면 하급자는 그 서운함을 평생 기억한다.

인사는 대인관계의 기본이다. 상대가 누구든지 간에 신속하고 패기 있게 경례하라. 아침에 처음 얼굴을 보면 상투적으로 경례만 하지 말고 상냥하게 인사말을 전하고 안부도 물어라. 표정을 밝게 하고 얼굴에는 미소를 지어 인사하라.

새로운 근무지에 전입을 가면 당신이 먼저 찾아가서 인사하라. 모든 일은 사람이 하는 것이므로 사람을 먼저 알아야 일을 쉽게 할 수 있다. 누가 고참이고 후배인지 파악한 후 먼저 찾아가 인사하라. 새로 전입 갔는데 고참을 몰라보고 멀뚱멀뚱 쳐다보기만 한다거나, 계급은 낮아도 임관 선임인 사람에게 반말을 하게 되면 당신의 첫 이미지가 손상되고 차후 업무협조를 하는 데도 곤란해진다.

5. 자그마한 도움에도 감사의 표시를 하라

상관이 식사를 사 주었을 때 아무 말도 하지 않고 당연하다는 듯이 있지 말고 감사하다는 인사를 건네라. 그 인사 한마디가 상관의 마음을 훈훈하게 하고 당신의 인간 됨됨이를 드러내는 것이다. 상관이 표창을 하나 주더라도 당연하게 생각하지 말고 감사하다는 인사말을 하라. 윗사람은 아랫사람에게 베풀고도 생색내는 말을 하기 어렵다. 그러나 실제로 상관은 어려운 상황에서 당신을 위해 호의를 베풀었는지도 모른다.

20여 년 전 필자가 소대장 시절에는 전역하는 병사가 있으면 항상 분대별로 회식을 시켜 주었다. 그런데 몇 개월이 지난 어느 날 소대원들이 말하기를 "소대장님, 이제 소주는 질립니다. 맥주 좀 사 주십시오."라고 하는 것이었다. 그렇지 않아도 박봉인 군인 월급에다가 갓 결혼하여 신혼인 상황이라 어렵게 생활하던 시기였는데, 고마움도 모른 채 그렇게 말을 했을 때에는 무척 서운한 감정이 들었다.

6. 답례할 줄 알아야 한다

짐승도 은혜를 안다고 한다. 사람이라면 누군가에게 도움을 받았을 때 작으나마 답례를 하는 것이 기본이다. 진급을 하면 부대 간부들에게 음료수 하나라도 돌릴 줄 알아야 한다. 물론 당신이 노력해서 진급한 것이겠지만 그 밑바탕에는 부대 간부들의 도움도 어느 정도는 반드시 있는 것이다. 결혼을 했거나 상을 당해 간부들이 부조하였으면 부대에 돌아와서 감사의 답례를 하는 것이 한국 사람들의 예의이다. 상급자에게 선물을 받았다면 감사의 편지라도 보내 보자. 누가 당신에게 식사를 한 번 사면 당신도 다음에 한 번 사 줄 생각을 하라. 답례를 하는 것은 결코 손해 보는 것이 아니다. 미래를 위한 투자로 생각하라. 작은 돈으로 큰 효과를 볼 수 있다.

7. 전화나 만남 전에 상대의 신상에 대해 예습하라

사람은 자신에게 관심 가져주는 것을 고마워한다. 따라서 누구를 만날 때에는 상대방의 신상을 미리 숙지하라. 동기생과 전화통화를 하기 전에는 미리 근무지가 어디인지, 결혼은 했는지, 자녀는 몇 명이고 이름과 학교는 어떤지 등을 파악하라. 이러한 사항들을 사전에 핸드폰이나 수첩에 저장해서 가지고 다니면 효과적으로 활용할 수 있을 것이다.

예전에 한 은사님은 제자들이 졸업한 후 결혼할 때 주례를 많이 서 주었는데 그때마다 주례와 같이 찍은 결혼식 사진과 그 제자에 대한 신상기록을 앨범에 넣어 정리해 둔 후, 제자들에게서 전화가 오면 얼른 그 앨범을 꺼내어 사진과 이름을 보면서 기억을 떠올려 전화통화를 하였다고 한다.

8. 주기적으로 연락하고 만나라

전화 한 통화의 위력을 중요시하라. 어렵고 힘든 일, 좋은 일이나 특별한 일이 생겼을 때 전화 한 통화 해 주는 것이 고맙고 오래 기억된다. 그동안 오랫동안 연락을 안 했어도 새해나 명절 같은 날에는 인사를 드려라. 스승의 날이나 생일날 등에 문자나 메일을 보내는 것도 좋다.

여러 사람에게 자주 연락하고 지내다 보면 다양한 정보도 수집된다. 인사관리상이나 경제적으로 유익한 정보를 부수적으로 얻을 수도 있다. 그러나 업무시간에 일은 안 하고 전화만 하는 행동은 금물이다. 무엇보다도 업무가 최우선이다.

과거에 같이 근무했던 사람들을 가끔 시간을 내어 방문하는 것도 즐거운 일이다. 자꾸 만나야 관계가 지속적으로 유지된다. 멀리 있는 친구와 선배를 외박이나 휴가 때 찾아가 보는 것도 필요하다. 이웃사촌이 낫다고 자주 보아야 관계가 두터워진다. 즐거운 일이나 슬픈 일 등의 경조사에도 적극적으로 찾아가라.

9. 사람에게 투자하라

한 번의 만남이라도 일단 알게 된 사람은 관리를 잘하라. 현명한 사람은 우연을 필연으로 만들고, 우매한 사람은 필연을 악연으로 만든다고 한다. 그때그때 만나서 사귀어 둔 사람들이 언제 어떤 인연으로 다시 만나 도움을 주고받을지 아무도 모른다. 매 순간마다 성의와 진실을 다해 관계를 유지하라.

대인관계에서도 '2 : 8의 법칙'을 적용하라. 배울 점이 있는 사람, 내게 도움이 될 사람에게는 다른 사람보다 더 많은 시간과 노력을 투자하여 관계를 유지할 필요가 있다. 같이 근무했다고 해서 모두 다 친해지는 것은 아니다. 내가 먼저 적극적으로 나서서 연락을 하고 직접 만나서 이야기도 나눠야 깊이 있는 친구가 된다.

10. 사소한 일에도 기본을 지켜라

모임에 빠지지 않고 참석하는 것이나 약속시간에 늦지 않는 것 등 사소한 것이 누적되어 그 사람에 대한 평가가 된다. 따라서 일상적인 생활에서 항상 기본적인 예의를 지켜라. 회의를 하는 도중에 다리를 꼬고 있는 행동은 상대방을 무시하는 것으로 느껴진다. 식사할 때 한쪽 팔을 괴고 식사하는 것도 좋지 않다. 내가 말을 하고 있는데 나를 쳐다보지 않고 다른 곳을 보거나, 경례는 하는데 시선은 다른 곳을 보고 있다거나, 뭔가 만지작거리면서 말을 한다거나, 대화를 하다가 다른 곳에 전화를 건다거나 하면 무시당하는 느낌이 든다. 담배연기를 상대방 얼굴에 내뿜는다거나 말을 도중에 끊는 행위도 삼가야 한다. 당신은 그러한 행동들이 잘못된 것인 줄도 모르고 무심코 했겠지만, 상대방은 겉으로 표시는 안 해도 속으로는 기분 나쁘게 생각한다.

예전에 어느 일간지에 면접할 때 하지 말아야 할 습관들을 언급하였는데, 몸을 구부리고 있다거나 다리를 떠는 행동, 얼굴이나 머리를 매만지는 행동, 시선을 회피하는 행동, 휴대전화가 울리는 경우 등을 예로 들었다. 과거 삼성전자의 이건희 회장은 공채를 할 때 면접자들의 구두 청결상태를 점검했다고도 한다.

요즘 핸드폰은 상대가 전화하면 발신자표시가 되어 누가 누구에게 전화하였는지 전부 알 수 있다. 그런데 지휘관이 전화를 걸었는데도 바로 경례하지 않고 "여보세요?" 하고 되물으면 그 사람은 지휘주목이 안 되어 있다고 판단된다. 때로는 하급자나 동기생이 먼저 전화를 걸어 놓고도 "여보세요?" 하고 되묻는데 이것 또한 상대를 매우 언짢게 만드는 행동이다. 또한 사무실로 전화를 해서 다른 사람이 받아 누구를 바꿔 달라고 했는데, 전화를 건네받은 사람이 상대가 누구인지 알면서도 다시 "여보세요?" 하고 되묻는 것도 좋지 않다. 상대가 고참인 줄 알았으면 먼저 경례를 해야 한다.

11. 카멜레온이 되어라

군생활이나 사회생활을 하다 보면 싫은 사람도 만나고, 상관에게 혼도 나고, 비인격적인 대우를 받을 때도 있다. 항상 내 성격과 맞는 사람만 만나는 것은 아니다. 따라서 카멜레온처럼 그때그때의 상황에 맞게 나의 성격이나 대응도 변화해야 한다. 꼼꼼한 사람에게는 꼼꼼하게 맞춰 주고, 술을 좋아하는 사람에게는 술 상대도 해 주는 요령이 필요하다.

각종 상황에 대해서도 항상 적응할 줄 아는 카멜레온이 되라. 업무를 할 때는 차분하고 성실하게 하고, 훈련이나 운동을 할 때는 씩

씩하고 패기 있는 모습으로 동참하라. 회식자리에서는 멋진 노래와 춤으로 분위기를 살리는 감초 같은 사람이 되라.

12. 마지막 헤어지는 사람을 서운하게 하지 마라

지금까지 서운하게 했어도 마지막을 잘해 주면 그동안의 서운함은 잊고 좋은 감정을 가질 수 있다. 따라서 전역하는 병사를 그냥 보내지 말고 밥이라도 한 끼 사 줘서 보내라. 이임하는 지휘관에게 마지막까지 최선을 다하라. 누군가와 같이 근무한 후 헤어질 때 그것이 마지막이라고 생각하지 마라. 언젠가 다시 만날 수도 있으니 끝까지 좋은 관계를 유지하라. 훗날 상급자로 다시 만날 수도 있고, 나에 대한 평가를 널리 퍼뜨려 줄 사람이기도 하다.

13. 너무 튀거나 잘난 체하지 마라

너무 나서면 남들이 경계한다. 혼자 있을 때는 전 역량을 발휘하되 여럿이 같이 있을 때에는 자신의 능력이 뛰어나더라도 다른 사람의 입장을 배려해서 겸손하게 행동하라. 아는 것도 모르는 척하고, 특별히 잘하고 있는 것이 있어도 내세우지 말고 조용히 있어 줘라. 때로는 남들과 같이 적절히 묻혀 지나가는 처신도 필요하다. 특히 상관 앞에서는 더욱 겸손해야 한다. 자신이 상관보다 뛰어남을 내세우려 해서는 안 된다. 상관의 잘못을 지적하여 바로잡으려고 해서도 안 된다. 자신보다는 상관을 내세워 줘라.

14. 내 자랑은 남이 해 줘야 진짜다

내 입으로 내가 잘했다고 뽐내는 것은 남들이 믿어 주지 않는다. 나에 대한 자랑은 다른 사람이 말해야 믿어 준다. 따라서 주변 사람들과 대인관계를 유지하여 그들로 하여금 나를 자랑하고 대변하게 하라. 상급지휘관에게 자신을 PR하려면 지휘관과 가까운 주변 인물에게 나를 PR하여 간접적으로 전달해야지 지휘관을 직접 찾아가 스스로를 자랑할 수는 없는 것이다.

15. 부하를 두려워할 줄 알아야 한다

당신이 아무리 트릭을 쓰고 숨기려고 해도 부하를 속일 수는 없다. 따라서 항상 바르고 진실하게 행동하고, 하늘을 우러러 부끄럽지 않게 행동하라. 군생활을 하면서 중도에 하차하는 경우의 대부분은 부하로부터 신망을 얻지 못하여 부하의 신고에 의해 부정함이 밝혀져 무너졌다는 것을 명심하라. 요즘처럼 언로가 개방되어 있고 인터넷이 발달되어 있는 사회에서는 모든 것이 투명하게 드러나게 된다. 당신이 올바르게 행동할 때는 당신을 존경하고 부하와의 관계도 원만해지지만 당신이 불의의 길로 가는 순간 모든 신뢰는 깨어진다. 더 이상 과거에 가졌던 친분만으로 당신의 실수를 눈감아 주기를 기대해서는 안 된다. 그러한 기대를 한다는 것 자체가 어리석은 생각이다. 어쩌면 당신을 믿었던 만큼 실망과 배신도 크기 때문에 더욱더 용서해 주고 싶지 않을 것이다.

16. 인생은 장거리 마라톤이다

인생은 길다. 직장생활도 단거리 경주가 아니라 길게는 30여 년을 해야 하는 장거리 마라톤이다. 따라서 한순간 앞서 있다고 하여 절대로 영원히 앞서가는 것이 아님을 명심해야 한다. 지속적으로 꾸준히 노력하는 자가 최후의 승리자가 된다. 똑똑하고 교육성적이 좋다고 방심하면 순식간에 남에게 뒤처지게 된다. 내가 안일하게 쉬고 있는 동안 다른 사람들은 보이지 않게 부단히 노력하고 있음을 알아야 한다. 남들은 절대 드러내 놓고 자랑하지 않는다. 그래야 상대방을 안심시키고 경쟁에서 이길 수 있기 때문이다.

17. 외모를 단정히 하라

사람을 상대할 때는 첫인상이 중요하다. 따라서 항상 몸가짐을 단정히 해야 한다. 면도나 두발 등 용모를 깔끔하게 하고, 복장은 다림질하여 항상 단정하게 하라. 자세는 군인답고 자신감 넘치게 유지하라. 내면이 아무리 훌륭해도 외모가 바르지 못하면 인정받을 수 없다. 외모는 곧 그 사람의 내면을 비추는 거울과 같은 것이다. 외모를 보면 그 사람의 정신상태나 생활습관이 어떠한지 알 수 있다. 면도도 안 하고 머리도 덥수룩하면 군인정신이 결여되어 있는 것이고, 아침에 늦게 일어나는 등 자기관리에 소홀한 사람임을 뜻하는 것이다.

18. 스포츠를 익혀라

군인으로서 체력을 유지하기 위해서는 스포츠를 익히는 것이 좋다. 게다가 스포츠는 대인관계를 넓히는 데에도 유용하다. 축구나 테니스 등과 같은 운동을 잘하면 여러 사람과 쉽게 친해질 수 있고, 다른 사람에게 자신의 인상을 강하게 심어 줄 수 있다. 또한 스포츠는 병영생활에서 부대원들 간의 단결력을 배양하기 위해서나, 간부들이 병사들에게 리더십을 발휘하는 데도 필수적이다. 따라서 각자 웬만큼 할 수 있는 운동을 개발하는 것이 좋다. 원래부터 운동신경이 없어서 안 된다고 포기하지 마라. 처음부터 잘하는 사람은 없다. 노력해서 안 될 것은 없다.

19. 아쉬운 것이 있으면 적극적으로 요청하라

본인의 인사관리는 본인이 챙겨야 한다. 누군가가 알아서 챙겨 주기를 바라지 말고, 표창이 필요하거나 보직조정이 필요하다면 자신이 먼저 이야기하고 요청해야 한다. 가만히 있으면 속마음은 누구도 알 수 없기 때문에 도와줄 수가 없다. 요즘은 장기복무자로 선발되는 것도 쉽지 않은데, 장기복무 선발 심의를 하다 보면 평소 임무수행 태도가 훌륭하여 장기로 선발을 해 주고 싶은 사람인데도 막상 자력표에는 표창받은 실적이 없어 선발되지 못하는 경우가 종종 있다. 우는 아이에게 젖 한 번 더 준다는 속담을 기억하라.

20. 소탐대실(小貪大失)하지 마라

사소한 것에 목숨 걸지 마라. 작은 것에 연연하지 말고, 보다 크고 넓게 보라. 작은 돈을 아끼려다 큰돈을 잃게 된다. 돈은 살다 보면 어느 순간 얻을 기회가 생긴다. 조급해하지 말고 오히려 투자하는 마음으로 작은 돈은 과감하게 써라. 부하들에게 격려회식도 시켜 주고 친구들을 만나 식사도 사 줘라.

자존심을 챙기려다 사람을 잃는 경우도 있다. 누가 나에 대해 나쁘게 말을 했다고 하여 울분을 참지 못하고 일일이 따지게 되면 싸움이 일어나고 둘의 관계는 더 나빠지게 된다. 게다가 그 다툼으로 인해 소문이 사방에 퍼지게 된다. 차라리 참고 가만히 있었으면 다른 사람들은 그런 일이 있었는지도 모르고 넘어갔을 것이다. 그러니 사소한 일에는 그저 그러려니 하고 넘겨라. 매번 일일이 대응할 필요가 없다. 권투에서처럼 상대의 잽은 가볍게 살살 피하다가 결정적일 때 스트레이트를 날려야 한다. 상대 잽에 매번 주먹을 날린다면 체력이 소진되어 스스로 무너지게 된다.

21. 업무를 잘하려다 인심을 잃지 않도록 주의하라

일을 잘해 보려고 무리하게 추진하다가 부하들에게 욕설을 퍼붓거나 바쁘다고 해서 전화를 함부로 받으면 당장의 성과는 올릴 수 있을지 모르나 훗날 화가 미칠 수 있음을 경계해야 한다. 또한 그러한 방식으로는 일을 아무리 잘해도 인정받기 어렵다. 업무를 열심히 하면서도 다른 사람에게 인정받는 사람이 되라. 그렇게 하기 위해서는 희생과 인격수양이 필요하다.

배차신청을 받는데 늦게 신청한다고 싫은 소리를 꼭 한마디 내뱉은 후 받아 주는 사람이 있다. 또는 각 부서의 보고서를 종합하는데 늦게 제출한다고 마구 야단치는 사람이 있다. 종합하는 사람도 힘들겠지만 각 부서에서 일하는 사람도 어려움이 있는 것이다. 상대의 입장을 배려하지 못하는 사람은 고생은 고생대로 하고서도 나중에 제대로 대접을 받지 못하게 된다.

22. 지나친 논쟁을 피하라

업무를 수행하면서 상대가 잘못되었고 내가 옳더라도 너무 내 주장만 내세우지 말고 물러설 줄 알아야 한다. 끝까지 싸워서 논쟁에서 이긴다 해도 사람을 잃고 나에 대한 평판도 잃게 된다. 따라서 어떤 경우든 언성을 높일 정도의 논쟁은 하지 않도록 하라. 언성을 높여 싸우면 뒤처리가 더 힘들어지고 자기 체신만 깎인다. 언성이 높아지는 것을 방지하려면 논쟁하기 전에 어떤 논리를 펼 것인지 먼저 생각해 보고 작전을 짜야 한다.

23. 지는 것이 이기는 것이다

사소한 것 하나도 지지 않으려고 욕심을 부리다 보면 더 큰 것을 잃을 수 있다. 따라서 지나치게 경쟁심을 드러내지 말고 양보도 해가면서 지내라. 누가 내게 실수해서 기분 나쁘게 만들어도 참고 용서하며 덕을 베풀어라. 지는 것이 이기는 것이다. 거기에서 참지 못해 화를 내고 싸우면 당신에 대한 평판만 나빠지고 그로 인해 더 큰 손해를 입을 수도 있다.

차기 보직을 찾아갈 때에도 여러 사람에게 피해를 입히며 무리할 필요는 없다. 그렇게 해서 당장은 원하는 자리를 찾아갈 수 있을지 모르지만 언젠가는 남에게 피해 입힌 대가를 받게 된다. 또한 무리하게 고집하여 그 자리를 찾아간다 해도 그것이 정말 최선일지는 모르는 일이다. 처음에는 최고의 자리였지만 그 후에 다른 실력자나 선배가 들어와서 최악의 자리가 될 수도 있다.

상대가 내게 무뚝뚝하게 대하고 나를 무시한다고 하여 같은 방식으로 대하지 마라. 그렇게 해 봤자 결국은 나만 손해다. 되갚으려 하지 말고 내 특성대로 밝은 표정으로 대하라. 그리하면 주변 사람들이 당신의 가치를 더 높게 평가해 줄 것이다. 상대가 누구든 친절하게 대하라. 절대로 당신을 속없는 사람으로 보지 않는다.

24. 질투는 자신을 파멸로 이끌 뿐이다

상대가 잘 나간다 하여 상대방에 대해 시기하거나 질투하지 마라. 질투심에 눈이 멀면 자신의 진짜 역량을 다 발휘해 보지도 못하게 되고, 주변 사람들로부터 속 좁은 사람이라는 비판만 듣게 된다. 결국 남들에게 인간적인 대우도 못 받고 스스로 좌절하게 된다. 차라리 상대를 칭찬해 줘라. 그리하면 당신의 인성과 품성만이라도 더 높게 평가받고 존중받을 수 있을 것이다.

세상엔 1등만 존재하는 것이 아니다. 또한 1등은 시간이 지나면서 언제든지 바뀔 수 있다. 조직에는 단 한 사람만 필요한 것이 아니라 시스템을 채워 줄 여러 사람이 필요하다. 그러니 1등이 아닌 2등으로도 만족하자. 이러한 심정으로 근무한다면 최소한 과거보다는 훨씬 편안하고 즐거운 마음으로 직장생활을 할 수 있을 것이다.

25. 상대방의 사소한 잘못이나 습관은 이해하고 넘어가라

상대방의 잘못된 점을 찾아 고쳐 주겠다고 매번 지적하면 상대방 기분만 상하게 된다. 지적이란 친구 사이에도 그렇고 부부간에도 마찬가지로 언제나 유쾌하지가 않다. 따라서 때로는 잘못된 점을 알고도 그냥 지나쳐 주는 아량이 필요하다.

일간지에 '재미교포 사업가가 아들에게 주는 지혜의 글'이 소개된 적이 있다. 그중에 "어려운 말을 사용하는 사람과 너무 예의바른 사람을 집에 초대하지 말라."는 문구가 있었다. 굳이 일부러 피곤함을 만들 필요가 없다는 이야기다.

26. 상대방 기분을 좋게 만드는 기술은 연마하라

상대를 기분 좋게 만드는 사람은 가까이하고 싶고 또 만나고 싶어진다. 따라서 회의나 회식같이 여러 사람이 모이는 자리에서 상대방이 이룩한 공적이나 특징적인 장점을 칭찬하여 상대방의 기분을 좋게 해 보라. 막연히 훌륭하다고만 하는 것이 아니라 구체적인 사례를 들어 주고, 그것을 보고 무엇을 느꼈고, 그래서 어떤 점이 훌륭하다고 말해 줘라. 그래야 진심어린 칭찬으로 들리고 기분도 흐뭇해진다. 주의할 점은 남들이 볼 때 지나치게 역겹고 아부하는 것처럼 보이지는 말아야 한다는 것이다. 자연스럽게 분위기에 맞춰 상대를 즐겁게 해 줘라. 술자리에서 좋은 매너를 보일 줄 아는 것도 소중한 재산이다.

상대방의 이름을 자꾸 불러 줘라. 지시를 받은 후 '알겠습니다'가 아니라 '예, 알겠습니다. ○○○님'이라고 해 보라. 다정하게 상대방 이름이나 직책을 불러 주면 그 사람에 대해 호감이 간다.

27. 아랫사람이라고 우습게 보지 마라

계급이 낮다고 해서 아무런 능력이 없는 것이 아니다. 하급자도 언젠가는 나에게 도움을 줄 수 있다. 세월이 지나면 그 하급자가 중요한 직책의 실무자로 가 있을 것이다. 따라서 평소에 부하들 보직관리도 해 주고 업무능력도 키워 주는 등 은혜를 베풀면 나중에 더 크게 보답을 받을 수 있다. 후배라고 해서 우습게 알지 말고 후배들을 잘 챙겨 줘라. 모든 사람에게 덕을 베풀고 친절하게 대하여 나에 대한 평을 관리하라.

부사관이나 군무원도 무시하지 마라. 그들도 나름대로 자기만의 인맥을 가지고 있다. 학교 친구나 고향 선후배 중에 영향력 있는 사람이 있을 수 있다. 그들이 나보다 인맥이 훨씬 넓을 수도 있다. 내가 잘하면 여러 방면으로 나를 도울 것이고 내가 잘못하면 해할 수도 있다. 따라서 평상시에 부대지휘를 잘하고, 부하들을 칭찬하고 인정해 주어 서로 간에 신뢰관계를 형성해야 한다.

28. 타인의 술수에 대비하라

자신은 술수를 부리지 않아도 남들이 어떤 식으로 술수를 쓴다는 것은 알아야 그것에 대처할 수 있다. 상대를 알고 나를 알아야 농락당하지 않는다. 통상 선거철이나 진급시기가 되면 상대방에 대해 거짓 소문을 퍼뜨려 음해하는 경우가 있다. 이러한 습성을 안다면 본인에게 그러한 상황이 닥쳤을 때 어떻게 행동해야 할 것인지를 미리 생각해 두어, 보다 침착하고 현명하게 대응할 수 있을 것이다.

소설 ≪상도≫에서 임상옥이 지물을 매입하자 정치수는 전쟁이 날 것이라는 거짓 소문을 퍼뜨려 지물을 헐값에 매입한다. 또한 임상옥이 구휼미를 운반하자 그곳에 모래를 섞고 물로 불려 곤경에 빠뜨린다. 만약 임상옥이 정치수가 그러한 심성과 술수를 가졌다는 것을 간파했더라면 구휼미를 운반할 때 더 철저한 대비를 하여 상대방의 술수에 당하는 것을 방지할 수 있었을 것이다.

29. 생각의 각도를 바꿔 보라

인생은 새옹지마와 같으니 매사를 긍정적으로 생각하자. 좋지 않은 일이 닥쳐도 이것은 더 큰 재해를 예방하게 해 주는 사건이니 오히려 다행스런 일이라고 생각하라. 병영생활 행동강령을 위반하여 처벌해야 하는 병사가 생겼다고 해서 화를 내거나 야단치지 말고, 이로 인해 병사들이 앞으로 나쁜 짓을 안 할 것이고 또한 이번 처벌로 인해 탈영할 수도 있었던 사고를 예방한 것이니 고마운 일이라고 생각하라. 부대에 어떤 임무가 주어지면 귀찮게 생각할 것이 아니라 이로 인해 부대가 더욱 발전할 수 있는 계기가 되었으니 고마운 일이라고 생각하라.

인접 동료가 일을 못하거나 제대로 안 한다고 해서 짜증을 낼 필요가 없다. 오히려 그 동료 때문에 내가 더욱 빛나게 되니 참으로 고마운 일이라고 생각하라. 그리하면 짜증을 내거나 불평하지 않고 즐거운 마음으로 일하게 되고, 그 모습을 본 주변 사람들은 당신을 더 훌륭하게 생각할 것이다. 자그마한 사고가 났을 때 야단치거나 화내지 말고 속으로는 '이로 인해 사람들이 더욱 긴장하게 될 테니 더 큰 사고를 막아 주었구나!' 하고 다행스럽게 생각하라. 이와 같이 생각의 방향을 바꾸면 모든 것이 고맙게 느껴져 더 긍정적인 마음으로 근무하게 되고, 그리하여 더 좋은 결과가 나타나게 된다.

30. 극단적인 표현은 삼가라

한번 내뱉은 말은 주워 담을 수 없다. 따라서 짜증이 난다거나 마음에 들지 않아도 말로 표현할 때는 극단적이거나 과격하지 않도록 주의하라. 어떤 일이나 훈련을 하라고 하는데 '전혀 필요 없다'거나 '백해무익하다'라는 식의 극단적 표현은 당신의 인격을 깎아먹는다. 그 일을 하라고 한 이면에는 내가 모르는 사정이나 어떤 발전적 측면이 있을 수 있음을 계산해야 한다. 그러니 만일을 위해서라도 보다 부드럽고 완곡한 표현으로 말하라.

가정에서도 마찬가지이다. 부부싸움을 하더라도 '헤어지자!'라든가 자녀에게 화를 내면서 '말 안 들을 거면 나가!'라는 식의 극단적인 표현은 삼가야 한다. 홧김에 정말로 헤어지거나 집을 나갈 수도 있고, 그 한마디가 평생 마음을 아프게 할 수도 있다. 실제로 가출한 청소년들 중 상당수는 부모가 홧김에 내뱉은 말 한마디 때문에 가출을 단행하였다고 한다.

제11장 평정표를 작성하는 요령

평정표는 1년간 자신이 업무를 수행해 온 실적과 그 결과에 대한 평가표이다. 따라서 1년간의 노고가 함축되어 기록되는 만큼 최고의 정성과 노력을 기울여 작성해야 할 것이다. 평정표는 지면이 제한되는 관계로 개조식으로 의미를 함축하여 기술하되, 적절한 미사어구를 포함함으로써 업무태도나 개인의 능력이 제대로 표현되도록 해야 한다.

1. 업무실적은 육하원칙에 의거하여 구체적으로 작성하라

1년 동안 수행한 주요 업무를 육하원칙에 의거하여 작성하되 어떤 방식과 태도로 수행했는지를 적절한 수식어와 더불어 개조식으로 작성하고, 그렇게 함으로써 어떤 성과와 결과가 있었는지를 상호 인과관계가 나타나게 작성한다. 업무성과를 기술할 때는 표창이나 우수부대 선정과 같은 명확한 결과와 그에 대한 상훈명령 등의 근거를 기술해 준다.

2. 계급과 직책에 맞게 작성하라

평정권자가 평정 내용을 작성할 때는 피평정자의 계급과 직책에 맞게 내용을 기술해 주어야 한다. 위관인지 영관인지, 전역할 장교인지 아닌지를 고려하라. 피평정자의 위치에 맞는 자질이 무엇인지, 요구되는 특성이 무엇인지를 생각하여 그에 맞게 기술해 줘야 한다. 초급간부라면 책임감과 사명감, 충성심 등이 필요할 것이다. 초급장교에게 대인관계가 양호하다고 기술해 주는 것은 일은 안 하고 요령만 피운다는 의미가 될 수 있어 바람직하지 않을 것이다. 고급장교라면 전략전술적인 측면과 전문성, 업무협조 및 대인관계, 창의성, 인간적인 품성 등이 필요할 것이다. 고급장교에게 초급장교처럼 용기와 체력적인 측면만 강조하는 것은 바람직하지 않다.

3. 애매한 의미의 용어는 삼가라

의미전달이 명확한 용어를 사용하라. 이중적인 의미의 용어는 사용하지 않는 것이 좋다. '상부 지향적이다'와 같은 말은 긍정적으로 보면 수명자세가 좋고 충성심이 있다는 의미가 되지만 부정적으로 보면 기회주의적이라는 색채가 더 짙다. 따라서 작성한 내용을 보고 부정적으로 받아들일 수 있는 소지가 없는지 다시 한 번 검토하라.

4. 잠재역량과 자기계발 내용을 기술하라

관리개선이나 전투발전요구 실적으로는 군이나 해당 병과에 대한 전문적인 능력을 피력할 수 있다. 각종 자격증 취득과 같은 사항은 근면 성실함을 강조할 수 있다. 영어와 한자, 컴퓨터 활용능력 등은 자기계발 사항으로 이를 통해 장래 활용도나 상위 계급으로의 진출 당위성을 역설할 수 있다. 그 외에 학위 취득이나 논문, 사격대회 우승, 봉사활동을 통한 대외기관 표창수상 등을 기술하여 자신이 가진 다양한 능력과 잠재역량을 보여 줘라.

5. 평정권자 의견도 구체적으로 기술하라

평정권자가 하급자를 평가할 때 '업무를 잘한다' 또는 '능력이 우수하다'라고 개념적으로만 작성하는 것은 믿음을 주기 어렵다. 따라서 그 말을 뒷받침해 줄 수 있는 대표적인 사례를 간략히 포함하여 육하원칙에 의거하여 기술하고, 이를 증명할 수 있는 성과나 상훈명령 등의 근거를 기재한다. '언제 무슨 임무를 부여했는데 어떤 식으로 임무수행해서 결과가 어떠했다'는 식으로 작성한다. 업무를 수행해 온 요령이나 마음가짐, 특징적인 장점들도 기술해 줘라.

능력이 있고 품성도 훌륭하여 꼭 진급되어야 할 부하이지만 평정그룹 내의 능력 있는 선배에게 평정이 밀린다면 그러한 사정을 있는 그대로 작성해 주는 것도 도움이 된다. 어떤 능력과 품성을 갖추었는지 기술한 후, 그럼에도 불구하고 제도상 소수 인원에게만 상위 등급을 부여해야 하기 때문에 하위 등급을 부여하는 것이라고 기술해 보라. 작성된 내용이 그것을 읽는 사람의 심금을 울릴 수 있도록 감동적인 표현을 고민해 보라. 일반적인 문구로는 남들과 차별화될 수 없다. 평정 서열만 중요한 것이 아니라 기술된 내용도 중요하다는 것을 명심하고 정성을 다해 작성하라.

제12장 전출 및 이사 갈 때 준비할 사항

군생활을 하다 보면 1~2년마다 이사를 하게 된다. 그런데 이렇게 자주 겪는 일인데도 이사할 때마다 해야 할 일들을 가끔 잊어버리곤 한다. 때로는 자동차 보험회사에 주소변경을 안 해서 보험기간이 만료되었는데도 만기일을 까맣게 잊고 있다가 손해를 보기도 한다. 따라서 아래에 기술한 사항들을 참고해서 체크리스트 방식으로 하나씩 점검하여 중요한 사항을 놓치지 않도록 하자.

1. 전출 전 부대에서 처리할 일

① 명령지 사본 및 연가미실시 확인서 수령
② 군번도장 회수
③ 부대 출입증 반납

2. 주변 선후배들에게 전출 인사하기

3. 전출 갈 부대의 지휘관에게 사전에 전화하여 인사하기

4. 이사하기 전에 처리해야 할 민간업무

① 이사를 하기 위한 준비

가. 이사차량 신청 및 예약

나. 아파트 퇴거신청 및 시설점검: 아파트관리실에 사전연락

다. 각종 공과금 정산: 수도, 전기, 가스, 전화, 관리비 등

라. 신문, 우유, 학습지 등의 배달중지 요청 또는 주소이전

마. 이사 갈 아파트 사전방문: 주소확인, 집수리, 이사예약

바. 자녀들이 다녀야 할 학교 확인 및 전학 준비

② 주소이전 신청: 차량등록, 신용카드, 보험, 간행물 등

③ 우편물배달 이전 신청: 관할 우체국 민원실에 새주소 통보

④ TV 및 인터넷 이전 신청

⑤ 가스 차단 또는 이전 신청

⑥ 신문 중지 또는 이전 신청

⑦ 전화 이전 신청

5. 이사할 때 꼭 챙겨야 할 중요 품목을 선정하라

중요한 품목은 사전에 목록을 작성하여 이사 후 확인함으로써 잃어버리지 않도록 하라. 이사를 하고 난 직후에는 주변이 어수선하여

그 물건들을 잃어버렸는지도 모른다. 그러다가 한참 후에 다시 찾으려고 하면 찾을 수가 없다. 따라서 골프백, 카메라, 노트북 등과 같이 이사 직후 점검해야 할 중요한 품목들의 목록을 미리 작성해 둬라.

6. 이사할 때 승용차에 직접 휴대할 품목을 선정하여 챙겨라

① 지갑, 휴대폰 및 충전기, 캠코더, 카메라, 은행 통장 등
② 유아가 있으면 운전 중 사용할 놀이도구와 음악테이프 휴대
③ 세면도구류: 칫솔, 면도기 등

7. 이삿짐 준비 시 착안사항

① 흐트러지거나 깨지기 쉬운 물건은 종이나 테이프로 고정: 서랍 안, 서랍 문, 책상 유리판 등
② 빠뜨리기 쉬운 것은 미리 챙기고, 남겨야 할 물건과 구분: 세탁기 연결고리, 화장실에 있는 세면도구류 등
③ 전화신, 김퓨터 선은 미리 정리하고 접착테이프로 고정
④ 불필요한 품목은 미리 제거: 안 쓰는 책이나 옷가지
⑤ 중요한 책, 잃어버리기 쉬운 서류 등은 박스에 넣어 정리
※ 포장이사를 하더라도 필히 사전준비를 해야만 귀중한 물건을 분실하거나 파손당하지 않는다.

제13장 전입 간 곳에서 준비할 사항

1. 아파트 입주 시 확인 및 조치할 사항

① 시설 점검: 전등, 창문, 욕실, 출입문 등의 파손 여부
② 전기, 수도 검침
③ 가스 신청 및 가스레인지 연결
④ 전화, 인터넷, TV 연결
⑤ 신문, 우유, 정수기 등 신청

2. 동사무소에 전입신고를 하고, 주민등록등본 3통 발행

전입신고 시 지참물: 가족들 주민등록증, 운전면허증

3. 자녀가 다닐 학교를 방문하여 전학신청

4. 출근 준비

① 전투복에 부대마크, 비표 부착
② 출근 도로 및 이동 소요시간 파악
③ 사전에 부대를 방문하여 인사, 전입 신고시간 확인
④ 증명사진, 군번도장, 주민등록등본 준비
⑤ 차량출입증 신청 준비: 차량등록증, 보험가입 영수증, 운전면허증 사본 준비

5. 출근하여 우선적으로 할 일

① 내가 해야 할 일, 임무와 역할이 무엇인지 파악한다.
② 당면업무와 그 추진상태를 파악한다.
③ 예하부서나 중대로부터 업무보고를 받는다. 이때 필요한 현황을 파악하고, 자신만의 참고철을 작성한다.
④ 문서 수발계통을 파악하여 필요한 공문이 전달되게 한다.
⑤ 선후배와 업무 관련 부서 및 실무자를 찾아 인사한다.

손규석

육군사관학교 졸업(46기)
미국 테네시대학교 기계공학 석사
전) 육군사관학교 무기공학 전임강사
육군본부 분석평가단 자원분석장교
군수지원사령부 대대장
현) 보병사단 대대장

초판인쇄 | 2010년 9월 17일
초판발행 | 2010년 9월 17일

지 은 이 | 손규석
펴 낸 이 | 채종준
펴 낸 곳 | 한국학술정보(주)
주 소 | 경기도 파주시 교하읍 문발리 파주출판문화정보산업단지 513-5
전 화 | 031) 908-3181(대표)
팩 스 | 031) 908-3189
홈페이지 | http://ebook.kstudy.com
E-mail | 출판사업부 publish@kstudy.com
등 록 | 제일산-115호(2000. 6. 19)

ISBN 978-89-268-1516-8 03040 (Paper Book)
978-89-268-1517-5 08040 (e-Book)

이담Books 는 한국학술정보(주)의 지식실용서 브랜드입니다.